世界の終わり、あるいは始まり

歌野晶午

角川文庫
14425

目次

世界の終わり、あるいは始まり

妻と子供を持つということは、運命に人質を捧《ささ》げるようなものだ。

——フランシス・ベーコン

顔見知りのあの子が誘拐されたと知った時、
驚いたり悲しんだり哀れんだりする一方で、
わが子が狙われなくてよかったと胸をなでおろしたのは私だけではあるまい。

1

自転車のスタンドを立て、前籠《まえかご》から買物袋を引き出そうとした江幡亜希子《えばたあきこ》は、その手をふと止めた。

家の中で電話が鳴っている。

亜希子はポリエチレンの買物袋を横に押しのけ、籠の底に沈んでいたトートバッグを鷲摑《わしづか》みにした。買物袋の中の大根が横に出っ張っていてなかなか目的を達せず、もたもたするうちにベルが鳴りやんでしまった。

「留守電にしてたよね？」

亜希子は手の動きを止めて遠くの方をぼんやりと見つめた。

隣家の木の枝に小さな鳥が一羽とまっていて、まだ堅く閉じている薄桃色の蕾《つぼみ》をついばんでいる。鶯色《うぐいすいろ》をしているので鶯なのだろうか。しかし桜に鶯とはピンとこない取り合わせだ。

「こんにちはー」

とりとめもないことを考えていると通りの方から声がかかった。西武ライオンズの野球帽を後ろ前にかぶった少年が会釈している。

「あら、雄介《ゆうすけ》君。今から一進会？」

さっきの独り言を聞かれてしまったかしらと、亜希子は取り繕うような笑顔を少年に投げかけた。

「ううん、あそこは先週いっぱいでやめた」

「まあ、どうして？」

「なんかさ、イマイチなんだよ、講師が。アルバイトの大学生ばっかでさ、なめてるよね。東京で有名な進学塾のチェーン店つーことで、飯能《はんのう》の方からわざわざ電車で来るやつもいるんだけど、ありゃ完全にサギだ」

富樫《とがし》雄介はドラマの登場人物のように首をすくめた。バカ殿のまねばかりしていた子がいつの間にこんな大人びた仕草をと、亜希子は少々とまどいをおぼえた。身長もいつの間にか自分より高くなっている。

「じゃあ今はほかの塾に？」

亜希子はなんとなく気まずさをおぼえながら尋ねた。

「ううん、新しいとこは新学期から行く。急なことだったんで、春休みの講習は間に合わなかった」

「今度はどこなの？　東六ゼミナール？」

「ううん、大谷進学会」

「大谷進学会？」

「去年できたとこ」

「聞いたことないわ。まるひろの近くよね？」

まるひろというのは駅の近くにあるデパートで、その近辺に学習塾が集中している。

「ブー、違います。豊岡《とよおか》高校の方」

「へー、あっちの方にも塾があるんだ」

「ケッコー評判よくてさ、生徒の能力に合わせて指導法を変えるとかで、まあ家庭教師みたいな感じかな。真鍋《まなべ》もタカ坊もそっちに変わるっていうからソッコー決めた」

「ふーん、ずいぶんよさそうね。真吾《しんご》も大きくなったらそこに——あら、パンク？」

雄介の自転車は後輪がぺちゃんこだった。

「てゆーかー、いたずらされちゃったみたい」

雄介は唇を尖《とが》らせ、中腰になって後輪を指さした。タイヤの側面が切り裂かれたようになっている。

「まあ、ひどい人がいるのね」

「おばちゃんも気をつけたほうがいいよ、南口の第二駐輪場。ゴミ太郎の根城なんだよね」

「ゴミ太郎？」

「このへんにもたまに来るじゃん、チョー汚いオヤジ」

「自転車に乗ったあの人？」

荷台に段ボール箱をくくりつけた自転車を押しているホームレスだ。こんな住宅街に現われるのは、換金できそうな廃品を探してのことなのだろうか。

「そう、ゴミ太郎。あいつ、第二駐輪場横のふれあい公園で寝泊まりしてるんだ」

「その人にタイヤをいたずらされたの？」

「どうもそれっぽい」

「見た目だけで疑うのは失礼よ」

とたしなめたものの、亜希子もそのホームレスを快く思っていなかった。不衛生だし、目つきも気になる。通りや公園で遊んでいる小さな子供たちをじっと見つめていることがあるのだ。見たところまだ三十前後のようで、若いだけに余計に気味が悪い。

「ほかにいないよ、こんなひどいことするヤツ」

雄介は下唇を突き出す。

「でも、ひどい話よね。まだ新しいのに」

「そうだよ、この間のクリスマスに買ってもらったばかりなのに。これからサイクルショップに持っていくんだけど、たぶん直らないんじゃないかなあ。チューブもタイヤも交換しなきゃだめっぽい」

最近の子は自転車屋とはいわないのだろうかと亜希子は苦笑する。

その時、家の中から電話の呼び出し音が聞こえてきた。

「じゃ、僕、行きます」

雄介は軽く頭を下げ、自転車を押しはじめた。

亜希子は自転車の前籠に手を突っ込み、買物袋の脇からトートバッグを取りあげた。ところが今度は鍵《かぎ》が見つからない。玄関に向かいながらバッグの中を引っかき回すが、ドアの前に達してもまだ見つからない。バッグを逆さまにして中身を足下にぶちまけ、それでやっとキーホルダーを発見できた。

電話が鳴りやんだ。

「もうっ、ムカつくー」

亜希子が女子高生のように悪態をつくと、鸚鵡《おうむ》返しに声がかかった。

「ムカつくー」

雄介だった。門の脇から顔を覗《のぞ》かせ、ニヤニヤ笑っている。

「ホント、ムカつくわ。ムカつくムカつく」

恥ずかしさを塗り隠そうと、亜希子は何度も繰り返した。

「ねえ、おばちゃん、真吾君はいる？」

「遊びにいってる」

「じゃ、これあげといて」

雄介は門扉の隙間から何やら差し出してくる。亜希子はバッグの中身はそのままにして彼に近づいていった。

「まあ、M3カードじゃない。いいの？」

マイティ・マジック・マイスターズという人気アニメーションのトレーディングカードだった。それが何十枚と束になっている。Mighty Magic Meisters と頭文字がMの単語が三つ続くのでM3と略されている。

M3カードは、カードの表にアニメーションの登場キャラクターの絵が印刷され、裏にはそのキャラクターの名前や特徴が記されている。五枚入りのパックが二百円という、昔でいうなら駄菓子屋で売っていたブロマイド程度のおもちゃだ。ところが子供たちはみな、男も女も関係なく、このM3カードの収集に目の色を変えている。めったに出ないカードは一枚が数千円数万円で取り引きされ、盗難事件も発生し、学校でも大きな問題となっている。

「うん。かぶってるやつだから。真吾君も持ってるかもしれないけど、そしたらほかの子との交換用にすればいい」

「ありがとう。でもこんなにたくさん、悪いわね」

「いいっていいって。これからは受験勉強に集中しなきゃならないしさ、そろそろ足を洗おうかと思ってるんだ。まだちょっと未練があってアレだけど、完全に興味がなくなったら、M3のコレクションは全部真吾君にあげるよ。カードもピンバッジもフィギュアも。じゃ、今度こそ行きまーす」

「ちょっと待って。雄介君、甘いもの好きだったよね」

亜希子は買物袋の口を広げ、中を覗き込んだ。ショートケーキとエクレアを買ってきている。

「いいよ、気をつかわなくて。それ、真吾君のおやつなんでしょ。今度おじゃました時にいただきます」

雄介は大人びた台詞《せりふ》を残して自転車を押しはじめた。

彼は真吾とは三つ歳が離れていたが、キャッチボールやテレビゲームの相手をしてくれる。亜希子は週三日パートに出ているため、そうやって遊んでもらえるととても助かる。わが子もああいうお兄さんになってくれればなと思う。その一方で、わが子も気づいたら大人になっているのだろうなと一抹の寂しさをおぼえもする。

雄介の後ろ姿を目で追いながら亜希子が感慨に耽《ふけ》っていると、みたび電話が鳴りはじめた。

「いったいなんなのよぉ」

亜希子は買物袋から手を放し、玄関に急いだ。後方で騒々しい音がした。鍵を拾いあげながら振り返ると、自転車が横ざまに倒れていて、後輪が力なく回転していた。

「はいはい、いま出ます。出ます、出ます、出ますってば」

亜希子は怒ったように繰り返し、玄関の鍵を開ける。靴を脱ごうとしてブーツだったと気づき、そのまま室内にあがり込んだ。

居間に駆け込んで受話器を取ったとたん、耳に当てるよりも早く、強い怒りをはらんだ声が届いてきた。

「何してたんだよ」

「なんだ、あなたなの」

亜希子もムッとした調子で孝明《たかあき》に応じた。

「いたのならさっさと出ろ」

「いま帰ってきたところなの」

「なんで出かけてたんだ」

「まあ！　誰のために出かけてたと思ってるの、この人」

「ケータイはどうした？　あっちにも何度もかけたんだぞ」

「置いてった」

「バカ野郎。出かける時にはいつでも持っていかないことには、ケータイの意味がないだろうが」

「はいはい、ご主人様」

亜希子は腰をかがめ、受話器を床に置いた。

「いつ……どこ……出かけ……吾は一緒……なかった……置いて……おい亜希……聞こえ……亜希子……もし……」

小姑《こじゅうと》のような夫は放っておき、亜希子はブーツの踵《かかと》に手をかける。力まかせにぐいぐい押していると掌《てのひら》に湿り気を感じた。外は雨あがりだったと思い出す。玄関からこちらに向かって黒い汚れが等間隔で続いている。

片側が脱げたところで亜希子は受話器を手に取った。

「ああそうですか。いつ何時《なんどき》ご主人様から命令が下るかもしれないから、一日中電話の前で正座していろと。諒解《りょうかい》しました。じゃ、パートはやめていいのですね。お夕飯の買物にも行けないわね。明日からご飯作らなくていいんだ。ラッキー」

「ふざけてる場合か。あのな――」

「それで用事は何？　今日は残業？　麻雀？　それとももうお花見？　ちょうどよかった。お豆腐も卵も割れちゃったみたいだしぃ」

「ふざけるな。メシなんてどうでもいい」

「ま！　言ったわねー」

亜希子は廊下に向かってブーツを投げつける。

「真吾は？」

「あしたもあさってもしあさっても残業してくるといいわ。朝も自分でパンを焼いてちょうだい。あー、助かる助かる。真吾はあしたからしばらくお休みだし、心ゆくまで寝させていただくわ」

「真吾はいるか？」

「なによ、通信簿がどうだったか知りたくてわざわざ電話してきたの？　バッカみたい。ああそういうこと。成績があがってたらゲームでも買ってきてやろうと。とんだ親バカ――」

「いいから答えろ。真吾は？」

「いないわよ。おあいにくさま」

「いないのか？　本当にいないのか!?」

孝明の声が裏返った。

「なによ、そんなにあわてて。あなた、いつから教育熱心になったの。ガキのころから受験させるなと止めたのは――」

「真吾はどこに行った？」

「さあ」

「バカ野郎！　わが子の行動を把握していなくて、それでも母親か！」

耳が痺《しび》れるほどの声に、亜希子もカッとなって応じた。

「あなたこそなによ！　父親らしいことしてるわけ!?　いっつも飲んだくれて帰ってきて！」

「誘拐された」

「なにが誘拐よっ」

「真吾が誘拐された」

「は？」

「脅迫状が届いた」

「脅迫状って……、誘拐って……」

亜希子は意味が飲み込めなかった。

「真吾を誘拐したと脅迫状が届いた。会社にだ」

「ウソ……」

「本当だ。今そういう電子メールが届いた」

「ウソ……」

「本当だ。いいかよく聞け――」

「嘘よ！　さっきまでそこにいたのよ！　嘘！　嘘！　嘘！」

亜希子は食卓に目をやり、駄々っ子のように足を踏み鳴らした。つい先ほどそのテーブルで一緒に昼を食べたのだ。残りものの天麩羅《てんぷら》を卵綴《たまごと》じにして丼にしたものを、真吾はおいしいおいしいといってあっという間に平らげたではなかったか。

「亜希子！」

「は、はい」

「真吾は学校からは帰ってきたんだな？」

「か、帰ってきたわよ、ほら、あそこに」

と亜希子はソファーテーブルの上の通信簿を指さす。

「それから出かけた」

「そう。お昼ご飯のあとで」

「おまえが買物に出るより先に出かけたのか？」

「そう」

「どこに行くとは言ってなかったのか？」

「どこって……」

「落ち着け落ち着け。落ち着いて思い出せ。深呼吸だ。吸って、吐いて、吸って」

亜希子は夫の助言に従い、そしてはたと気づいた。真吾にはPHSを持たせてある。

「電話してみる。ちょっと待って」

部屋を見渡すと、テレビの上に自分のPHSが置いてあった。しかしそれを手にする前に夫が言った。

「さっきからかけているが、つながらない」

「うちからならつながるかもしれない」

亜希子は理屈の通らないことを口走って、メモリーに登録してある真吾の番号を呼び出した。

「おかけになった電話は、電波の届かない場所にあるか、電源が入っていないため、かかりません。おかけになった電話は、電波の届かない場所にあるか、電源が入っていないため、かかりません。おかけになった電話は、電波の届かない場所にあるか、電源が入っていないため、かかりません――」

機械的な女性の声がむなしく繰り返される。

「もしもし？　亜希子？　もしもし？　どうした？　亜希子!?」

夫の声が聞こえる。亜希子はPHSを床に置き、家の電話を耳に当てた。

「とにかく、今すぐ真吾を捜せ。どこに行くと言っていたのか思い出せないのなら、遊びにいきそうなところを手当たりしだい捜すんだ」

「捜せと言われても、もうさらわれたのでしょう？　警察に頼まないと」

そう口にしてから亜希子はあらためて事態の重さを感じ、ひっと声をあげた。

「警察に報《しら》せるのはまだ待て。いたずらかもしれない。だからまず、おまえが真吾を捜すんだ」

「わ、わかったわ」

「それで見つからなかったら電話をくれ。会社はだめだぞ。俺の携帯電話にかけろ。ああもちろん、見つかった場合も連絡するように。いや、きっと見つかるさ。じゃあ頼んだぞ。待ってる」

それで電話は切れた。

亜希子は受話器を戻せず、立ちあがることもできない。

カーペットに染みができている。廊下も黒く汚れている。午前中に掃除機をかけたのに、どうしてこんなに汚いのだろう。ああそうか、自分が土足であがったからだ。

感嘆符の形をした靴跡を眺めながら、漫画のようだと亜希子は思った。

2

江幡孝明殿

ご子息を預かった。

現金で2000000円を用意しろ。

金は不透明なビニール袋に入れろ。

それを持って本日午後八時に入間市《いるまし》駅南口のバスロータリーに行き、天と地の間にしゃがんで指示を待て。

指示に従ったのち、すぐに帰宅しろ。

ロータリーには細君を一人で行かせろ。

警察を呼んだらご子息の命はない。


「一、十、百、千、万、十万、百万。二百万円？　いたずらで送りつけてきたんじゃないだろうな」

葉山という年配の刑事が眉《まゆ》をひそめた。

「ゼロを一つか二つ打ち損なったんですかね」

三島という若い刑事も小首をかしげた。

「私も最初はたちの悪い冗談《せ》かと思いました。けれど現に真吾がいなくなって――」

そこまで言って孝明は咳き込んだ。駅から家まで自転車を全力で漕《こ》いできたので息があがっているのだ。彼の首筋には汗が伝い、額には前髪が張りついている。濡《ぬ》れタオルをと亜希子は思ったが、思っただけで体は椅子の上から離れなかった。

「そうでしたな。それでご主人はこれをいつ受け取ったのです？」

葉山が尋ねる。

「三時ごろです」

「会社で受け取ったのですね？」

「はい。出先から戻ってきてメールをチェックしたら届いていました」

「その前にメールをチェックしたのはいつです？」

「一時です」

「こいつは二時四十七分に送信されていますね」

三島が画面上の「Date: Mon, 26 Mar 2001 14:47:03 +0900」という部分を指でなぞった。

そのノート型のパソコンは孝明が会社から持ち帰ったものである。

「江幡さん、コピーしてもよろしいですね？　メールの内部には、そのメールがどんなルートをたどって届いたのかが記録されています。それを解析することで犯人に迫れます。ほかのメールにはいっさい手をつけません」

三島は孝明の返事を待たずに持参のノートパソコンをテーブルに広げ、二台のパソコンを短いケーブルでつないだ。

「差出人に心あたりはありませんか？」

葉山が尋ねた。差出人のメールアドレスは「p6x3d8s5w1@jjt-pocket.com」となっている。

「あれ？　このドメインはＪＪＴ社のＰＨＳ専用のものだな」

孝明が答える前に三島が言った。

「ドメイン？」

「アットマーク以下の部分です。『jjt-pocket.com』はJJT社のPHSからEメールを打つ際に使われるもので、ほかの電話会社の端末やパソコン上からは使うことができません。言い換えれば、犯人はJJTのPHSを使って脅迫状を送りつけてきたとなります」

「それで、心あたりは？」

葉山は三島を手で制し、再度孝明に尋ねた。

「JJTのPHSを使っている人物ですか？」

孝明はネクタイを緩めながら考え込むように目を細めた。

「PHSの件は考えに入れなくて結構です。このメールアドレスにピンとくるものはありませんかね？　このアドレスからのメールを過去にも受け取ったことはありませんか？」

「うーん。あったかなあ、こんな暗号のようなアドレス」

「たしかJJTのPHSは、契約時にメールアドレスとしてランダムな英数字を与えられるのですよね。契約者の多くは、その後、名前を織り交ぜるなどして、もっとわかりやすいアドレスに変更しますが、このメールアドレスは初期状態のままだと考えられます」

三島がまた口を挟んだ。

「記憶にはありませんが……」

孝明はワイシャツの第一ボタンをはずし、第二ボタンもはずし、襟元を摑《つか》んで上下に動かす。もう一方の手には厚手の紙を持ち、玉の汗が浮いた胸元に風を送る。

「あなた、それ」

亜希子はハッと腰を浮かせて夫の手首を摑んだ。孝明は妻に押さえられた自分の左手に目をやって、そのまま固まってしまった。彼が団扇《うちわ》として使っていたのは真吾の通信簿だった。亜希子が手を放すと孝明はふうと息をつき、二つ折りの紙を少しだけ開いて、

「算数が5になってるよ」

と力ない笑みを亜希子に向けた。

「タオル持ってくるね」

亜希子は顔を伏せて通信簿を奪い取った。逃げるように台所に入り、通信簿を神棚にあげ、それに向かって手を合わせ、涙が引っ込むのを待って居間に戻る。濡れタオルとお冷やを孝明に渡すと、サイドボードから客用の茶器を出した。もう一時間も前からここにいる刑事に水の一杯も出していなかった。

埼玉県警狭山《さやま》警察署から江幡宅にやってきたのは葉山と三島の二人だけだった。彼らはテレビドラマの刑事のように、運送会社の配達を装って登場し（洗濯機とテレビの段ボール箱の中に入っていた）、やはりドラマでよくあるように、居間のカーテンを引くよう命じてきた。

「どうです、思い出せました？」

葉山が孝明にしつこく尋ねた。

「だめですね」

「まあ、JJTに問い合わせれば、このPHSの契約者はすぐに判明しますよ。もっとも、持ち主がイコール犯人だとはかぎりませんが」

三島はパソコンを操作する。

「JJTのPHSを使っている知り合いは、うちの女房くらいですかね」

夫の何気ないつぶやきに、亜希子の背中を冷たいものが走った。あわてて自分のPHSを取り出すと、ボタンを操作してメモリーの中を確認した。予感は的中した。PHSのディスプレイを葉山に向け、あえぐように言う。

「そのメールアドレスは、真吾の、PHSの……」

「p6x3d8s5w1@jjt-pocket.com」は真吾のPHSのメールアドレスにほかならなかった。真吾はまだ小さいのでメール機能はそう使わないだろうと思い、アドレスは契約した時のまま変更していなかった。亜希子も真吾にメールを送ることはほとんどなく、アドレスをそらで憶《おぼ》えていなかった。

「息子さんはケータイを持っているのですか？」

葉山が驚いたように言った。

「私も働きに出ているので、何かあった時に連絡できるようにと」

「はあ、今はそういう時代ですか。小学生がケータイをねえ。はあ、そうですか」

葉山は溜《た》め息混じりに繰り返して、

「待ってください。すると、息子さんがいたずらで送ったという可能性も……」

「うちの子は二年生ですよ。こんな大人の文章を書けるわけがない。漢字もろくに知らない」

孝明が声を荒らげた。

「自分のケータイからメールを送ると、アドレスから正体を割り出されてしまう。さらった子のケータイを使ってメールを送れば、正体はバレない。なるほど、考えたな」

三島が小さく唸《うな》った。

「ケータイを持っているということは、いま真吾君と連絡がつく?」

葉山が膝《ひざ》を叩《たた》いた。亜希子は首を振った。

「だめです。電源が切られているみたいで」

念のため真吾のPHSを呼び出してみる。やはりつながらない。

「ご主人の会社のメールアドレスは真吾君のケータイのメモリーに入っていましたか?」

三島が言った。

「いいえ。必要ありませんから」

亜希子が答えた。

「ということは、犯人はゆきずりに真吾君をさらったのではありませんね。ゆきずりにさらったとしても、ケータイのメモリーにお父さんのメールアドレスが入っていないのだから、メールを送ることはできない。真吾君はお父さんのメールアドレスを暗記していましたか?」

「まさか」

「すると、真吾君をいくら問い詰めてもお父さんのメールアドレスはわからない。したがって犯人は、誘拐を実行する以前から江幡さんのメールアドレスを知っていたとみなせます。ではどういう立場の人間が江幡さんのメールアドレスを知ることができるのか? このアカウントは仕事上のものですね?」

「アカウント?」

孝明が首をかしげた。

「このメールを受け取ったアドレス、『ebata@hozan.co.jp』のことです」

「ああ。メールは業務にしか使っていません。うちはネットワーク管理者のチェックが厳しくて、たとえ社内メールであっても私信は御法度になっています。このパソコンも実は持ち出し禁止なのです」

「するとこのメールアドレスを知っているのは、原則的に、江幡さんと仕事上接点を持っている人間だけとなりますね」

「あの、それはつまり、取引先の誰かが真吾を……」

孝明はとまどうように顔をあげた。

「あるいは社内の誰か」

孝明が息を呑《の》んだ。

「早いとこ情報通信局に回せ」

はやる若者の肩を葉山が叩いた。

「送信元は被害者のPHSだと判明しましたが」

「いいから送っておけ。文面を知らせる必要もある」

三島は背広のポケットから携帯電話を取り出し、自分のパソコンと接続した。

「これは相当配られているのでしょうね？」

葉山は孝明に向き直り、宝山物産の名刺を差し出した。先に孝明から受け取ったものである。

「外回りが多いですから。月に一箱ペースですか。あのう、犯人は私の名刺からメールアドレスを知ったと？」

名刺の住所欄には「ebata@hozan.co.jp」と刷られている。

「その可能性は多分にあります」

「名刺から知ったとすると、やはり取引先の誰かが真吾を、その、あれしたと？」

「そう断定しているわけではありません。同窓会に出席したら名刺交換するでしょう？　スナックのママに『お名刺をちょうだいできますか？』と請われることも」

「はあ、それは、まあ……」

孝明は濡れタオルで顔をぬぐった。

「名刺交換した相手はどの程度把握していらっしゃいます？」

「仕事関係で渡した分に関してはすべてメモしてあります」

「そのメモを拝見できますか？」

「はあ」

「会社ですか？　でしたら今から取りに戻っていただけますか。私服の警察官を一人、会社の前まで行かせますので、メモはその者に渡してください」

「いや、名刺交換した方の記録はこの中にありますが……」

孝明は弱ったように自分のパソコンを指さして、

「名前や会社名だけでなく、業務上の秘密やプライバシーにふれることもおぼえとして入力してありまして……」

「捜査資料として拝見するだけです。捜査が済みしだい破棄します。流出させることはありません」

一語一語嚙《か》みしめるように葉山が言うと、孝明は一拍置いてうなずいた。

三島がふたたびファイルのコピー作業をはじめる。亜希子は刑事たちにお茶を出した。

「ああ奥さん、恐縮ですな。ところでご主人、不勉強で申し訳ありませんが、お勤め先の宝山物産というのはどういう会社でしょうか？」

湯呑みに手を伸ばしながら葉山が尋ねた。

「あのう、警察としてはやはり、誘拐ではない可能性が高いと考えているわけですか？」

孝明は質問を無視してそう尋ねた。

「誘拐ではない？　いたずらですか？　たしかに二百万円という少ない要求におかしなものを感じましたが、しかし息子さんが帰っていらっしゃらない以上、たんなるいたずらとは考えられないでしょう」

「じゃあどうして何もしていただけないのです」

孝明は不安そうに室内のあちこちを窺《うかが》った。

「ああ、そのことですか。ご安心を。準備は整っています」

葉山がほほえんだ。

「整っているって……」

孝明はなお訝《いぶか》しげにサイドテーブルの下や天井にまで目を送る。実は亜希子も同じことを心配していた。狭山署の二人はドラマの中の刑事のように劇的に現われたが、ドラマに出てくるようなものものしい録音機器を電話機にセットすることはなかったのだ。

「録音も逆探知も電話局のほうで行ないます」

「ああそうなんですか」

小刻みにうなずく孝明だったが目は納得していない様子だった。すると三島がパソコンを操作する手を休めて、

「被害者宅の電話機にテープレコーダーやら何やらをセットしたり、捜査本部との連絡用に別回線を引いたりしたのはひと昔前の話です。まず、連絡はこれでできるでしょう」

とかたわらの携帯電話を指さす。

「そしていわゆる逆探知は、現在では交換機がデジタル化されているので、局の端末を操作すれば一瞬にして相手先の番号が判明します。ほら、携帯電話では着信があった際、発信元の番号がディスプレイに表示されるでしょう。お宅のこの電話機は違いますが、固定電話にもナンバーディスプレイ機能がある。それらは交換機がデジタル化されたからこそ実現した機能です。携帯電話や固定電話の場合、相手先の番号の前に184をつけてダイヤルすることで相手に番号を伝えないようにすることができますが、しかしその場合でも電話局で端末を操作すれば発信元の電話番号はたちどころに判明します。公衆電話からかけてきたとしても、その電話機の設置場所を即座に特定できます」

「ああそうなんですか。じゃあ、犯人からの電話を不自然に長引かせなくてもいいのですね」

孝明は今度は納得した様子でうなずいた。

「いえ、通話はなるべく延ばしてください。というのも、犯人が携帯電話を使って連絡してきた場合、番号を特定するだけでは不充分です。一般回線の電話と違って端末が移動可能なわけですからね。したがって日本のどこから電話してきているのか把握する必要があります。デジタル化されたことで、この位置の捕捉《ほそく》も可能なのですが、番号の特定と違って一瞬のうちにと

いうわけにはいかないのです。ですから犯人とはなるべく長くしゃべってください。犯人に多くしゃべらせることで声の特徴も摑《つか》めます」

「わかりました」

「それでご主人、宝山物産とはどういう会社なのでしょう」

葉山があらためて尋ねた。

「主として機械の部品を扱っている商社です。東証の二部に上場しています」

「ご主人はそこでどういった仕事をされているのですか?」

「営業です。家電メーカーの依頼を受けて、そのメーカーの製品に用いる機械部品を海外から調達しています」

「最近、仕事上で大きなトラブルが発生しませんでしたか?」

「やはりそちらの線が怪しいと?」

「先ほどから申しているように、そう限定しているわけではありません。ただ、ご主人が業務上使っているアドレスに脅迫状が届いたからには、まず仕事関係の人間をあたる必要があります」

「小さなトラブルはままありますが、誘拐にまで発展するほどのものは……」

孝明が考え込むようにうつむいたその時、インターホンが鳴った。

「おそらく特務班の者でしょう。打ち合わせどおりお願いします」

葉山は腕時計に目をやってから亜希子をうながした。亜希子はうろたえながらインターホンの受話器をあげ、はいとかすれた声で応じた。

「亜希子ぉ？　あたし。トモミよ」

やたらと快活な声が返ってきた。

「いらっしゃい。いま開けます」

亜希子は棒読み調で応答すると、玄関に走っていってドアを開けた。外には、レモンイエローのハーフコートを着た女性が立っていた。

「バスが渋滞に巻き込まれちゃってさぁ。はい、おみやげ」

彼女は笑顔で洋菓子店の箱を差し出してくる。

「あ、はい。ええと……」

与えられていた台詞《せりふ》を亜希子はど忘れした。すると訪問者は、

「真吾くーん、トモミおばちゃんだよー。君の大好きなショートケーキを買ってきたよー」

と言いながら中に入ってきて、後ろ手にドアを閉じたとたんに表情と声を変えた。

「県警本部の岩瀬です」

埼玉県警捜査一課の誘拐事件捜査チームからの派遣部隊だった。犯人が見張っているかもしれないので友人を装って訪問すると、事前に連絡が入っていた。

居間にあがると岩瀬は、応接セットに陣取った狭山署の二人に軽く頭を下げた。

「進展はありましたか？」

「とくには。今、ご主人の仕事関係をあたっているところです。そうそう、これが脅迫状の現物」

三島が答え、ノートパソコンを岩瀬に向けた。岩瀬はコートを脱ぎながらディスプレイを覗《のぞ》

き込む。

「『天と地の間にしゃがんで指示を待て』とは何の謎《なぞ》かけなのでしょうかね」

「謎かけというほどのものじゃ。ブロンズ像のことでしょ」

　葉山がぶっきらぼうに言った。

「ブロンズ像？」

「バスロータリーには女性のブロンズ像がいくつか立っていて、それぞれに名前がついている。『天』とか『地』とかいうふうに」

「すると、『天』の像と『地』の像の間にしゃがめというわけですか」

　岩瀬はふんふんとうなずくと、さて奥様と亜希子の方を振り返った。ショートカットが似合う女性である。体つきはほっそりしていて、眼鏡をかけていて、ちょっと見には学校の先生のような印象を抱かせる。

「真吾君がいなくなった時の状況をあらためて説明願えますか」

「はあ、あの、いなくなったというか、遊びにいっただけなのですけど」

「遊びに出たのは何時でした？」

「十二時半ごろでした。あの、ハンガーにかけましょう」

　亜希子が手を差し出すと岩瀬は、それには及ばないと手を振って、コートを膝《ひざ》に食卓の椅子に腰を降ろした。急須《きゅうす》の蓋《ふた》を開けると、お茶もいらないから奥さんも座ってくださいと言われ、亜希子はテーブルを挟んで岩瀬と向き合った。

三月二十六日のこの日は学年の修了式で、真吾は昼前に帰宅してきた。そして昼食後の十二時半、マイティ・マジック・マイスターズの小さなリュックを背負って外に飛び出していった。どこに行くのかと亜希子が問うと、西久保公園でグッちゃんたちと会うと真吾は答えた。西久保公園は江幡家から歩いて十分ほどのところにある児童公園で、真吾が外遊びする場合は八割方そこでだった。

真吾が出ていったあと亜希子は食事の後片づけをし、化粧を整えてから夕飯の買物にいった。出かけたのが二時で、帰ってきたのが三時過ぎ、そこに孝明からの電話があったのである。

警察に報《しら》せる前に自力で捜せと夫に命じられ、亜希子は自転車を西久保公園に飛ばした。西久保公園には小学生が十人ほどいた。半数の子はボール遊び禁止の立て札を無視してサッカーボールを蹴《け》り合っていて、残りは藤棚の下のベンチでM3カードの見せっこをしていた。どちらのグループの中にも真吾の姿はなかった。亜希子が見知った顔もいなかった。

亜希子は子供たちの中に入っていって、二年生の江幡真吾を見なかったかと尋ねた。M3のリュック、クリーブランド・インディアンスの野球帽、同チームのネイビーと赤のスタジアムジャンパー——真吾の特徴を伝えて尋ねた。砂場の周りにたむろしていた幼児を連れた主婦たちにも尋ねた。真吾を見かけた者は一人もいなかった。

亜希子はそこで、グッちゃんこと谷口司《たにぐちつかさ》の家に向かった。司は在宅しており、庄野裕樹《しょうのひろき》という、やはり真吾のクラスメイトと二人で遊んでいた。司が言うには、真吾は西久保公園に現われなかったとのことだった。それで、しばらくは裕樹と二人で公園で遊んでいたのだが、それでも真吾は現われず、外遊びにも飽きたので、家でゲームをすることにしたのだという。司の母親は、真吾から電話はなかったと言った。

　亜希子はそれから、真吾が立ち回りそうな場所をめぐった。コンビニ、神社、小学校の校庭と回ったあと、駅の方まで足を延ばし、おもちゃ屋や中古ゲーム屋やショッピングセンターを訪ねてみた。けれどどこにも真吾の姿はなく、出現した痕跡《こんせき》もなかった。この間、真吾のPHSに頻繁に電話したが、まったくつながらなかった。亜希子は捜索の手がかりを失った。

「バカ、泣くな」

　孝明に電話をすると、第一声としてそう返ってきた。彼はそして亜希子の話を聞こうともせず、

「警察に電話しろ。すぐに帰る」

　と、あたりをはばかる様子で電話を切った。

　一一〇番通報の際と葉山に対してと、亜希子はすでにこの話を二度行なっていた。それでだろう、三度目の今回はきちんと順序立てて説明することができた。

「真吾君は普段、この時間にはおうちに帰ってきているのでしょうね」

　話がひと区切りついたところで岩瀬が言った。現在の時刻は六時に近い。

「はい。四時半には」

　正確には、冬場は四時半、夏場は五時、である。その時刻に近所の中学校が下校をうながすチャイムを鳴らすので、それが聞こえたら帰ってくる約束になっていた。

「今日は月曜日ですしね」

「は？」

「六時からM3があります」

亜希子はああとうなずき、深い溜《た》め息をついた。真吾があのアニメを見逃したことは一度としてなかった。

「真吾君を捜している時、怪しい人物を見かけたという話は聞きませんでした？」

「いいえ」

「とくに挙動不審でなくても、このあたりでは見かけない顔がいたとか」

亜希子は目頭を押さえながらかぶりを振った。岩瀬はうなずき、体をよじって応接セットの方を向いた。

「犯人はその脅迫状を一通送りつけてきたきりなのですね？」

そうですと三島が答えた。

「あらためて会社のほうに電子メールを送りつけているとは考えられませんか？」

「今、ご主人にチェックしてもらいましたが、届いていません」

電話回線を使って宝山物産のサーバーにアクセスしたとのことだった。

「では、このあとも連絡はないと想定して準備したほうがいいですね」

「駅前はすでに固めてあります」

葉山が不機嫌そうに言った。

「現金の用意は？」

「まだです」

「ではご主人、すぐにお金の手配をしてください。指定の時刻まで二時間しかありません。冷たいようですが、私たち警察はお金の用意はできません。ただ、金融機関との交渉ならお手伝いできます。すでに窓口業務は終わっていますが、払い戻しに応じるよう事情を説明します」

「ご主人には話を聞かせてもらっている最中なんですがね。話が終わったらＡＴＭでおろしてきてもらうという、そういう段取りになっています」

　歳下の女性に指図されるのが葉山は気にくわないらしい。

「ＡＴＭで？　失礼ですが、すぐにおろせるお金が二百万円もあるのですね？」

　岩瀬は孝明と亜希子を交互に見た。

「確かめてあるに決まってるでしょう」

　葉山はいっそうムッとした。

「銀行の定期と郵便局の定額貯金を担保に借り入れすれば、どうにか間に合います」

　亜希子が答えた。

「借り入れ？　でしたら窓口を通さないと無理でしょう」

「いえ、定期預金の九割までは手続きなしに機械から借りられるのです。郵便局の定額貯金も一緒です」

「そうなんですか。わかりました。では奥様、服を貸してください」

「服？」

　亜希子は首をかしげた。

「私が奥様に代わってバスロータリーにまいります」

「駐車場の角を右折しました。前方右手の高台に立体式の駐輪場が見えます。間もなく入間市駅前交番にさしかかります。今、通過。巡査はとくにこちらを気にしている様子はありませんでした。はい、階段があります」

岩瀬朋美《ともみ》は小声でしゃべりながら交番脇の階段を昇っていく。彼女に連れはいなかった。といって独り言を言っているわけでもなかった。

岩瀬の左耳にはイヤホンがはまっている。これはイヤホンであるのと同時にマイクでもあった。しゃべった際の耳骨の震動を音声としてとらえるのだ。イヤホンのコードは彼女のコートの内ポケットから伸び出てきている。コード先端のプラグは携帯電話の端子に差し込まれている。携帯電話は通話状態になっていて、狭山署内に設置された捜査本部とつながっている。身代金を運ぶ岩瀬の状況を捜査本部に逐一伝え、本部から迅速な指示を仰ぐための手段だった。コードは肩までの鬘《かつら》の中を隠れて通っているので、端からはイヤホンをはめているとは気づかないはずだ。

3

階段を昇りきると空中歩道に出る。歩道は入間市駅の建物へと続く。五階建ての商業施設がくっついた白い建物だ。駅ビルの入口まで達すると岩瀬は、建物に背を向け、空中歩道の手摺《てすり》に体をあずけて向こうを窺《うかが》った。

眼下は複雑な造りの交通広場になっている。右に客待ちのタクシーが並び、左がバスロータリー、というのが大雑把なレイアウトだ。タクシーの列の近くには時計塔が建っていて、七時四十五分を指している。帰宅時間帯なので、バス停にはそれなりに人の列ができている。不審な人物がいるようには、この位置からでは見受けられない。

岩瀬は手摺りを離れ、階段を降りた。降りきってすぐのところに横断歩道があった。渡った先がバスロータリーだ。

「現場に到着しました」

ロータリーには水銀灯の明かりがあり、その白い光に植え込みや人影が淡く浮かびあがっている。わりと広いロータリーだ。バス乗り場は四つしかないが、屋根付きのベンチやトイレや人工池が設けられている。

問題のブロンズ像はロータリーの中央にあった。茶色の御影石の上に、躍動した女性の像が何体か輪になって立っている。近づいてみると、プレートに「三美神像」と書かれていた。不思議なことに、名前は三美神像なのに、実際の像は四体あった。それぞれの像の下に「天」「地」「空」「花」と名前が記されている。「花」の像だけがきわだって背が低く、これは子供と思われた。この子は神ではないということか。

岩瀬はコートの袖《そで》をたくしあげて手首に目をやった。腕時計は七時四十八分を表示していた。時計塔にも目をやる。そちらの針も同じ時刻を指していた。

「ひとまわりしてみます」

岩瀬は三美神像の前を離れ、女子トイレに入ってみた。トイレは半地下になっていた。ボックスは二つあり、いずれも空いていた。手洗いをしている者もいない。女子トイレに続いて男子トイレも覗《のぞ》いたが、こちらも空っぽだった。

トイレを出るとベンチの方に向かった。ベンチは三美神像を挟んでトイレと反対側にある。途中、ツツジの植え込みに囲まれた人工池があり、そのほとりに何組かのカップルが腰かけていた。浅い春の空気は冷たかったが、彼らはそれをものともせず、体を寄せ合って何ごとか囁《ささや》きあっている。だが、この中の一組か二組は演技でそうしている。犯人捕捉《ほそく》のために張り込んだ警察官なのだ。捜査員はバス待ちの列の中にも紛れ込んでいるはずだ。

人工池の先に円形の屋根がある。屋根の中央には背の高いポールが立っていて、先端には六角状に水銀灯がついている。この下にベンチがある。岩瀬は屋根を支える柱と柱の間から中を覗き込んだ。

空気が一変した。雰囲気も変わったし、空気そのものの臭いがおかしくなった。

ベンチは屋根の外周に合わせて三脚設けられている。いずれも四人掛けだ。しかしベンチはがらんとしていた。男が一人いるきりである。頭髪は干しワカメのようで、髭《ひげ》もヤギのように伸び放題、衣服はくたくたで煮しめたよう——そんな男がベンチの上に体育座りをしている。その体勢で肩から毛布を掛け、ぼんやりとした目を遠くに送っている。独特の饐《す》えた臭いの源は彼だった。

「ホームレスがいますね」

岩瀬は小声で捜査本部に報告した。不衛生で目ざわりだと思い、みな意識的にこの場所を避けているのだろう。こんな郊外の小都市にもホームレスがいるのかと、岩瀬は意外な思いがした。不況はそれほど深刻なのかとも思った。

「すでに把握している。そろそろ所定の位置に待機しろ」

時刻は七時五十三分。本部からの指示に従い、岩瀬は三美神像に戻った。脅迫状にあったように、「天」の女神像と「地」の女神像の間にしゃがみ込む。いつ何が起きても対応できるよう、片膝《かたひざ》を地面に突き、片膝は立てておく。

「天」と「地」の間にしゃがむと、正面に円筒形のごみ箱が見えた。その背後は灌木《かんぼく》の植え込みで、さらにその向こうは車道になっている。まだ八時前なので車が頻繁に通過する。

犯人はなぜしゃがんで待つことを要求してきたのだろうかと岩瀬は考えた。立って待たれたのでは犯人にとって不都合が生じるのだろうか。

しゃがみ続けるうちに自然と答が出た。しゃがむことで体の動きを不自由にさせてしまおうというのではないのか。片膝を立てていても、立っているよりは相当動きづらい。それともう一つ、人の目から隠せるという利点が犯人にはある。三美神像がじゃまになり、こちらからバス待ちの列がまったく見えないのだ。裏を返せば、バスを待つ人々も岩瀬の姿をとらえることができない。

七時五十八分に捜査本部のほうから話しかけてきた。

「変わったことは？」

「ありません」

「犯人が接触してきたら、相手の言葉を逐一復唱するんだぞ」

「はい、わかっています」

岩瀬はコートの左のポケットに手を突っ込んだ。つるつるしたビニールの感触があった。指で押すと硬さを感じる。念のためポケットから取り出して確認したが、ビニール袋の中身、二百万円は無事だった。

八時になった。何も起きなかった。人が近づいてくる気配もなかった。

「やはり現われませんね」

岩瀬はつぶやいた。「やはり」と言ったのは、誘拐犯が身代金の受け渡しをすっぽかすケースは往々にしてあるからだ。警察の張り込みを警戒して出てこられなくなってしまう場合もあれば、捜査の攪乱《かくらん》を目的としてのすっぽかしもある。

八時十分、岩瀬は立ちあがった。犯人が現われたからではない。足腰が疲れた。後ろに手を回して腰を叩《たた》き、脚の血行が回復するのを待つ。たしかにこの体勢を長く続けていると、犯人を追いかけようとしても脚がうまく動いてくれそうにない。

「指示は『しゃがんで待て』だぞ」

どこかで監視しているのか、本部からクレームがついた。

「すいません、脚が痺《しび》れちゃって」

岩瀬はふたたび腰を落とした。そして妙な現象に気づいた。正面のごみ箱の一部がぼんやり光っているように見える。岩瀬は中腰のまま前に進んでいった。

「犯人の指示がありました」

岩瀬は興奮を抑えつけて報告した。

「現われたのか?」

本部も色めきたった。

「いいえ。指示だけです」

ステンレス製のごみ箱の側面に文字が記されていた。闇の中に「カネハココニ」と浮かびあがっている。夜光塗料で書かれているのだ。岩瀬はその状況を捜査本部に伝えたのち、

「これを犯人の指示だと解釈してよろしいでしょうか？　私が到着する以前から記されていたわけですが」

と伺いをたてた。想定外の展開に、本部もかなりとまどった様子だったが、しばらく待たされてから、従うようにとの判断が届いた。

岩瀬は四周を窺《うかが》いながらコートのポケットに手を突っ込み、ビニール包みを取り出した。口を開け、中に紙幣の束が詰まっていることを再確認してから、包みごとごみ箱の中にそっと落とした。

「現金をごみ箱に入れました」

岩瀬は報告する。

「人の動きはあるか？」

本部が尋ねてくる。岩瀬は周囲に目を配って、

「こちらを注目している人間はいないように思えますが」

ツツジの植え込みにも目をやったが、人が隠れられるだけの幅はない。

「よし。君の仕事はそこまでだ。あとは捕捉班が引き継ぐ。まっすぐ被害者宅に帰りたまえ」

それで通話が切れた。

岩瀬はゆっくりとごみ箱を離れていった。ちらちら振り返りながら横断歩道を渡り、空中歩

道への階段を駆け昇る。昇りきると、本部の命令に背いて手摺《てす》り越しにバスロータリーの様子を窺った。

怪しい人影があった。

何者かが中腰でごみ箱の中を覗き込んでいた。シルエットしか見えなかったが、痩《や》せ形の男であることだけは瞬時に判断できた。

男はごみ箱の中に腕を突っ込み、抜いた。手には黒くて四角いものが握られている。男は袋の口を開け、中身を確認している様子だった。

「犯人です。犯人が現われました」

回線が切れていることを忘れ、岩瀬は捜査本部に向かって報告をした。

次の瞬間、突然の白光に岩瀬は目を閉じた。

額に手をかざして目を開けると、あたりは真昼の明るさに包まれていた。捕捉班が投光器をつけたのだ。

光の中心に件《くだん》の男がいた。左手に黒いビニール袋を、右手に裸の紙幣を握り、呆然《ぼうぜん》と立ちつくしている。彼の周りには私服警官の輪ができていた。

4

江幡真吾君誘拐事件ドキュメント

【三月二十六日】
12・30　真吾君が自宅を出る。亜希子さんには「西久保公園に行く」と言い残す。
14・47　犯人、孝明さんの職場に電子メールで脅迫状を送信。
15・00　孝明さんが脅迫メールを受信。
15・40　亜希子さん、真吾君を捜しに西久保公園へ。見つけられず。
16・40　亜希子さんが一一〇番通報。狭山署内に埼玉県警刑事部長を本部長とする「入間ひいらぎ台身代金目的小学生誘拐事件特別捜査本部」が設置される。態勢約八十人。
18・00　捜査本部長が事件の概要を記者発表。真吾君に生命の危機が及ぶおそれがあるとし、報道の自粛を県警記者クラブに申し入れる。
19・00　誘拐報道協定が締結される。
19・25　亜希子さんを装った女性警察官が現金二百万円の包みを持って孝明さん宅を出る。
19・45　女性警察官、入間市駅南口に到着。バスロータリー内の三美神像の前に待機。
20・10　犯人の指示に従い、現金の包みを三美神像前のごみ箱の中に入れる。
20・20　ごみ箱から現金の包みを拾いあげた男性の身柄を確保。

【三月二十七日】
11・00　狭山署に連れていかれた男性が解放される。男性は入間市駅近くの公園で起居しているホームレスで、バスロータリーのベンチで休んでいた際に女性警察官の行動を目撃、ビニールの包みは興味本位で拾いあげただけだった。

【三月二十九日】

8・00 入間市上高田の休耕地内の物置小屋で真吾君の遺体を発見。自宅からわずか二キロの地点だった。死因は、短銃で心臓を撃たれたことによる失血死。

5

二十九日に射殺体で発見された埼玉県入間市ひいらぎ台の会社員江幡孝明さん（三六）の長男で市立ひいらぎ台小学校二年の真吾君（八）の死亡推定時刻は、司法解剖の結果、二十六日の十二時から十六時と判明した。身代金の受け渡しより前に殺されたというきわめて残忍な事件で、犯人の目的は最初から真吾君殺害にあったのではという見方もなされている。

悲惨な事件の連鎖はどこまで続くのだろう。
しかしわが家は相変わらず平和だし、この先もずっと平和であり続けるはずだ。

1

一日午後、埼玉県飯能市多田野の不法投棄されたごみの山で火災が発生、消火にあたった飯能消防署員が、野積みされたタイヤの中から男児の遺体を発見した。男児は、身体的な特徴から、先月二十五日より行方がわからなくなっていた同市藤ノ森の公務員馬場《ばば》明史《あきふみ》さん（四二）の次男で市立藤ノ森小学校二年の馬場雅也《まさや》君（七）であると断定された。

雅也君は四月二十五日の下校途中に同級生と別れたのち行方がわからなくなり、同日午後に現金二百万円を要求する脅迫状が明史さんの職場に電子メールで届けられた。埼玉県警捜査一課は身代金目的の誘拐事件とみて百人態勢で捜査を開始したが、犯人が身代金の受け取りに現われず、以後連絡もなく、二十八日より公開捜査に切り替わっていた。

現在雅也君の遺体は司法解剖中であるが、遺体に銃創が認められたことから、これが死因になったとの見方が強い。同県内では三月にも小学生の男児が誘拐後射殺されるという事件が発生しており、両事件の関連についても調べられる見込みだ。

なお火災の原因は、古タイヤの自然発火と見られている。

2

埼玉県狭山市倉沢の資材置き場で二十六日、市立西小学校一年の赤羽聡君《あかばねさとし》（六）が死体で発見された事件で、聡君は二十三日から行方がわからなくなっており、誘拐を示唆する脅迫状が母親の元に届いていたことが明らかになった。また狭山警察署は聡君の死因を、胸部を短銃で撃たれたことによる失血性ショック死と発表した。

聡君が行方不明になったのは二十三日の放課後で、同日午後、母親の万里子《まりこ》さん（三三）の職場に身代金百万円を要求する電子メールが届いた。万里子さんは一一〇番通報したのち、同日午後五時、犯人の指示に従って、同市原町の陸橋上から現金百万円の入った包みを投下した。しかし犯人は取りに現われず、連絡も途絶えていた。

県内ではここ二ヵ月の間に男児が射殺される事件が二件発生している。過去二件と今回の事件では、①脅迫状が電子メールで送られてきている②身代金目的の誘拐にしては要求額が少額③脅迫メールを一通送りつけるだけで以後の連絡はない④凶器として短銃が使われている、と手口が酷似していることから、埼玉県警捜査一課は、三件は同一犯による犯行と断定し、目撃証言の収集を最重点に集中捜査している。また、近日中に各事件の捜査本部を統合再編し、県警本部内に新たな捜査本部を設置する予定。

偽りが不幸をもたらすのではない。
偽りを偽りと認識してしまうことが不幸なのだ。
一度夢から醒《さ》めてしまったら、二度と偽りの世界に遊ぶことはできない。

1

——ええ、それはもういい子でした。かわいらしくて、明るくて、礼儀正しくて、天使のようでしたわ。道で会ったらいっつも、「こんにちゃんこちゃん！」って元気よく挨拶《あいさつ》してくれたんですよ——

テープを早回ししたような奇妙に高い声だった。こういう音程を処理された声がテレビから流れてくると決まって、小学生当時に流行した「帰ってきたヨッパライ」という歌を思い出す。

「こんにちゃんこちゃん！」

菜穂《なほ》が嬉《うれ》しそうに声をあげた。

「ね、バカにしてるでしょう」

秀美《ひでみ》はリモコンの巻き戻しボタンをちょんと押し、すぐに再生ボタンを押した。

——ええ、それはもういい子でした。かわいらしくて、明るくて、礼儀正しくて、天使のようでしたわ。道で会ったらいっつも、「こんにちゃんこちゃん！」って元気よく挨拶してくれたんですよ——

画面に映る人物は、声が奇妙なら、顔も不自然だった。顔全体がモザイクで処理され、「江幡真吾君を知る近所の主婦」との字幕が出ている。彼女の手は顔にいっており、おそらく目頭を押さえていると思われた。

「こんにちゃんこちゃん！　こんにちゃんこちゃん！」

「菜穂、よしなさい。お箸《はし》でお茶碗《ちゃわん》を叩《たた》いちゃだめ」

秀美は娘を叱《しか》って、

「たったこれだけ。五分もしゃべらされたのに、たったの十秒に縮められちゃったのよ。前に出た西川さんや金丸さんは一分近く映ったのに。原田さんもよ」

とテープをまた巻き戻す。

――ええ、それはもういい子でした。かわいらしくて、明るくて、礼儀正しくて、天使のようでしたわ。道で会ったらいっつも、「こんにちゃんこちゃん!」って元気よく挨拶してくれたんですよ――

「はしたないと思う」

雄介がぼそっとつぶやき、箸の先でプチトマトを突き刺した。急所を衝《つ》かれた秀美はギクリとした様子で身を引いた。

「同感だ。ただしこういう場合は『はしたない』ではなく、『不謹慎』という言葉を使うのが適切だろうな」

私は息子の側につき、ぐっとビールを飲み干す。

「勘違いしないでよ。ママはね、取材のテープが無駄になるって、そう言ってるの。そうよ、テープもだし、あのとき使ったバッテリーも無駄になったのよ。パパも雄介も知ってる? たかがあのコメントを撮影するのに、皓々《こうこう》とライトを照らすのよ。テレビではよく言ってるじゃない、省エネとか地球にやさしくとか。でも一番無駄遣いしてるのはテレビ局じゃない。くっだらない番組ばっかりたれ流して。電力の無駄よ。一日の半分くらいは放送を休みなさいっていうのよ。でもって、そうやって無駄遣いしている連中が、ギョーカイの人間だとかいってもてはやされてるんだから、世の中、なにか間違ってるわ。パパ、もうご飯にする？」

秀美は早口に言葉を連ねてからワゴンの上の炊飯ジャーの蓋《ふた》を開けた。「子供の浅知恵」とはいうけれど、大人の知恵の程度もたいしたことはないのだ。そうと気づくのが大人になるということだ。

同じ町内に住む江幡真吾が殺されて三ヵ月が経とうとしている。

私の記憶によると真吾君は、妻が語ったような明るい子ではなかった。こちらから挨拶してもうつむいてもじもじしていただけのような印象しか残っていない。外見は色白でぽちゃっとしており、秀美はよく、「子豚ちゃん」と呼んでいた。死者をいたずらに美化すると、逆に穢《けが》すことになると思うのだが。

それはさておき、江幡真吾が殺され、彼の家に報道関係者が殺到した。江幡家だけでなく、町内にあふれかえった。昼間は家々を訪問してマイクを突きつけ、夜も皓々としたライトを灯《とも》して中継を行なっていた。

ここ埼玉県入間市のひいらぎ台は、一九八〇年代の半ばに第三セクターによって開発された住宅地である。分譲された総区画が数百という巨大な新興住宅地だ。町の名前は、全世帯が柊《ひいらぎ》の生け垣であることに由来している。共同体をシンボライズするため、そう義務づけられているのだ。世帯主の八割が東京の会社に勤めており、私もその例に漏れず、片道九十分をかけて板橋の食品加工会社に通っている。

ひいらぎ台は一丁目から四丁目まであるが、わが家のある四丁目内にはコンビニも自動販売機もない。道路はすべて居住者の車輛《しゃりょう》以外は通行禁止になっている。住民が就寝すれば町全体から明かりが失われ、午前様になろうものなら帰宅の道は大の大人でもおっかなく感じる。住宅が切れたら田畑や雑木林が広がっており、秩父《ちちぶ》おろしの強い日には土埃《つちぼこり》や肥料の臭いに閉口させられる。水路で蛍を見たという話も聞く。

これまでひいらぎ台でどんな事件が起きただろうか。火事と痴漢騒動くらいしか思い出せない。そんな平和な住宅街で誘拐殺人が発生し、大挙して人が押し寄せてきた。マスコミだけではない。心ない野次馬《やじうま》も集まってきて、テレビカメラに向かってVサインを送った。それはまだかわいらしいほうで、柊の生け垣にスプレー塗料を吹きつけ、道に空き缶や吸い殻を撒き散らしていった。爆竹を鳴らして警察に引っ張られていった者もいた。近所に店がないことにピンときて、ワゴン車で弁当や飲料水を売りに来るヤクザ者もいた。

江幡家の前には制服の巡査が立ち、町内をパトカーが巡回するようになったので、一線を越えるようなことは発生していなかった。けれどそれまでののどかさを考えると、ただ人が集まってくるだけでも異常事態だった。幼い子が殺されたこと以上に、それにくっついてきた騒ぎのほうが気味が悪かった。

よそ者が騒ぎたてる一方で、住人たちは雨戸を閉ざし、テレビのボリュームを絞って暮らすようになった。帰宅に際しては、狭い通りの人ごみの中を、まるで指名手配犯のようにうつむいて通り過ぎ、忍者のような身のこなしで自宅に侵入する。通りや公園からは子供たちの笑い声が消えた。この界隈《かいわい》はまるで、観光客でにぎわうゴーストタウンのようになってしまった。

家の中にいても、夜中でも、誰かに覗《のぞ》かれているような気分で、安眠を奪われ、このままでは神経がおかしくなってしまうと、私は真剣に引越しを考えたほどである。

江幡真吾が殺されたひと月後、騒ぎはいったん収束した。隣の飯能市で別の誘拐殺人事件が発生し、マスコミと野次馬は申し合わせたようにそちらに移動したのだ。しかし静けさは長続きしなかった。

ゴールデンウィークのまっただ中、江幡真吾の父親が死んだ。自宅で首を吊《つ》ったのだ。遺書は残されていなかったが、一人息子の死をはかなんでのものだと想像するに難くなく、悲劇の家を一目見てやろうと人が戻ってきた。一人残された奥さんは実家に帰っていき、したがって現在の江幡家は空っぽであるのだが、しかしそれでも人が寄ってくる。

加えて、みたび男児の誘拐殺人事件が発生した。今度の舞台は狭山市で、過去の二件と手口が酷似していることから、同一犯による犯行との見方がなされ、あらためて江幡真吾事件の取材が盛んに行なわれるようになった。

江幡真吾が殺された直後の大騒動の際、秀美は、道いっぱいに放送機材を広げているマスコミを非常識だとなじる一方で、どうしてうちには取材が来ないのかと不平を漏らしてもいた。顔見知りの主婦が次々とテレビに出て、しかも謝礼をもらったという話を聞いては、自分も負けるわけにはいかないと思ったのだろう。

それが今回ようやく念願叶《かな》ったわけだが、その姿勢を雄介に一刀両断にされた。たしかに秀美の姿勢は、レポーターの背後からピースサインを送っている連中と何ら変わりない。加えて彼女はこれまでにも、どの局は現金をくれたがどの局は図書券で某新聞社はテレホンカードだけだった、などと近所の主婦から得た情報を嫉妬《しっと》半分で語っており、そういう行為もひっくるめて「はしたない」と雄介は非難しているのだろう。

「テレビ局ってね、ほんっと、非常識なのよ。洗濯だ掃除だで忙しい朝の時間に来るんだもの」

怒った調子のしゃべり方が手の動きにも伝染し、秀美は叩くような感じでしゃもじを扱った。

「朝取材しないと昼のワイドショーに間に合わないだろう」

私はぎゅうぎゅう詰めの茶碗を受け取った。

「アポなしよ」

「ニュース性のある番組なんだ。いちいちアポイントを取っていたら番組の素材が集まらないよ」

「そんなこといっても――」

「前もって電話してくれたら美容室にいったのにぃ。朝だからお化粧もまだだったのよぉ」

雄介がからかうように突っ込んだ。また図星だったらしく、秀美はギョッと目を剝《む》いた。

「モザイクがかかっているからスッピンでも問題ないじゃないか」

私も意地悪く言った。

「スッピンってなあに?」

菜穂は無邪気だ。

「もうっ、わたしが言ってるのはそういうことじゃなくって、化粧してないと取材スタッフにも失礼でしょう。それと、どうして顔にモザイクをかけるのかってことなのよ」

秀美はフレーズを意味なくつなげて話をはぐらかした。

「顔を隠すのはプライバシーを守るためさ」

「わたしは犯罪者じゃないのよ。世間様に恥ずかしいことなんて何もやっていないのだから、堂々と出るわよ。顔を隠されたら、悪いことしたみたいでかえって恥ずかしいじゃないの」

「最近は昔に較べて人権がどうのとクレームがつくことが多いから、あとあと問題にならないように先手を打っているのだろうよ」

「勝手にモザイクをかけるのは人権の侵害じゃないの？」

「まあそうかもな」

生返事をして麻婆豆腐《マーボーどうふ》をすくう。

「要するにわたしは、モザイクをかけるならかけるで一言あってもよかったんじゃないかと言ってるわけ。そういう配慮がないのは問題よ。おかげで、お母さんに、本当に秀美なのかって言われちゃうし」

「取材を受けたと伝えたのか？」

驚いてレンゲを止めた。

「そうよ。声もああやって勝手に変えられちゃったから、まるっきり信用してもらえなかった」

秀美は音をたてて糠《ぬか》漬けの胡瓜《きゅうり》を齧《かじ》る。

「そんなことでわざわざ北海道まで電話したのか」

「わざわざって、今は旭川までかけても電話代はたかがしれてるわよ。それに、こういう時に電話しなくていつするの。テレビに出るのよ、テレビ」

「なんだかんだいって、結局、はしたないじゃん」

しらっとした調子で雄介がつぶやいた。秀美はビクリと彼のほうを向き、次に眉《まゆ》を吊りあげた。

「はしたない、はしたないって、親に向かってなんて口きいてるの」

論理では敵《かな》わないと悟り、情動にシフトしたようだ。

「今晩のおかずは何ですかって取材じゃないんだよ。真吾君のことだよ。真吾君はあんなふうになっちゃったんだよ。なのに他人に自慢して回るなんて、なんか間違ってる。絶対におかしいと思う」

雄介は少しもたじろがず、逆に母親を睨《にら》み据えている。

菜穂がおびえたようにつぶやいた。

「ケンカ?」

「それは——」

秀美は言葉に詰まった。しかし、親という立場上、やりこめられるわけにはいかないと必死に頭を働かせたようで、

「——それはね、自慢したんじゃないの。報告よ、報告。この家を買った時だっておじいちゃんおばあちゃんに電話したわ。車を買った時も、パパが係長に昇進した時も、ママがジョイフルマートで働きはじめた時も。そうそう、雄介が学級委員長になった時もね。大きな出来事があった時にはかならず伝えている。逆に、向こうからも伝えてくる。おじいちゃんが定年退職したとか、おばあちゃんが生け花のコンクールで入賞したとかね」

「テレビに出るって、そんなにたいそうなこと？」

「もちろんよ。うちみたいな普通の暮らしをしていたら、一生に一度あるかないか」

「そりゃ大大大事件だ。学級委員長なんて目じゃないね。だって僕、級長には六回もなってるもん」

雄介は目を大きく開いてパチパチ瞬《まばた》きした。秀美も目を剝いた。

「親をからかうもんじゃありません」

と両手でテーブルを叩《たた》く。サラダボウルに突っ込んであった取り箸《はし》がテーブルに落ち、転がり、床の上で跳ねた。

「からかってないよ。一生に六度もあったというのは事実だもん。あ、一生はまだ終わってないから、この先もっと増えるかもー」

雄介はにこっとして唇の端を指先で掻《か》いた。

「いいかげんになさい。それがからかってるっていうの。そういうのを──」

「揚げ足を取るっていうんでしょ」

秀美は怒ったような困ったような顔をこちらに向けた。私は目が合わなかったふりをして飯を頰張った。

「とにかく、親子というものはね、たとえ離れて暮らしていても、お互いの身に起きたことを伝え合うものなの。わかった？」

「はいはい、わかりました」

雄介は首をすくめて茶碗《ちゃわん》を置いた。

「返事は一度でいいの」

「二つ返事っていうじゃない」

「意味が違うでしょう」

「はーい」

「伸ばさない。どうして雄介はいつも素直じゃないの。もっと子供らしくしなさい。さっきから言ってることも、ちっともかわいげがない」

秀美は眉間《みけん》に皺《しわ》を刻んで溜《た》め息をついた。

「じゃあどういうのが子供らしいっていうの？　雄介の笑みがすっと引っ込んだ。洟《はな》をたらして、九九を間違えればいいの？　テレビに出られてよかったねってニコニコ笑えばいいわけ？　それが本心じゃなくても？　でもそしたら嘘をつくことになるわけだから、素直とはいえないよね」

雄介は抑揚のない調子で一気にしゃべってしまうと、ごちそうさまでしたと手を合わせ、席を立ち、すたすたと廊下に消えた。

「ごちそうさまー。歯磨きするね」

菜穂も兄のあとを追うようにダイニングを出ていった。

「なによ、あの態度」

秀美はさらに深い皺を眉間に刻んだ。

「雄介は間違ったことは言ってなかったよ」

私はおかわりの茶碗を差し出した。

「正しいとか正しくないとか、そういう問題じゃないでしょう。親に楯突《たてつ》いちゃだめなのよ。

最近、しょっちゅうああいう感じだし、反抗期かしら」

「反抗期にはまだ少し早いと思うが」

自分の子供時分を思い返してみる。何かにつけて親に逆らうようになったのは中学生の半ばになってからだった気がする。雄介はまだ小学六年生だ。今の子は成長が早いので、反抗期も早く訪れるのだろうか。

しかし雄介の態度は反抗というものではなかったように私には思えた。親への反抗というのはおおむね、機嫌の悪い犬のように、全身に敵意をみなぎらせて挑みかかってくるものだが、さっきの雄介はというと、言葉こそ挑発的だったが、表情や声は妙に落ち着いていて、席を立つ前にごちそうさまと手を合わせもした。ふてくされた時の秀美がそうするように、ドアを力まかせに閉めて普請の悪い家を揺らすこともなかった。

「あなたから注意してやってよ。男の子もああ大きくなっては、わたしの手には負えない」

いったい何を注意するのだろう。どんな理不尽をいわれても親には刃向かうなというのか。私が子供の時分はそういう教育が主流だった。けれど現在では、子供も一つの独立した人格であるとみなされている。彼らが自分の意見を持ったり口にしたりすることを押し込める権利が、たとえ親であってもあるのだろうか。

とは思ってみたものの、妻をうまく説き伏せる自信がなかったので、そのうち注意するよとお茶を濁して、

「『こんにちゃんこちゃん』って何だい？」

と話題を変えた。

「あら、知らないの？」

秀美はきょとんと首を突き出した。

「知らないよ」

「M3のガイコツ伯爵が登場の時に『こんにちゃんこちゃん！』と言うのよ。こんにちは、のことね。それをまねることが子供の間ではやって、今はだいぶん下火になってきたけれど、真吾君が殺されたころはそこらじゅうで『こんにちゃんこちゃん！』が飛びかってた」

「M3？」

「ウソ、M3も知らないの？」

秀美は目をしばたたかせた。

「知らない」

「マイティ・マジック・マイスターズというアニメ番組。平均視聴率が二十パーセントを超えてるのよ」

「ああ、そういうお化けアニメがあると、なんか聞いたことあるな」

「なんか聞いたことあるって、あなた、それはあまりに世間ずれしてるわ」

秀美は溜め息まじりにかぶりを振った。

「子供のアニメだろう」

「ただのアニメじゃない、M3は社会現象よ。そんなことも知らないから、雄介をうまく教育できないのよ」

富樫秀美という人間はおそらく、論理とは一番縁遠い世界に存在している。

「雄介も見てるのか？」

「M3を見てない小学生がいるもんですか」

「菜穂も？」

「もちろん」

「うちにビデオに録《と》ったのあるか？」

「さあ。いや、雄介が録ってるわ。月曜のあの時間は塾だから」

「じゃあ今週末にでもまとめて見せてもらって勉強するとするよ」

「今週はだめよ」

「どうして——、ああ、当番だったか」

私は小さく舌打ちをくれた。江幡真吾が殺されたあと、ひいらぎ台小学校の父兄の間で自警団が結成された。平日の昼間は母親が、夜間と休日は男親が、ローテーションを組んで校区内を巡回している。PTAによる巡回は、建て前としては自主参加だが、事実上は強制である。

「まったく警察はなにもたもたしてるのかしらね。犯人を捕まえてくれないことには、うるさい連中が消えてくれないじゃないのね」

秀美はガリガリと漬け物を齧る。テレビ出演が叶った今、マスコミはもはや不要というわけか。

「たしかに、早く解決してもらわないことには俺の体も持たない」

PTAによる巡回とは別に、町内会のごみ当番というのもある。マスコミと野次馬《やじうま》が捨てていったごみを拾い集める自治活動である。おかげで週末の朝寝坊もままならず、このところどうも疲れが抜けない。唯一ともいえる趣味の競馬も、馬券を買いにいく時間を奪われてしまっている（そういう時にかぎって予想がズバズバ的中する）。

わが子のための活動とはいえ、耐えがたいのも事実だった。その不満が、警察官が巡回しているので自警の必要はないのではという気持ちを芽生えさせた。実は多くの父兄も同じ気持ちであるような気がする。ただ、そういう意見は表立って口にできる雰囲気ではなかった。

「ねえ、藪田《やぶた》さんなら捜査の進み具合を知ってるんじゃない？」

「どうしてヤブさんの名前が出てくるんだよ」

「藪田さんは警察とツーカーじゃないの」

「部署が違うだろう」

藪田というのは私の大学の先輩で、東邦新聞でデスクをやっている。ただし所属は文化部である。

「直接は関係してなくても、新聞社の中にいたらそれなりの情報が耳に入りそうじゃない。一度訊《き》いてみてよ。案外、今回の事件を担当している記者と飲み友達だったりして」

「わかったよ。そのうち電話してみる」

妻の都合の良さにあきれたが、めんどうなので適当に応《こた》えておいた。

「とにかく、捜査がどの程度進んでいるのか、容疑者はいるのか、そういうことがわからないと不安よ。次に菜穂が狙われないともかぎらないのだし」

「おい、冗談にもそんなことは言うな」

「雄介だって心配よ。ああ偉そうな口をきいているけど、まだ子供。背はそれなりに高いけど、体つきはまだまだ華奢《きやしや》。大人の男が本気を出せば抵抗できないわ。それに相手はピストルを使うのよ。そうよ、ピストルよ。あんなもの使われたのでは、大人のわたしだって抵抗できない」

秀美は不安げに箸を置いた。

捜査の進捗《しんちよく》状況は私も気になってはいる。一連の誘拐殺害事件においては、事実として何が判明しどういう方向で捜査が進められているのかが具体的に伝わってこないのだ。それは警察が、最初の誘拐殺人、江幡真吾の事件において、バスロータリーのごみ箱から現金を拾いあげたホームレスを容疑者扱いしたことで人権擁護団体から激しい抗議を受けたため、以後いきおい記者発表が慎重になっているからだった。慣例として行なわれている親しい記者へのリークも厳しく禁じられているようだった。ではマスコミの独自取材はどうかというと、ワイドショーは一連の事件を連日トップで扱っているが、遺族の悲しみをことさらあおるのと、コメンテーターという名の素人による無根拠な推理（つまり想像）の垂れ流しに終始している。また、被害者の近所に住んでいるからといって、特別な情報が入ってくるわけでもない。

私はしかし、事件の真相を知りたく思ってはいたが、事件の成り行きに関しては楽観視していた。

「うちは誘拐犯に目をつけられるほど裕福じゃない」

「真吾君のお父さんも普通の会社勤めだったのよ」

「この近所の子はもう誰もさらわれないよ。警察にマスコミに野次馬と、こんなに人の目があって、どうして誘拐を実行できる。事実、第二第三の誘拐はどこで起きた？　町内の何ちゃんが被害に遭った？　町内どころか、校区内でも、市内でも、誰もさらわれていない。第二第三の誘拐が発生したのはよその市だ」

「そうか。そう言われてみればたしかに何も起きそうにないわね」

「いや、何も起きそうにないとするのは気の抜きすぎだ。誘拐とは別の犯罪が発生するかもしれない。現に小さなトラブルがいくつか起きている」

　わが子が誘拐され、殺されることは、百パーセントありえないと思う。にもかかわらず校区の巡回を続けているのは、一つは地域社会の中で出る杭《くい》になりたくないからで、もう一つは二次的な犯罪を心配しているからだ。野次馬の中には落書きをしたり爆竹を鳴らしたりする心ない者が存在する（他人の不幸を見物しにやってくるだけでも充分心ないが）。そういう連中に菜穂や雄介がからまれ、小金を脅し取られないともかぎらない。

「そうねえ、わたしも昼間西川さんたちと巡回してて、おっかない感じの男を見かけるものね。結局、犯人が捕まらないことには安心できないってことか」

　秀美は頰に手を当て、ふうと息をついた。

「犯人が逮捕されたら逮捕されたで、マスコミは新しいコメントを欲しがるし、それを見て新たに見物人が集まってくるだろうし、町が落ち着きを取り戻すまでにはまだ時間が必要だ」

「やあねえ。ともかく子供たちには、知らない人に近づかないようさせないと」

「とくに菜穂にはよく言って聞かせろよ」

「でも困ったわねえ、あんまり長引くと、雄介の受験勉強にさしさわりが出るわ」

「ああ、それが一番困るかな。しかしまあ、夏休みが終わるころには嘘のように静かになっているだろうから、受験は心配ないよ」

「夏休みに解決するってこと？　どうしてそういえるの？」

「なんとなくそんな気がするだけ。ごちそうさん」

私は茶碗を置いてタバコをくわえた。夕刊を広げると社会面に、狭山で起きた誘拐殺害事件の続報が載っていた。それを流し読み、経済面を開く。十三時現在の円相場は、前日より〇・二三円安の一ドル一二〇・四七円となっていた。

「よしよし、ドルがまた上昇傾向だぞ。終値は？」

私は頬を緩めてテレビをつけた。

正直に言おう。現在の私にとっては誘拐事件よりも円相場だ。昨年の夏、これが底値と判断して一〇八円の時に五百万円をドル預金したところ、はたして急速にドル高が進行し、現時点では五十万円超の為替差益が出ている。

誘拐事件は、ごく近所で発生したとはいえ、しょせん他人の不幸でしかない。

2

世の中で何が発生しようと、たとえロシアの原子力発電所がメルトダウンしようと、いやそんなに遠くなくていい、東北の核燃料施設で放射能漏れが発生しようと、その汚染が直接わが家に届かないかぎり、自分はきっと平和を感じているに違いない。

私の正直な気持ちである。

もう少し嚙《か》み砕いていうなら、近所で誰がさらわれようと、心臓を撃ち抜かれようと、それは他人事《ひとごと》でしかなく、悲惨だとは思うし遺族の気持ちを考えると胸が痛むけれど、そう感じているのは心の上っ面であって、深層においては実は少しも悲しんでおらず、むしろ幸福を、自分の家族が被害に遭わなくてよかったとしあわせをおぼえている。

疲れた体に鞭《むち》打って校区を見回っているのもわが子のためだ。もし自分に子供がいなかったら、請われても参加しなかっただろう。警察のパトロール強化を求める署名に賛同したのも、自分とその家族が野次馬にからまれたりわが家の敷地内に空き缶が投げ込まれたりしてはたまらないと思ったからだ。隣家の雨戸がスプレー塗料で汚されるぶんにはいっこうにかまわない。それで町の景観が壊れても、三千万円のわが家は無傷なのだ。

結局、よその家庭などどうでもいい。彼らがどれほど苦しみ、不幸になろうと、自分にとってそれは舞台の上で演じられているシェークスピアの悲劇と同等の価値しかない。オフィーリアやデスデモーナの死をいちいちわが身に投影し、心を痛めていたのでは、とても身が持たない。それこそ不幸である。

富樫修《おさむ》とはそういう人間で、そういう己を冷酷だと私は自覚している。

アフリカで旱魃《かんばつ》が起き、バルカン半島で民族紛争が勃発《ぼっぱつ》し、日本の中学生がいじめによる自殺を図るたびに、私は己の冷酷さを感じる。江幡真吾が殺された時にももちろん感じた。私にとって江幡真吾の死は記号でしかなかった。とある人間が銃で撃ち殺された——それ以上でも以下でもなかった。

鬼畜かもしれないと、私は自分のことを嫌に思う。とはいえ、四十になった今となっては

「更生」はかなわないだろうし、他人の不幸に心を痛めるふりをするのは、さらに人でなしのような気がする。

雄介は言った。

「じゃあどういうのが子供らしいっていうの？　洟をたらして、九九を間違えればいいの？テレビに出られてよかったねってニコニコ笑えばいいわけ？　それが本心じゃなくても？　でもそしたら嘘をつくことになるわけだから、素直とはいえないよね」

それを聞いた私は、ああこいつの中には自分と同じ血が流れているのだとハッとし、なんだか嬉《うれ》しくなったものである。

私はまずまずしあわせだった。

勤務先のハマナカ食品は、長引く不況の中にあってもゆるやかな右肩上がりを堅持している。そろそろ富樫を課長にという声も聞こえるこのごろである。

首都圏にいるかぎり一生無理だとあきらめていた持ち家も、バブル経済の崩壊により、中古ながら手に入れることができた。

ひいらぎ台はいいところだ。都会までそこそこの距離にありながら、自然と隣り合わせになっている。クリスマスが近づくと、各家庭は柊の生け垣を競って飾りつけ、電飾が灯《とも》る夜のたたずまいは、ここが日本であることを忘れさせてくれる。

妻はタフな女性だ。地元のスーパーマーケットで週四日働き、家事も手を抜くことなくこなす。

息子は小学校入学以来ずっとトップクラスの成績を維持していて、このまま順調にいけば第一志望の私立中学校に入学できるだろう。

娘の成績は下から数えたほうが早いが、目鼻立ちはエキゾチックで、歌声には見るべきものがあり、もしかしたら将来は芸能方面でという淡い夢を抱かせてくれる。

夫婦の関係は良好、子供たちとの会話もほぼ毎日ある。月に二回は家族揃って買物に出かけ、その帰りに外食をする。ふた月に一度は野球観戦や遊園地に出かけ、年に二度は泊まりがけの旅行をする。

もちろん不満はいくらでもある。妻の情緒的な行動には閉口させられるし、まだ小学一年生のくせに長電話をする娘にはイライラさせられる。通勤時間は一時間以内であってほしい。一軒家なのにガレージがないため、駐車場を借りなければならずばかばかしい。けれどそれらの要素がふしあわせを感じさせる理由にはならない。

わが家は、家族の誰かが誘拐されたり殺されたりしている家庭とは違う。家族全員が健康で健全で、日々平穏に過ごしている。近所が何かと騒がしいけれど、わが家はその騒動の埒外《らちがい》にある。近所とは、近い場所という意味であり、同一の場所を指しているのではない。「近所」は「よそ」と読み替えてよいのだ。よそとわが家とは空間的にも意識的にも切り離されているのだから、よそ様のゴタゴタがわが家の中に侵入してくる道理がない。

そう思えればこそ、私はしあわせを感じていた。

はなはだしい勘違いだった。

富樫家の平和は見せかけでしかなかった。屋台骨は骨粗鬆症《こつそしょう》に冒され、内部崩壊を起こしていたのである。

六月十三日、私は出先から直帰した。帰り着いたのは六時過ぎで、ソファーで横になって煎《せん》餅《べい》を齧《かじ》っていた秀美が、あら早いのなら電話してちょうだいよと、あわてた様子で夕食の用意に取りかかった。子供たちの姿はなかった。雄介は塾で、菜穂は友達の家にお呼ばれしていた。私は秀美に代わってパジャマ姿でソファーに体を投げ出し、煎餅をつまみに缶ビールを開けた。

そこに電子音が鳴った。ピピピ、ピピピ、ピピピ、と小鳥のさえずりのように鳴っては消える。なんだろうかと上半身を起こして室内を窺《うかが》ったが、目が届く範囲に音源らしきものは見あたらず、私はまたソファーに寝そべった。ところが一分経っても三分が過ぎても音は鳴りやまない。ボリュームはさほどでもなかったが、単調な繰り返しが妙ないらつきをもたらす。とうとう私は耐えきれなくなり、缶ビールを片手に台所を覗《のぞ》いた。

「おい、なんだ、この音」

秀美は庖丁《ほうちょう》を止め、冷蔵庫に目をやった。ドアにキッチンタイマーがくっついていたが、音源はそれではなかった。彼女は小首をかしげ、それから顔を天井に向けて、

「雄介だわ」

「雄介？　塾じゃないのか？」

「目覚ましよ。きっと間違ってスイッチが入っちゃったんだわ。あなた、止めてきて」

私はビールを飲み干してから台所を出た。

雄介の部屋は二階である。部屋のドアには小さな木の板がかかっていて、「ゆうすけ」と浮き彫りにされている。四年生の時の図工の時間に作ったものだ。これを持ち帰った雄介にさん

ざん文句を言われた憶《おぼ》えがある。どうして「てつし」とか「こうへい」とかいう名前をつけなかったのかというのだ。なるほど、「ゆ」や「す」はたしかに彫りにくそうだ。

二階のもう一方の部屋は菜穂に与えてある。けれど彼女は寂しがり屋で、ダイニングテーブルで宿題をし、秀美の布団にもぐり込みたがる。なのでこの部屋は、なかばシーズンオフの衣料品置き場になっている。

電子音は雄介の部屋から漏れていた。ドアを開けると、秀美の読みは正しく、ベッドの枕元で目覚まし時計が鳴っていた。私はベッドの上に両膝《ひざ》をついて時計に手を伸ばした。目覚ましの針は六時五十分にセットされていた。私は六時半に家を出るので知らないが、おそらく雄介は朝のこの時間に起きているのだろう。それが何かの拍子で、床に落とすなどして、スイッチが入り、夕方の同時刻に鳴ってしまった。そうそう、雄介は七時からのアニメを見て学校に行くのだ。朝っぱらからそんなものを見るなと注意してくれと、秀美に言われたことがあった。

私はスイッチをオフにして時計を元の位置に戻した。そしてベッドを降りようと腰をあげた際——。

足がふらつき、よろけた体を支えようと勉強机に手を突いた。机上の山が崩れ、文房具がばらばらと床に落ちた。

もうアルコールが回ったのかと、苦笑しながら腰をかがめた。ノートを拾い、シャープペンシルを拾い、名刺をつまみあげたところで動きを止めた。子供部屋と名刺という取り合わせに違和感を覚えた。

名刺の自動販売機というものをショッピングモールで見たことがある。名前や住所をタッチパネルで入力し、派手な罫線《けいせん》やかわいらしいイラストを選択し、その場で十枚ほどプリントアウトする。ファッションとしての名刺で、おそらく対象は中高生なのだろう。

しかし雄介の机から落ちたのは、そのようなお遊び的な名刺ではなく、大人が勤め先から支給される堅苦しい名刺である。

尾嵜毅彦《おざきたけひこ》。

名前はそうなっていた。社名はサンエス証券、所在地は日本橋兜町《かぶとちょう》。私には聞き憶えのない人名であり社名だった。それに、学校の教師や塾の講師ならともかく、証券会社の人間が小学生とどうつながるのかもわからない。

男の子というものは、道端に落ちているがらくたに心惹《ひ》かれるものである。私も小学生時分、王冠や空き缶を拾っては持ち帰り、母親に叱られたものだ。これもおそらくそのへんで拾ってきたのだろう。私はそう解釈し、尾嵜毅彦の名刺を机の上に戻した。

尾嵜毅彦の名前が全国を駆けめぐるのは、その九日後のことである。

3

事件の第一報は六月二十二日の夕方に流れ、私はそれを、勤め帰りに買った最終版の夕刊タブロイド紙で知った。

同日の早朝、東京の東村山市で子供の遺体が発見された。所持品や身体的な特徴から、被害者は同市内に住む小学一年生の男児だと判明した。その子は二日前から姿を消しており、警察でもその行方を追っていた。

男児が行方不明になったのは六月二十日の午後だったが、警察が動き出したのは翌二十一日になってからである。警察に届けたら子供の命はないと思えという脅迫メールが男児の父親の元に届いたからだ。父親は犯人の要求に応じ、六十万円の身代金を支払った。にもかかわらず男児は戻ってこず、警察に届け出ることになる。しかしながら警察の力も及ばず、遺体としての帰宅となった。男児の死因は、頭部を短銃で撃ち抜かれたことによる中枢神経機能障害。

電子メールによる脅迫状、少額の身代金要求、射殺——過去三件の男児誘拐殺害事件を思わせる手口だった。ただし、過去の事件とは異なっている点もある。

一つは、過去三件が埼玉県で発生したのに対して今回は東京での事件だということ。このことから、模倣犯が現われたのではという見方もあるようだった。ただ、東村山市は東京都とはいえ埼玉県に隣接しており、しかも過去三件の舞台とは西武線一本でつながっているので、同一人物の行動範囲内にあるとも解釈できる。

もう一つの違いは決定的な違いだ。今回の被害者の家族は、警察に頼らず自力で解決を図った。

身代金の受け渡しは次のように行なわれたという。

脅迫メールには、金は母親が持ってこいとの指示があった。パートに出ていた母親は仕事を途中で切りあげ、銀行に走り、犯人の要求どおり、現金六十万円を二つの包みに分けた。一つが十万円でもう一つが五十万円だ。

現金を携えて彼女が向かった先は、西武新宿線東村山駅近くの立ち食いそば屋である。午後五時半に店内に入り、十万円の包みを置くようにというのが犯人の指示だった。カウンターテーブルの下にバッグ等の手荷物を置くスペースがあるので、かけそばを注文して食べたあと、そこに金を置いて店を出ろというのだ。

残る五十万円についての指示はこうだった。そば屋を出たら駅東口にある大型ショッピングセンターに行き、北階段の二階と三階の間の踊り場にあるベンチで午後六時半まで待機したのち、周囲に人がいないのを確認して椅子の下に包みを置き、まっすぐ帰宅しろ。

立ち食いそば屋でも、ショッピングセンターでも、母親は指示どおりに行動した。もちろん警察にも通報していない。しかし子供は帰ってこなかった。犯人からの追加要求もない。だから一夜明けて警察に届け出るわけだが、警察の捜査が始まった時にはすでに、そば屋からもショッピングセンターからも現金の包みは消えていた。

記事を読み進むうちに私は妙な引っかかりをおぼえた。警察に頼ろうとしなかった親の心理、ではない。現金を二つに分けさせた犯人の意図、でもない。

被害者の姓名である。

尾嵜豪太《ごうた》となっていた。

雄介の部屋にあった名刺の人物も尾嵜某ではなかったか。

報道によると、尾嵜豪太少年の父親の名は毅彦となっていた。名刺の人物の名前は何だっただろう。思い出せない。けれど、姓が尾嵜であったことだけは間違いない。「おざき」という読みの名字は珍しくないが、「崎」ではなく「嵜」が使われていたので心に残っていた。そして尾嵜某の勤務先は東京都内だった。尾嵜毅彦の住まいも東京だ。

とはいえ私は、雄介の部屋にあった名刺の人物と尾嵜豪太少年とが家族や親戚《しんせき》関係にあるとは考えなかった。尾嵜姓が珍しいといっても、東京には何十人と存在するのだろう。だいいち雄介が尾嵜豪太少年とつながっている道理がない。雄介は埼玉県人、豪太少年は東京都民である。したがって第一報にふれた私が次に取った行動はというと、こんな偶然の一致もあるものだと片づけて競馬欄に目を移し、明日に備えて福島競馬の調教状況をチェックしはじめた。

あらためてハッとしたのはその日帰宅してからである。

ビールを飲みながらだらだら夕食をとっていると、テレビでニュース番組が始まり、東京にも飛び火した男児誘拐殺害事件についてトップで報じた。その中でキャスターがこう読みあげたのだ。

——本日午前六時ごろ、東京立川警察署内にある警視庁通信司令本部分室に、東村山市松根町の雑木林の中に男の子の遺体が放置されているとの一一〇番通報が匿名でありました。現場に駆けつけた東村山警察署の調べによると、死んでいたのは、同市内に住む証券会社勤務尾嵜毅彦さんの長男で東村山市立第八小学校一年の豪太君。豪太君は二十日の放課後から行方がわからなくなっており、毅彦さんの職場に、豪太君を誘拐した旨の電子メールが届いていました
——

キオスクで買ったタブロイド紙には、尾嵜毅彦の職業は会社員とだけ書かれていた。家に届けられた夕刊でもそうなっていた。しかしテレビのニュースではそれを、証券会社勤務と、一歩踏み込んで報じていた。

雄介の部屋で名刺を見たとき私は、塾の講師ならともかく証券マンの名刺を小学生がどうして持っているのだと、そういう違和感を覚えた。あの名刺が証券会社のものであったことは間違いない。尾嵜姓の人物であったことも。そして、尾嵜豪太少年の父親も証券会社勤務。

偶然の一致が重なっただけなのか？

私が食卓に着いている間、麦茶を飲みにきたり新聞のテレビ欄を見にきたりと、雄介が何度か姿を現わした。テレビでは尾嵜豪太誘拐殺害事件が流れていた。雄介は何の反応も示さなかった。やはり同姓の別人なのだろうか。

確認してみたいという気持ちが強くあった。しかし、雄介と声をかけようとすると、なぜだか心臓がドキドキしてきて喉《のど》の筋肉が収縮してしまう。

「よう、この子は雄介の知り合いか？」

二膳《ぜん》目のご飯もあらかた平らげてからようやくそう口にしたものの、相手は雄介ではなかった。

「はあ？」

秀美はぽかんと口を開けた。

「だから、この尾嵜豪太君というのは雄介の友達か何かか？」

「はあ？」

「違うのか？」

「友達のはずないじゃない。東京の子よ」

「ひいらぎ台小学校から転校していったとか」

よ」

「だから、たとえばそういうことで雄介の知り合いだということはないかと尋ねているんだよ」

「まあ、そうなの？」

「まさかあ。学年だって全然違うんだし」

「そうだよな。友達であるはずがないよな。そうなんだよ」

私はうなずきながらぶつぶつ繰り返した。

「なにとぼけたこと言ってるの。酔っぱらってるの？」

秀美はあきれた様子でテーブルの上を片づけはじめた。

やはり偶然の一致にすぎなかったか。

そう思いながらも私はまだ完全には納得していなかった。心の奥の奥にとてつもなく恐ろしい想像が根をおろしている。

尾嵜豪太誘拐殺害事件の第一報が流れたのが金曜日で、土曜、日曜と経過しても私の想像の根は枯れることなく、むしろ日を追うごとに、長く、太く成長していった。

そして月曜日の晩。

4

シャワーを浴びて体を拭《ふ》いていると、雄介が待ちかねたように脱衣場に入ってきて、シャツやズボンをその場に脱ぎ散らかし、風呂《ふろ》場に飛び込んでいった。

私は考えるよりも早く二階に向かっていた。四つん這《ば》いの姿勢で猫のように階段を昇り、昇りきると息を止め、雄介の部屋のドアをそろそろと開けた。隣の部屋では珍しく菜穂が一人で寝ている。

部屋の明かりはつけっぱなしになっていた。足音を殺して勉強机に近づいていく。この部屋の真下は居間だ。秀美がテレビを見ながらアイロンがけをしている。

机の真ん中には横罫のノートが広げられていた。円や三角形がフリーハンドで描かれ、AやA'といった記号が無数に飛びかっている。横のドリルには「左図の台形ABCDと三角形PBXの面積比は7：5です。辺ADの長さℓを求めなさい」という問題が出ていた。解法が即座に思い浮かばず、私は冷や汗をかいた。

机上に名刺は見あたらなかった。ノートとドリルの下にも隠れていなかった。平積みしてあった教科書や参考書も一冊一冊取りあげてぱらぱらめくってみたが、栞《しおり》のように使われていることもなかった。

耳を澄ます。シャワーの音が小さく聞こえる。

机の一番上の引き出しを開けてみる。ゲームの攻略本やコンピューターソフトのCD－ROMや幻の二千円札や美少女アニメのシールやロボットの形をした消しゴムやアニメのキャラクターらしき人形がノックする部分についたボールペンやサッカー選手のカードやアイドルのテレホンカードや手錠の形をしたキーホルダーや八面体のサイコロやサイケな模様のヨーヨーや携帯電話のストラップやタイヤの取れたミニ四駆や折れ曲がった図書券や使用済みの記念切手や家電量販店のポイントカードやソフトビニール製の怪物の人形がぎゅうぎゅうに詰まっていた。

その混沌《こんとん》とした小宇宙の中に白いものが見えた。掘り出してみるとはたして名刺だった。尾嵜毅彦とあった。尾嵜豪太の父親と同じ名前だった。

社名はサンエス証券、肩書きは本店新事業部課長待遇となっていた。尾嵜豪太の父親も同社の同事業部に勤務している。新聞やテレビでは社名までは報道されていなかったが、事件を興味本位に取りあげているWebサイトにそう書き込まれていた。そのサイトでは、豪太の母親に離婚歴があることや、彼女が不妊治療に通っていた病院名まで暴露していた。

姓名が完全に一致し、勤務先も肩書きも一致している。この名刺の主と尾嵜豪太の父親が別人であることのほうが奇跡である。

どうして雄介が学校も学年も違う子とつながっているのだ。しかもその子は誘拐され、殺されている。

私は何度も唾《つば》を飲み込み、いっそう膨らんできた恐ろしい想像をうち消そうとした。

この名刺は道端で拾ったものなのだ、サンエス証券のロゴがかっこいいのでそれに惹《ひ》かれたのだ、たまたまその落とし主が殺された少年の父親だったのだ——。

だが、うち消せるどころか、この直後、私の心搏数《しんぱく》は劇的に上昇することになる。

尾嵜毅彦の名刺を戻そうと引き出しに目をやると、白いものが見えた。四角い紙片だ。掘り出してみると、これもまた名刺だった。それも、あと四枚あった。

一枚目には鷹羽茂《たかばしげる》とあった。社名は高槻《たかつき》精工所。私にとっては未知の人物であり会社である。

二枚目には何かを感じた。大心火災海上の馬場明史。

三枚目にも心覚えがあった。光進アドの赤羽万里子。

そして四枚目は——、記憶を探るまでもなく、瞬間的に私の脳髄を直撃した。思わず、あっと声を発した。

その名前は江幡孝明と読めた。

5

記憶の扉がドミノ倒しに開いた。

江幡真吾に続いて犠牲になったのは馬場雅也という男の子だった。その父親の名前が馬場明史だった気がする。

三番目の犠牲者は赤羽聡という子で、彼の母親の名前が赤羽万里子だったのではないか。赤羽家はたしか母子家庭だった。

そして江幡孝明。

江幡孝明の名前の横には宝山物産と刷られている。三つ先のブロックに住んでいた江幡孝明の勤務先と同じだ。

さらに尾嵜毅彦。

現在世間を震撼《しんかん》させている連続男児誘拐殺害事件の被害者は四人。その子らの親の名刺がわが家の中に存在していた。雄介が持っていた。四枚揃いで。

名刺はもう一枚ある。鷹羽茂。鷹羽姓の男の子が誘拐されたり殺されたりしたという事件は記憶にない。だが四つの事件が集合しているだけで充分だ。

道端で拾った名刺がたまたま誘拐された子の親のもので、次に拾った名刺がまたたまたま誘拐された子の親のもので、その次に拾ったものも、またその次も、と偶然が四つ重なる可能性は数学的に見たらどれほどあるのだろうか。

偶然が発生する率が天文学的な数字であるなら、これは必然によって発生したと考えざるをえない。

必然？　渦中の四人の名刺を雄介が所持している必然？　そんなものがあるのだろうか。

江幡孝明の名刺についてはなんとか説明をつけられる。雄介はたまに江幡真吾と遊んでいたと聞いている。江幡家におじゃました際、真吾の父親に名刺をねだった。あるいは家の中に置いてあったものを勝手に頂戴《ちょうだい》した。

しかしあとの三人はどう解釈する。馬場雅也と赤羽聡は市外の人間だ。学年も違う。尾嵜豪太にいたっては県外の住人である。

世の中には犯罪マニアなる人種が存在する。犯罪の現場を訪ね、記念撮影に興じる。江幡家を見物しにくる野次馬《やじうま》連中も、程度の違いこそあれ、同類である。そして中には、加害者や被害者にゆかりの品物を収集してまわる者もおり、逆に、そういうマニアを相手に商売する輩もいる。誰がどういう経路で入手したのかは不明だが、江幡真吾が学校に置き忘れていた体操着がインターネットのオークションに出品されていたとテレビで報じていた。

問題の名刺もインターネットで流通していたものなのか。雄介も悪趣味なコレクターなのか。私は雄介にパソコンを買い与えている。昨年の夏休みの自由研究をきっかけに、インターネットへの接続も許可している。もし名刺がオークションにかけられていたら入手することは可能である。

　だが雄介は、取材を受けてはしゃいでいる母親に強い嫌悪を示したではないか。あれはポーズだったのか。

　それに、江幡孝明、馬場明史、赤羽万里子の三人はともかく、尾嵜毅彦の名刺がオークションにかけられていたということはありえない。なぜなら私が雄介の部屋で尾嵜毅彦の名刺を見つけたのは六月十三日だったからだ。豪太少年が誘拐される一週間も前のことだ。彼が誘拐されるのは六月二十日であり、それ以前に尾嵜毅彦の名刺をオークションに出したところで商品価値はない。「子供を誘拐された父親の名刺」という「売り」が発生するのは六月二十日の午後になってからなのだ。

　雄介は、誘拐された子の父親の名刺を入手したのではない。雄介が名刺を入手したのち、その人物の子が誘拐されるという事件が発生したのだ。この違いは何を意味するのか？

　いや、名刺の入手経路や入手時期よりも素朴な疑問がある。

　雄介はなぜ何も言わない？

　たまたま道端で拾った名刺の人物の子がたまたま誘拐殺人に遭った、そのたまたまが四度続いたとは、常識的に考えてありそうにない。となると、雄介は名刺の人物が誰であるか知っているはずなのだ。その人物たちの子供がどうなったのかも。なのに雄介は、江幡真吾の時を除いて、被害に遭ったのは赤の他人であるかのような素振りしか見せない。テレビのニュースを見て、この子は自分の知り合いだと、一言でも口にしただろうか。

雄介はなぜ知らん顔をしている？

「おかーさーん！　バスタオルがなーい！」

階下から声がした。私は五枚の名刺をがらくたの山の中に押し込み、引き出しを閉めた。

机を離れかけたところであることが気になり、もう一度引き出しを開けた。

名刺にはEメールのアドレスが記されていた。五枚ともにである。この名刺を持っていればEメールのアドレスを知ることができ、脅迫メールを送ることができる。

私は名刺を戻し、明かりを消して勉強部屋を撤退した。

階段を降りきったちょうどその時、正面のドアが勢いよく開いた。上半身裸の雄介と目が合った。私は凍りついた。実際には一、二秒のことだったのだろうが、十秒も二十秒も睨《にら》み合いが続いたように感じられた。

「何？」

雄介が小首をかしげた。

「あ、いや、暑いな」

私はしどろもどろ答えながら、雄介の脇をすり抜けて洗面所に入った。水道の蛇口を全開にして顔を洗う。

顔を拭いていると、背後でみしりと床を踏む音がした。雄介だった。

「な、何だ？」

ぎくりとして尋ねた。

「あのさ」

「おう」

「一度言おうと前から思ってたんだけどさ」

「な、何だ？」

「家に帰るなりパジャマっていうの、死ぬほどカッコ悪いと思う」

「そ、そうか」

「スエットの上下を持ってるんだから、それにしなよ。今は暑いから、Tシャツにスポーツショーツでもいいけど。臑毛《すねげ》が見えるのがアレだけどさ」

「今度から気をつけるよ。わざわざそれを言いにきてくれたのか」

額の汗をぬぐう。

「忘れ物を取りにきただけっす」

雄介は洗面台の横から腕時計を取りあげ、それを腕にはめながら回れ右をした。

私は咳《せき》払いをした。

雄介が足を止め、何か？　と言いたげな顔で振り返った。

重要な質問が喉の数ミリ手前まで出かかっている。

「シャツを着ないと風邪ひくぞ」

しかしそうとしか言えなかった。

「着替えを持ってくるのを忘れただけ」

雄介はつまらなそうに言って洗面所を出ていった。みしみしと階段が鳴り、やがて静かになった。私はあらためて冷たい水に顔をさらした。

6

居間では秀美が笑っていた。テレビの前にアイロン台を広げ、アイロンを持つ手を止めたままくすくす笑っている。

「バカ、焦げるぞ」

動揺が声を荒くさせた。

「ま。バカってなに――、ヤだぁ、バカはあなたじゃない。なにその頭」

乱暴に顔を洗ったため、髪の毛の先から水が滴っていた。

「もー、髪を洗ったらきちんと拭かないとだめじゃないの」

「わかってる」

「わかってるのならちゃんとしてちょうだい。子供じゃないんだから、いちいち――」

「うるさい！　ほっとけ！」

私は前髪を無造作に掻《か》きあげてソファーに身を投げ出した。

「どうしたの？」

ただならぬ剣幕に、秀美がうろたえた表情で顔を覗《のぞ》き込んできた。

「なんでもない」

私は視線をそらしてタバコをくわえた。秀美は何か口にしかけたが、頬を膨らませただけでアイロン台に戻った。

テレビでは若手の芸人が七味唐辛子を一瓶かけたラーメンを食べさせられている。秀美はアイロンをかける手を休めては声をたてて笑う。何ごともなかったかのような明るさだ。こちらに目をやることもない。自分はこれほど心が乱れているというのに、彼女には何の心配事もないのだろうか。そう思うと無性に腹立たしくなってきた。

「よう、馬場雅也君は雄介の知り合いか？」

私は感情を殺して声をかけた。

「馬場雅也？」

秀美はテレビに向かって応《こた》えた。

「江幡さんちの真吾君に続いて犠牲になった男の子だよ」

「どうしてその子が雄介の友達なのよ」

「赤羽聡君は？」

「赤羽？」

「その次に殺された子」

「友達のわけないでしょ」

「尾嵜豪太君とも無関係なんだな？」

「尾嵜？　こないだ死体で発見された？」

「そう」

「あなた、ヘン。見ず知らずの子に決まってるじゃない。どうしてそんなあたりまえのことを訊《き》くの？　そういえば何日か前にも同じ質問してこなかったっけ？」

秀美はテレビから目を離した。

「どうしてって、それはほら、真吾君とはつきあいがあったから」

「わけわかんない。真吾君と仲が良かったら、どうしてほかの子ともつきあいがないといけないの。真吾君は近所の子よ、つきあいがあって当然じゃない。殺されたほかの子は学校が違う。つきあいがなくて当然」

「学校以外のどこかでつきあいがあるんじゃないのか？」

「塾？」

「まあたとえばそうだな」

「大谷進学会には五、六年生しかいません」

「前の塾は？」

「一進会も四年生以上でした。あなたも知ってるはずよ。入校案内を見せながら説明したもの。それを憶《おぼ》えてないってことは、右から左に聞き流していたってこと？　アタマきちゃうわ。結局、雄介の教育はわたしまかせってことじゃないの」

「おい、どうして話がそっちのほうに――」

「ははぁん、わかった」

秀美がニヤリとした。

「は？」

「寂しいんだ」

「寂しい？」

私は首をかしげた。秀美はニヤニヤしながらこちらに寄ってくる。そして突然私の首に両腕を回した。

「お、おい、なんだよ」

「雄介は勉強、菜穂は寝てる、わたしはテレビ。かまってもらえず寂しいんだ。だから気を惹《ひ》こうと妙なことばかり言ってる」

秀美は私の頰に唇を押し当てた。

あきれた。怒りが口を衝《つ》いて出そうになった。だが、ひと呼吸置いたのち、笑って応えた。

「ああそうだ。退屈してる。コーヒーでも淹《い》れてくれよ」

私もキスをお返しした。

妻は腹立たしいほどの平穏に包まれている。夫はわめき散らしたいほど心が乱れている。彼女だけが安穏としているのは妬《ねた》ましかったし、自分の苦しみを半分引き受けてほしいとも私は思った。

けれど今ここで心の中をさらけ出しても笑い飛ばされるのが落ちだ。妻の顔色を変えられるだけの言葉を私は持ち合わせていない。この心の奥の奥に眠っているものは、事実の積み重ねによる推論ではなく、直感的な想像にすぎない。妄想といったほうがいいかもしれない。

雄介が一連の男児誘拐殺害事件に関与している――。

この突拍子もない考えを誰が信じるというのだ。私自身信じられないし、信じたくもない。

7

「エロ本読みましたよね？」

不意にそう尋ねられ、私はむせ返った。

「昔の話ですよ。独身時代」

西直嗣《にしなおつぐ》は食べかけのオムライスを脇にどけ、冷やし中華のパッケージを手に取った。

「そりゃ、まあ。西だって読んだんだろう？」

私は口の周りを手の甲でぬぐった。

「読みましたよ。読むじゃなくって、見るというのが正しいですね。プレイボーイとかGOROとか、大変お世話になりました」

「お世話になる、か」

私は苦笑した。

「だってそうじゃないですか。富樫さんはエロ本を読むだけで、いや、見るだけで満足していたんですか？」

「そりゃ、俺だってお世話になったよ。平凡パンチ。平凡パンチとかね」

「僕の時には廃刊寸前でした、平凡パンチ。ん？　このタレ、ちょっとクセになるかも」

西は冷やし中華のトレーをこちらに押しやった。私は箸《はし》を伸ばし、麺《めん》を二、三本口に運んだ。

舌先がピリッと痺《しび》れ、やがて口の中全体に甘味が行き渡った。

「豆板醤《トウバンジャン》？」

「でしょうね。そのせいか、酸味の角が取れている。食べやすいですよ、これ」

西は箸を口にくわえたままメモ用紙にペンを走らせた。

西と私は今日も本社の第二会議室で十種類もの弁当と格闘していた。

ハマナカ食品という企業名に百人中九十九人は首をかしげるだろうが、実は九十九人が一度は手にしたことのある食品を作っている会社だった。わが社は日本一のコンビニエンスストアチェーンが首都圏で販売する弁当や総菜の企画開発と製造を行なっている。西と私は商品開発部に属しており、昼食も仕事の延長であることが多かった。自社の新製品の試食かライバル会社の製品の味見である。この日は後者だった。

「エロ本をはじめて買ったのはいくつの時です？」

西はまだその話題を続けるつもりだった。

「中学の終わりか高校のはじめだったと思うよ」

私は鶏飯弁当のラップを開ける。

「僕は中学二年生の秋でした。近所の本屋には面が割れていて、うちの親のことも知られているので、わざわざ違う校区まで自転車を漕《こ》いで遠征しました」

「ところが行った先の本屋の店員が若い女性だったもので買えなかった」

「よくわかりましたね」

「総務省の調べによると、十代の少年の九割が女性店員の視線に耐えかねてエロ本を買うのを断念している」

「ウソ」

「ああ、ウソ」

私はクックと笑って甘辛い飯を頬張った。

「でもまあ、みんな似たような体験をしてますよね」

「次の本屋のレジの前には頑固そうなオヤジが座っていて、ここでもビビって買えない」

「そうなんですよ。うちから一時間も離れた場所にある雑貨屋でやっと買うことができました」

コンビニがなかった時代は、雑貨屋や薬局の店先に雑誌や新聞が並べられていた。

「どうした、年寄りみたいに昔を懐かしんで」

からかうと、西は逆に尋ねてきた。

「雄介君は六年生でしたよね？」

「そうだよ。君のとこと一緒だ」

西は私より七つ歳下だったが、結婚が早かったので子供も大きい。

「雄介君はエロ本を読んでます？」

「え？」

「うちの智行《ともゆき》は読んでるんですよ」

「それは……」

「女房が見つけましてね、子供部屋を掃除していて」

よくある話である。

「小学生といっても六年生だろう。今の子は成長が早いから、もうそういうのに興味があってもおかしくないさ。俺たちの時代でも早熟だった子は読んでいたと思う」

とはいえ、ヌード写真に目を輝かせている雄介の姿など考えたことがなかったし、今も想像がつかない。

「僕もそう思います。でも……」

「奥さんが、教育上好ましくないと？」

「ええ、それもあります」

「エロ本は有害図書じゃないよ。だってそうだろう、エロ本に大変世話になったという西直嗣は無害な人間に育ったじゃないか。男が女の裸に興味を持つのは自然の摂理だ」

「それも同意見です。ただ、女房のようにパニックにはなっていないけれど、僕も少々不安ではあるんです。というのも、すごいんですよ」

「すごい？」

「プレイボーイやGOROだったら、僕もうろたえません。平凡パンチでも。ヌードグラビアはありますが、ほとんどのページは色気のない記事です。ファッションに音楽に車にスポーツに――実はカルチャー雑誌なのです。もっとも、僕らがそうと気づくのは大人になってからで、中高生のころは女の裸目当てで買っていたわけですが」

「智行君は、そのう、もっとエッチな本を読んでいたのか？」

西はうなずいて、

「富樫さんが純粋なエロ本をはじめて買ったのはいつです？」

「純粋？　全ページ裸のもの？」

「南の島で撮ったヌード写真集なんてのはダメですよ。男女のからみであるとか、女性が股間《こかん》に手を当てて悶《もだ》えているのとかいう、芸術性がゼロの、つまり性欲に訴えかけることを目的とした写真ばかりが載っている雑誌です。広告も、大人のおもちゃや媚薬《びやく》の通信販売というい がわしいものばかり」

「ビニ本？」

「ビニ本、懐かしいですね。ええ、その手のものです」

「浪人してたころかなあ。夜中に自動販売機で買ったよ」

「ですよね。僕もディープなエロ本に手を出したのは高校の後半でした」

「智行君はもうその手のものを？」

「ええ。女性の裸に興味を持つのはかまわないし、健全な証拠とも思っているのですけど、ちょっと刺激が強すぎるのではないかと。かつてのビニ本なんて目じゃないですよ。いま思えば、ビニ本はソフトもいいとこですね。陰毛は消してありましたから。ところが今のエロ本はというと、堂々と陰毛をさらしている。性器にはいちおう墨が入っているけれど、肛門《こうもん》は丸見え。ロープで縛ったり、野外でからんでいたり、バイブレーターに放尿に剃毛《ていもう》に……」

西は徐々に声をひそめた。私も、この場には二人しかいないとわかっていたが、思わず左右に目を配った。西は言う。

「何ごとにも段階があると思うんですよ。運動でもそうでしょう。やりはじめは軽めで、慣れてくるにしたがって負荷を高めていく。いきなりハードな刺激というのは、やっぱり具合が悪いかなと」

「なるほど」

「ＳＭっぽいのやレイプまがいの写真も多いんです。最初からそんなのにふれていたら、ＳＭやレイプがスタンダードなセックスであると刷り込まれてしまうと思いません？」

「たしかに怖いな」

「怖いですよ。智行が将来どういう行動に出るのかと、妙な想像をしてしまって……」

西は顔をゆがめた。

「それで、智行君の部屋にあった本は取りあげたのか？」

「そんなことできませんよ。何といって取りあげればいいんです」

西は顔の前で大きく手を振った。

「おまえにはまだ早すぎる」

「そんな一言で納得するもんですか。十代に戻って考えてみてください。隠し持っていたエロ本を親に発見され、注意されたら、エロ本とはきっぱり縁を切りますか？　また買うに決まってるじゃないですか。女性の裸を見たいというのは生理的な欲求です。誰にどう注意されようが我慢できませんって」

「でも、俺たちが読んでいたようなソフトな雑誌とは違うのだろう？」

「いや、この場合、質は関係ありません。質を問いだしたら話がさらにややこしくなる。じゃあ富樫さんに尋ねましょう。プレイボーイのヌードグラビアはオッケーで、精液を女性の顔にかけているような本がだめである理由を述べてください」

私は即答できなかった。

「トップレスで波と戯れているのはかまわないが男女のからみはいけない、というのは主観による線引きでしょう？ 客観的な線引きを行なうのは法律であり条令です。ところがですね、うちの子が読んでいるエロ本は、写真は過激きわまりないけれど、合法的な出版物なんですよ。条令で成人指定されていることもない。そのあたりの本屋の棚に文藝春秋なんかと一緒に並んでいるわけです。これが地下で出版されているいわゆる裏本というやつだったら、そういう違法なものには手を出しちゃいかんと注意すればいい。でも、正規に流通している出版物を、ちゃんとお金を払って手に入れているわけですよ。それがどうしていけないのだと問われた時、いったい何と答えればいいのです。今の子は頭いいですよぉ。今の小学六年生の言動はほとんど大人、場合によってはこっちの上をいく理屈を操る。中途半端に説教をはじめても、逆に言い負かされてしまうのが落ちです」

「そうだな」

　雄介の理屈も高度だ。

「で、言い負かされて、親の言うことが聞けないのかと怒鳴り散らそうものなら、うちの親はこの程度の人間かと完全に見下されてしまう」

　西は溜《た》め息をつき、握り飯のラップフィルムをビリビリと破った。

「うん、妥協案を思いついたぞ。今はまだそんな本を読む段階ではない、こっちにしなさいと、プレイボーイを渡す」

　もちろん冗談である。しかし西は真顔で応じた。

「そういう、いかにも理解のある親を演じるのはまずいですね」

「友達感覚でいいじゃないか」

「いや、親と子は対等な関係であってはならないのです。一度対等であるような錯覚を与えてしまったら、相手は二度と尊敬の念を抱かなくなります。富樫さんは犬を飼ったことがあります？」

「ないけど」

「犬も、人間と対等に扱ったら人間のいうことを聞かなくなります」

「おいおい、犬と人間を――」

「乱暴は承知で言いますが、飼い犬も人の子も一緒です。親は子に対して上の位置からものを言わなければなりません。同じ目線でものを言ったらなめられます」

「異論はあるが、それはまあ今は置いておこう。じゃあ西も智行君に、親としての威厳をもってガツンと言ってやればいいじゃないか」

「そうしたいし、そうしなければいけないと思ってますよ。ところがさっきも言ったように、向こうのほうが知識が豊富で口が達者なものだから、高い位置からものを言えないんです。なさけないですよ。親を十二年もやっているとはとても思えない。僕が十二歳の時、僕の父親は今の僕の百倍も威厳があったような気がする」

西はまた溜め息をつき、握り飯にかぶりつく。会話が途切れ、がらんとした部屋に咀嚼《そしやく》の音が反響した。

「黙って本を処分するというのは？」

沈黙を嫌い、私は言った。

「それはいけません」

「どうして？　その手の本を読むことには罪悪感がともなうから、知らない間に本がなくなっていても、どこにやったのだと親に詰め寄れない。論議がはじまらないので言い負かされることもない」

「だめですって」

「だからどうして？　ああそうか、新しいのを買ってくるか。たしかに一時しのぎにしかならないな」

「黙って取りあげたら心に深い傷を負わせてしまいます」

「傷？」

「高校の同級生で、エロ本を母親に処分されてしまったやつがいました。隠してあった本棚の裏から黙って持ち出され、捨てたという事実も明かされなかったのです。母親は何ごともなかったかのように笑顔で彼に接します。彼はそのうち新しいエロ本を仕入れますが、それも母親が黙って処分してしまいます。その時も母親は、叱りもしなければたしなめもしなかった。『勉強ははかどっている？』とニコニコ笑顔で夜食のうどんを勉強部屋に運んでくる」

「なんだか真綿で絞められる感じだな」

「そういうことが何度か繰り返されるうちに、同級生のそいつは母親に暴力を振るうようになりました」

私は唸《うな》った。

「男の子というものは、さっき富樫さんが言っていたように、罪悪感を抱きながらエロ本を読んでいるわけです。やましさを感じながらも、生理的欲求に負けてしまう。彼の母親はおそらく、面と向かって指摘しては息子が恥ずかしい思いをすると、こっそり処分したのでしょう。ところが息子には罪の意識が強くあるため、罪に対して一言も注意を受けなかったら、こいつは俺のことをバカにしていると考えてしまう。あるいは、俺に対する愛情がないから怒らないのだと」

「バレるのはまずいけれど、バレて怒られないのも嫌だ」

「心は複雑です」

「話し合うことはできず、黙って処分するのもだめ。結局、見なかったことにするのか？」

そう訊《き》きながら、自分ならどうするだろうと考えた。

「そうですね、黙認するしかないですかね。ただしそれは、本を発見したのが僕だったらの話です」

「は？」

「見つけたのは女房なんですよ」

「ああ、そうだったな」

「彼女は、あんないかがわしい本は絶対に許可できない、頭も悪くなる、といきり立っているし、ショックで家事も手につかない状態なんですよ。そのくせ自分は逃げの一手で、男親であるあなたがどうにかしろと責任を押しつけてくる。係長ぉ、僕はどうしたらいいでしょう」

西は身を乗り出し、すがるような目を送ってくる。

うから」
「西に教えてもらうというのではだめ？　その時は、そっちはもう解決法を見出しているだろ
いたほうがいいですよ。僕のようにおたおたしたくないのなら」
「冗談ですよ。自分の息子だ、自分でどうにかします。けど、富樫さんもそろそろ覚悟してお
「どうしたらいいって……」

「いいですよ。社員割引をきかせて、カウンセリング料はお安くしておきましょう」

「じゃあ今から相談料をコツコツ貯めておくことにするよ」

私は笑った。心の中は、こいつの悩みはなんて平和なのだろうと、嫉妬《しっと》に似た気持ちに満ちていた。

西は飄々《ひょうひょう》としゃべっていたけれど、実は勇気をふり絞って打ち明けたのだろう。家庭の中で処理しなければならない問題なのだが、妻は考えるのを放棄し、自分も解決策が思い浮かばず、どうしようどうしようと思い悩むうちに頭がおかしくなってしまいそうで、だから他人に話すことにした。他人に解決策を求めたのではない。人に話すことで心が一時的に軽くなるのだ。

西の気持ちはよくわかる。なぜなら私も似た状況に置かれている。

雄介の部屋から出てきた名刺の問題が頭の中に渦巻いている。会議中も得意先を訪ねた際も、そのことは決して頭の中から離れない。妻に相談することもかなわず、胸の苦しさは日々刻々とつのる一方で、このまま自分一人の中にため込んでいたらプレッシャーで気が変になってしまいそうだった。

だが、人にどう話せばいいのだ。たとえばこの場で西に打ち明けるとしたらどう切り出す。

「君のとこの智行君は誘拐や殺人とかかわったことがある?」

女性の裸に妄想をたくましくするのは男としての通過儀礼だ。しかし誘拐や殺人は違う。

8

六月二十八日、木曜日の晩、私はふたたび雄介の部屋に侵入した。一回目の侵入と同じく、雄介の入浴時を狙った。

わが子が一連の男児誘拐殺害事件に関与している——。

それが私の妄想だった。しかし、妄想ではあったが、事実に違いないと確信していた。事件に無関係な人間が、どうして被害者の親の名刺を持っているのだ。しかも四枚揃いで。江幡孝明を除いたら、雄介とは生活上接点がないはずなのに。

どんなことでも都合良く解釈する道はある。

秀美が知らなかっただけで、雄介は江幡真吾以外の三人ともつきあいを持っていた。そして彼らの家に遊びにいった際、その親から名刺をもらった。

しかしそうであるなら、テレビのニュースを見て、この子は自分の友達だと指さすのが普通だと思われる。まるで有名人の知り合いを自慢するようで慎みがないと口を堅く閉ざしているのだろうか。しかしそうだとしても、友達が亡くなれば深く沈んでしかるべきだ。雄介の表情や言動からは、江幡真吾の時を除いてその様子は窺《うかが》えない。

ではこう考えてはどうだろう。名刺は犯人の落とし物である。雄介はそれらを道端でまとめて拾い、持ち帰った。

しかし、これも腑《ふ》に落ちない。四人の親の名前は連日ニュースで嫌というほど流れているのだから、拾った名刺が渦中の人物のものであるとピンときてしかるべきだ。まとまって落ちていたことが何を意味するのか、小学六年生ならそのくらい洞察できるだろう。ところが雄介は、警察に届けもせず、この名刺をどう思うかと親に相談してもこない。

都合良く解釈する道はいくらでもある。

拾って机の引き出しに突っ込んだことを忘れてしまった。

しかし私はそこまで能天気ではない。やはり雄介は事件とかかわりを持っているのだと思う。ただ、雄介の関与は絶対だとしても、具体的にどう関与しているのかがわからなかった。

世の中、どんなことでも悪く解釈することができる。

雄介が四人を誘拐し、殺した。

おそらくこれが最悪の事態だろう。しかしこれはありえないように思う。被害者の男児はいずれも射殺されている。小学生がピストルを？　いったいどうやって手に入れるというのだ。仮に入手できても引き金を引く力があるだろうか。なにより、自分の息子が人を殺すはずがない。江幡真吾のことは弟のようにかわいがっていたのだ。殺す理由がない。そのような非道な人間に育てたおぼえもない。

とはいえ、事実として、息子の部屋に不可解なものが存在している。

では、雄介は事件に一部関与しているのだろうか。一部とは、そう、犯人の手引きをした。たとえば、子供を連れ出す役をになったと考えてはどうだろう。ターゲットの子は小学校の低学年である。強面《こわもて》の成人男性が迫るよりも上級生のお兄さんが声をかけたほうが無警戒についてくるような気がする。そして一緒に歩いていても周囲は不審に思わない。犯人は雄介を金品で釣って手先に使ったのではないか。

だが、と思う。雄介の頭は幼くない。一度だけなら、甘い餌と巧妙な言い回しに犯人の求めに応じるかもしれない。しかし間もなく、自分の行ないがどういう結果を招いたかわかるのだ。ある人物のもとに江幡真吾を連れていったら、真吾は行方不明となり、死体で発見された——。すると二度目に声をかけられても今度は応じないだろう。雄介が勘の鈍い子で、馬場雅也の連れ出しにも協力してしまったとしても、彼の死が報道された段階で、さすがに自分の行動とリンクして考えるものと思われる。

なのに現実には、三度目、四度目が発生している。いかなる理由があれば、犯罪だと知りつつ手を貸すだろうか。良心を麻痺《まひ》させるほど高額の金品を与えられたのか。金品を受け取ったからにはおまえも同罪だ、引き続き手伝わなければ親や学校や警察に密告してやるぞと脅されたか。

あるいは、犯人はかなり以前から雄介の弱みを握っていたとも考えられる。たとえば、犯人は塾の関係者で、雄介が模試でカンニングするのを目撃した。西ではないが、猥褻《わいせつ》な本を買っているところを見かけた。駄菓子の万引き、学校の備品破壊、午後六時を過ぎてのゲームセンター通い——子供というものは誰でも、親や教師に知られたくないことを一つや二つ抱え持っているものだ。犯人は雄介のそういった秘密を摑《つか》んでいて、今回事を起こすにあたって手伝いを強要した。

そう、たぶん万引きだ。雄介はかつて万引きで捕まったことがある。三年生の時だ。秀美が引き取りにいくと、雄介は交番の片隅でガタガタ震えていたという。私が帰宅した時もまだ雄介は蒼《あお》ざめていて、二度としませんと涙ながらに繰り返した。しかしその反省はポーズにすぎなかったのだ。いや、一時は本当に懲りて足を洗っていたのだろう。ところがここにきて受験勉強のストレスからつい手を出してしまった。それを誰かに目撃され、脅されることになった。受験のこの時期に万引きが発覚するのは非常にまずい。学力は合格ラインに達していても、素行の悪さで落とされてしまうかもしれない。

ストーリーとしては悪くない。ただ、一つ説明のつかない点がある。名刺だ。

名刺に自宅の住所が記されているのなら、ここに行って子供を連れ出してこいと犯人に渡されたのだと解釈することができる。しかし名刺にある住所は親の勤務先である。雄介をそこに行かせても、肝腎の子供がいない。

名刺には電子メールのアドレスが記されている。このアドレス宛に脅迫メールを送れと命令されたのか？　どうして犯人が自分で送らないのか。指を怪我しているのか？　しかしメールを打てないほどの怪我を負っている者が拳銃《けんじゅう》を扱えるとは思えない。

うまく説明をつけられない。けれど、雄介がよからぬ形で事件にかかわっているということは、私の中ではもはや絶対的な事実となっていた。

ただ、私の考えは想像による部分が多すぎる。そこで、想像を補完するための材料を見つけようと、雄介の部屋に二度目の侵入を図った。もちろん、想像をうち消す証拠が出てくるのが一番なのだが。

まず、勉強机に作りつけてある本立てをチェックした。最も期待される証拠品は日記帳だ。日記帳は二冊見つかった。一冊は一月五日で、二冊目は一月十日で、その記述が終わっていた。三日坊主でないだけ上出来か。

次に机の引き出しを覗《のぞ》いた。一番上の引き出しの中は三日前と同じく混沌《こんとん》としていて、底の方に例の五枚の名刺が沈んでいた。ほかに目を惹《ひ》くものはなかった。

二番目の引き出しの中は秩序に支配されていた。名刺よりひとまわり大きなカードがぎっしりと詰まっていた。アニメーションのタッチで描かれた美少女やモンスター、プロレスラーやメジャーリーガーやアイドルグループの写真と、カードの種類は多岐にわたっている。トレーディングカードというのだろう。カードは種類ごとに輪ゴムで束ねられていた。この引き出しはカード専用らしく、ほかには紙切れ一枚入っていなかった。

こんなものを集めて何が楽しいのだろうと理解に苦しんだが、自分もメンコを集めていたと思い出した。鉄人28号と隠密剣士と力道山をごちゃ混ぜにして保管するようなことは決してしなかったものだ。

最下段の引き出しは上二つより高さがあり、引くとずしりとした手応《てごた》えがあった。教科書に参考書、問題集にノートが入っていた。本立てに収まりきれなかったものなのだろう。ノートは一冊一冊手に取って内容を検《あらた》めた。数式や四字熟語や歴史上の人物の名前しか書かれていなかった。

探索はここでいったん打ち切った。入浴中の侵入だ。長居は禁物である。

続きは五日後の七月三日になった。私の帰宅以前に雄介が入浴をすませていることが続いたからだ。

9

その晩は勉強机の真ん中の引き出しをチェックした。そこにはノートやレポート用紙や雑誌の切り抜き等、紙類がたくさん入っていていたいそう期待を抱かせたが、被害者の男児たちとの関係を示す何かは一つとして見つからなかった。

次いでスチールラックの中のパソコンに目をつけた。今はパソコンで日記をつけている者が多い。

だがこの時はパソコンへの侵入はとどまった。電源が入っていなかったからだ。パソコンはテレビとは違い、スイッチを入れたら即使えるというものではない。準備が整うまでに一、二分はかかる。そしてこの間に雄介が風呂《ふろ》からあがってきたらアウトだ。起動中には電源を落とすことができない。プラグをコンセントから引っこ抜けばもちろん電源は落ちるが、しかしそのように強引に止めると障害が発生し、次に起動した際、雄介に不審に思われる。それに、パソコンに電源を投入すると合図の電子音が鳴る。入浴中の雄介の耳には届かないだろうが、真下の部屋にいる秀美に気づかれるかもしれない。

10

実際にパソコンへの侵入を図ったのは七日の土曜日のことである。

朝起きたら雄介はすでに遊びに出かけていた。秀美も菜穂を連れて衣料品問屋の倒産セールに行くところだった。この日の私は校区の巡回当番からはずれており、新宿まで場外馬券を買いにいこうと思って前夜床に就いていた。が、予定は変更だ。せっかくのチャンスを逃す手はない。

秀美と菜穂が自転車で出ていくと、朝食を放り出して二階にあがった。

パソコンのスイッチを押すと、ホワーンとクラクションのような音が鳴った。ハードディスクがカリカリと音をたて、ブラウン管の画面が徐々に明るくなってくる。

ハードディスクのアクセス音が止まった。起動が完了したのではなかった。画面の中央に四角で囲まれた表示が出ている。パスワードを要求してきていた。

怪しい。

普通、一個人が家庭で使用するコンピューターにはパスワードなど設定しないものだ。機密といえるほどのファイルがないのに、起動のたびにいちいちパスワードを入力するのはめんどくさい。ちょっとした秘密があり、たとえば猥褻な画像を保存していて、家族に覗かれたくないという気持ちがあっても、家族は覗かないだろうと信頼し、パスワードは設定しないものだ。すると雄介のパソコンの中にはよほど見られたくない何かが入っているのか。

見過ごすわけにはいかない。しかしパスワードでプロテクトされている。

パスワードの作り方には二種類ある。一つは、生年月日や姓名など身近に存在する数字や文字を使うやり方。大半の人間はそうやってパスワードを設定する。記憶にとどめやすいという利点があるからだ。反面、身近な人間には破られやすい。

私は少し考え、527と入力し、OKのボタンをクリックした。雄介の誕生日である。

警告音が鳴り、パスワードが違うと返ってきた。また少し考え、0527とタイプした。これも違っていた。19890527と年号から入れてみた。西暦でなく元号を使ってもみた。いずれも違っていた。

次に、YUSUKEと入れてみた。だめだった。TOGASHIでもだめ。姓名と続けてタイプしてみる。姓と名の間にハイフンを入れてみる。ピリオドで区切ってみる。名姓の順にしてみる。全部小文字、先頭だけ大文字、名前と生年月日の組み合わせ、クラスの出席番号、塾の会員番号、自宅の電話番号、雄介のPHSの番号、私の携帯電話の番号、自宅の郵便番号と番地、私や秀美や菜穂の生年月日、車のナンバー――思いつくかぎりの文字列を試してみたが、一つとしてヒットしなかった。

パスワードのもう一つの作り方は、何の根拠もない数字や文字を羅列することだ。根拠がないので他人に見破られないという利点がある。ただし、根拠がないことは本人の記憶にとどめることも難しくさせる。そのため、パスワードを紙に書きとめておくというセキュリティ上の矛盾が往々にして発生する。

しかし、これまで調べたノートや紙片にパスワードらしき書きつけがあっただろうか。あらためてノートの類に目を通してみるが、それらしきものは発見できなかった。

容易に覗けないとますます覗いてみたくなる。ますます重要な秘密がひそんでいるように思えてならない。だが闇雲にキーボードを叩《たた》いても時間の無駄だ。私はひとまず侵入を断念、パソコンを終了させ、残りの時間は本棚や押入の捜索に充てることにした。

ゲームソフト、マンガ本、プラモデル、ビデオテープ、ミニ四駆――雄介の部屋はモノの洪水だった。押入のミカン箱の中にはトレーディングカードがぎっしり詰まっていた。小遣いもお年玉もすべてこれに化けたのかと私は驚き、金をどぶに捨てたようなものだと嘆き、それにしてもよくもこれだけ集めたものだと感心させられもした。しかし肝腎《かんじん》の証拠品は見つからなかった。

成果があがったのはその晩のことである。

11

また入浴時を狙って雄介の部屋に侵入した。パソコンを除くと調べつくしたつもりでいたのだが、実は調べ忘れがあることに気づいたのだ。

ＰＨＳである。塾の帰りが八時九時になるようになったので、安全のためにと、昨年から持たせてあった。このメモリーの中に江幡真吾以外の被害者の名前があるかもしれない。日中侵入した際には、雄介が持って出かけていたので調べられなかった。

これはあてがはずれた。馬場雅也、赤羽聡、尾嵜豪太の名前は見あたらなかった。

ところが、被害者ではないが、一つ気になる名前が目にとまった。

鷹羽翔太《しょうた》。

雄介は鷹羽茂なる人物の名刺を持っていた。同じ鷹羽姓——鷹羽翔太は鷹羽茂の息子なのだろうか。私は電話番号をメモしておくことにした。070ではじまっているのでPHSである。

メモを取ってPHSをデイパックの中に戻したところ、手帳が入っていることに気づいた。

12

表紙は焦げ茶色の革製で、中世の聖書で使われているような飾り文字が金で箔押《はくお》しされている。どうやら「M3」と読むようだ。開いてみると、各ページの欄外の部分に、二頭身のモンスターや三角の帽子をかぶった少女の絵が淡い色のインクで印刷されている。マイティ・マジック・マイスターズのキャラクターグッズのようだ。しかし、カーフらしき手ざわりの表紙といい、金の箔押しといい、六つ穴バイブルサイズのリフィルが使われていることといい、大人もの顔負けのシステム手帳である。

リフィルは片ページが一週間分のカレンダーになっていて、ところどころに「漢字試験地獄の二百問」とか「バージョン3発売日！」とか書き込んである。最後の数ページはアドレス帳になっていたが、ここはまったくの白紙だった。

私は六月二十日の欄を探した。尾嵜豪太が誘拐された日である。

はたして書き込みがあり、私は小さく声をあげた。驚いたのではない。疑問の声だ。

「はあ？」

０２４Ｋ１６０７４

六月二十日の欄にはそうあった。ほかには何も書かれていない。一見電話番号らしく思えるのだが、Ｋが入っているのでそれは違う。

私は首をひねりながら手帳のページを繰って五月二十三日の欄を探した。赤羽聡が誘拐された日である。

「え？」

今度は驚きの声だった。

４Ｋ４８４Ｎ３５４７０５Ｈ１

五月二十三日の書き込みも意味不明で、その意味不明さかげんは六月二十日の記述と酷似していた。

急いで四月二十五日と三月二十六日の欄を確認した。

８４８４Ｍ４５４Ｙ４

3847 45H1N60

唸《うな》るしかなかった。馬場雅也と江幡真吾の事件が発生した日にも奇妙な書き込みがあった。

そしてざっと見たかぎりだが、その四つの日にち以外には同様の書き込みはないようだった。

三月二十六日、四月二十五日、五月二十三日、六月二十日——この四つの日に特別なイベントがあったことは疑う余地がない。「特別な」を「人に知られたくない」と置き換えてもよい。人に知られるとまずいから、そのイベント内容を暗号化してメモしてあるのだ。そう、この意味不明の文字列は明らかに暗号だ。

暗号?

私は閃《ひらめ》いた。

13

「タバコを買ってきてくれないか」

そう頼むと、雄介はわずかに眉を寄せた。

「今?」

「頼むよ。この間おまえに注意されたのに、いつもの癖で着てしまってさ」

とパジャマの胸をつまんでみせる。

「でも……」

雄介は窓の方に目をやった。外は梅雨の終わりの大雨だった。

「釣りは取っといていいから」

私は五千円札を差し出した。雄介の表情がパッと明るくなった。

「マイルドセブンだっけ？」

「そう。二箱」

「えー、二箱ぉ？　お釣りなんてないじゃん」

雄介が唇を尖《とが》らせた。私はよく買い置きをしているので、十箱入りのカートンを二箱だと解釈したらしい。

「いや、バラを二箱。一箱二百五十円で、釣りはいくら？」

「リョーカイ！　ソッコー買ってまいります！」

雄介はふたたび表情を緩め、最敬礼をしてから五千円札を奪い取った。

「ゆっくり行けよ、足下が悪いから」

雄介は私の注意など聞こえない様子で階段を駆け降り、玄関から飛び出していった。

町内にタバコの自販機はなく、コンビニも遠い。しかもこの雨だ。自転車は使えず、急ぎ足で歩くこともかなわない。会計の時間を加えると、往復三十分近くかかるだろう。

私は雄介の部屋に入った。スチールラックの前に立ち、タワー型の筐体《きょうたい》の電源ボタンに人さし指を伸ばし、そこで動きを止めた。

――リョーカイ！　ソッコー買ってまいります！

さっきのあの笑顔。凶悪犯罪の手引きをするような子が、あれほど透明に笑えるものだろうか。あの笑顔は、心の中も澄みきっている何よりの証拠ではないのか。

しかしやはり確かめずにはおれない。ためらいを振り切り、電源ボタンを押す。クラクションのような電子音が響き渡る。秀美に気づかれる心配はない。彼女は現在菜穂と入浴中だ。

最前、私は閃いた。雄介の手帳に記されていた不可解な文字列はパスワードの覚え書きではないのか。一見無秩序な数字とアルファベットの組み合わせはいかにもパスワードらしい。そしてもしこの閃きが正しいとすると、三月二十六日、四月二十五日、五月二十三日、六月二十日と、雄介は男児が誘拐されるたびにパスワードを変更していることになる。この符合は何を意味するのか。

パソコンの画面上にパスワード入力を要求するダイアログが現われた。私は「024K16074」とキーボードを叩いた。六月二十日の欄に記されていたものだ。

突如として不安に襲われた。

もしこれでプロテクトが解除されたらどうしよう。中に日記があり、江幡真吾の連れ出しに協力したと書かれていたら。パンドラの箱には手をつけないほうが身のためではないのか。

私は、なかば画面から顔をそむけるような体勢でOKのボタンをクリックした。

肩すかしを食らった。警告音が鳴り、パスワードが違っているとはねつけられたのだ。

怒りにも似た気分が発生した。「024K16074」という意味不明の文字列がパスワードでなくて何だというのだ。数秒前までは当たってほしくなかったくせに、いざ侵入に失敗すると、悔しく、いらだって仕方なかった。パソコンの中を覗《のぞ》きたいのか、覗きたくないのか。どちらの自分が本当なのだ。

私は「４Ｋ４８４Ｎ３５４７０５Ｈ１」とタイプしてみた。「８４８４Ｍ４５４Ｙ４」と「３８４７４５Ｈ１Ｎ６０」も試してみた。いずれもパソコンに拒否された。

雄介が出ていってから十五分が経過していた。私は舌打ちをくれてパソコンを終了させた。

14

階下に降りると、納戸から古新聞の収納袋を引きずり出した。居間に持ち込み、ひっくり返し、古新聞の山の前に胡座《あぐら》をかく。

手帳に記された謎《なぞ》の文字列がパスワードでないとしても、その日雄介は人に知られてはならない何かを行なった、という推理は捨てきれない。人に知られてはならないので暗号を使って予定を記述した。そして、謎の文字列が記されているのは四日だけで、その四日においてはかならず誘拐事件が発生している。となると、雄介の行動は誘拐事件と関連した何かと考えるのが妥当だろう。

誘拐事件の経過を追い、事件当日の雄介の行動と照らし合わせようというのが私の次なる考えだった。まずは尾嵜豪太のケースをと、古新聞をあさりはじめた。

生きている尾嵜豪太が最後に確認されたのは六月二十日の午後四時ごろである。自宅近くの児童公園の脇を歩いて通り過ぎるのを子供連れの主婦が目撃していた。そのとき豪太がどこに向かっていたのかは不明である。彼は鍵《かぎ》っ子だった。どこに行く、誰と遊ぶ、という書き置きも自宅に残されていなかった。彼と遊ぶ約束をしていたクラスメイトもいないようだった。公園で豪太を見かけたという主婦も、彼とは言葉を交わしていなかった。

「やだぁ、なに散らかしてるの」

頭にタオルを巻いた秀美が居間に入ってきた。

「パパ、きたなくしちゃダメだよ」

菜穂もまねて言った。私は、すぐに片づけますと娘に笑ってみせてから、妻に向かって、

「なあ、先月の二十日なんだけど、雄介は何してた？」

「二十日？」

「先々週の水曜日だな」

「水曜日だったら学校に決まってるじゃない」

秀美は台所に入っていく。

「パパー、読んでー、読んでー」

菜穂が絵本を押しつけてくる。私は適当なページを開いた。

「『エロスのはなったなまりの矢は、ダフネのからだにめいちゅうしました。エロスはそれから、おうごんの矢を、アポロンのむねめがけてうちはなちました』」

「ヤだ、その話！　菜穂、エウロペ王女さまが好き」

菜穂は私の手から本を取りあげ、ページをめくる。私は台所に向かって声をかけた。

「学校が終わったあとだよ」

「塾に決まってるじゃない、月水金は。あなたも麦茶飲む？」

「のむ！」

菜穂が元気に手を挙げた。

「だーめ。おねしょするから」

「のむー、のむー」

「ああ、もうこんな時間。さあ、早く寝なさい。早く寝ないと『いっぽんどっこチュー次郎』を見られないよ」

日曜の朝にそういうアニメ番組をやっているらしい。

「ママのお布団で寝ていい？」

「いいよ」

「おやすみなさーい」

菜穂は絵本を放り出して居間を出ていった。私は質問を再開した。

「それで、二十日の日は、学校の授業は何時に終わったのかな」

「水曜は五時間目までだから、二時ごろね。なんでそんなこと訊《き》くの？」

「いや。それで、水曜日の塾は何時から？」

「五時だけど、ねえ、なによ、この質問？」

秀美は怪訝《けげん》そうに台所から出てきた。

「いや、べつに何でもないんだが、ちょっと、あれだよ、自分の記憶が……」

私は適当に単語をつなぎながら言い訳を考えた。

そのとき玄関の方で音がして、間もなく居間のドアが勢いよく開いた。

「へい、お待ち！」

雄介が顔を覗かせ、タバコの箱を下手で放り投げた。私がそれをキャッチすると、雄介はもう一箱放り投げ、ドアを閉めて姿を消した。階段を駆け昇る音が響く。

「ちょっとあなた、雄介にタバコを買いに行かせたの？」

秀美が眉を吊《つ》りあげた。

「小遣い稼ぎさせてやろうと思ってね」

私はタバコの封を切る。

「バカ言わないでちょうだい。あなた、時計を読めないの。十時を過ぎてるのよ」

「ああ、そうだな」

「しかも雨がざんざん降ってる。あの子に何かあったらどうするの」

「今度から気をつけるよ」

「今度ですって？」

秀美があきれたように目を見開いた。

「今日は俺が悪かった。反省してる。次からは明るい時しか頼まない。無事に帰ってきたんだし、今日のところはいいじゃないか」

口先で言ってタバコをくわえる。

「あー、やんなっちゃう。雄介にタバコを買いに行かせること自体非常識なのよ」

「あ、そうか。変な連中のことをうっかり忘れてたよ。一人歩きはなるべくさせないようにしなきゃな」

「もー、あなたってちっともわかってない。じゃあ、野次馬が来なくなったら、雄介にタバコを買いに行かせるわけね」

「もちろん夜遅くは行かせないさ。今日は軽率だった。謝るから、このへんで勘弁してくれ」

「ああもうっ、ほんっと、わかってないのね。あの子はもう大きいのよ。タバコなんか買ったら、本人が喫《す》うのではないかと誤解されるでしょ」

秀美は腕を振りたてて近づいてくる。私はきょとんとし、ふっと笑って、

「雄介は半ズボンを穿《は》いているんだぞ。タバコを喫うと誰が思う」

「まったくおめでたい人」

「そっちこそ取り越し苦労が過ぎるんじゃないか。堂々と買えば誤解は受けないさ。そもそも本人は潔白なんだから、何を言われてもへっちゃらだ」

「そういう問題じゃないの。たとえ潔白でも、変な噂が立ったらまずいでしょう。噂が立って、それが先生の耳に入ったら、雄介は問題児扱いよ」

「おおげさな」

「あなたって、ホントに何も知らないのね。今の教師は生徒のことをまず疑ってかかる。そして生徒がそれを否定しても言い訳としか受け取らない。親が出ていこうものなら、甘やかしている、だから悪い子に育ったのだと、責任はぜーんぶ家庭」

「そうかね」

「あなた、河村先生を見たことあるの？　一度でも保護者会に出たことあった？」

秀美は腰に手を当てて睨《にら》みつけてくる。

「わかったわかった。二度と買いに行かさない。たとえ昼間でも。肝に銘じておく」

風向きが悪くなってきたので私は強引にまとめた。そして話題を変えた。

「ところで、もっと古い新聞はないのかな」

「トイレよ」

「え？ トイレのどこに？」

「ジョークよ、ジョーク。ちり紙交換でトイレットペーパーに変わってるってこと。麦茶飲むの？ 飲まないの？」

秀美はむすっとした表情でコップを差し出してくる。私はそれを受け取って、

「おまえ、日記つけてる？」

「なによ、突然」

「つけてるのか？」

「つけてないわよ」

「じゃあ昔のことはわからないか」

「どのくらいの昔よ」

「五月二十三日」

「今年の？」

「そう。五月二十三日、雄介は何してた？」

私は真上の部屋を気にして声をひそめた。

「何って、学校でしょう。ほら、平日だから学校よ」

秀美は壁のカレンダーを顎《あご》で示した。

「その日も塾はあったのだろうか」

「あったわ」

「四月二十五日も平日？」

秀美の体が邪魔になって、私の位置からはカレンダーが見えない。

「四月二十五日は、ええと、そう、平日。あら？　あなた、最初、何月何日って言った？」

「五月二十三日」

「違う。一番最初。わたしがここにやってきてすぐ」

「六月二十日」

「ねえ、これって何かのクイズ？」

私は首をかしげた。

「六月二十日、五月二十三日、四月二十五日――全部水曜日じゃない。水曜日つながりの何かを探してるの？」

驚いた。立ちあがってカレンダーを確認する。確かに、六月二十日、五月二十三日、四月二十五日、いずれも水曜日だった。

「学校が五時間目で終わるのは水曜日だけか？」

私はハッとして尋ねた。

「そうよ」

「ほかの日は全部六時間目までである」

「土曜日は四時間目まで」

誘拐はいつも水曜日に発生している。毎水曜日、雄介は学校が早く終わる、イコール、自由に使える時間が多い。これもまた偶然の一致にすぎないというのか。

「三月二十六日は？」

「はあ？」

「三月二十六日も水曜日か？」

尋ねながらカレンダーを目で追った。三月二十六日は月曜日だった。だがその日には赤ペンで「修了式」と書き込みがあった。修了式の日は学校は午前中で終わる、イコール、自由に使える時間が多い。

「そうそう、この修了式の日だったのよね、真吾君がさらわれたの」

妻の何気ないつぶやきに私は肝を冷やした。

「いや、なに、不思議なデータがあってね」

彼女の思考を停止させようと、とっさに声を大きくする。

「不思議なデータ？」

「ああ、実に不思議なデータだ」

「どう不思議なのよ」

「ええと、それはだ、そう、さっき俺が挙げた日にちにバカ売れした弁当があって、しかも埼玉県にかぎってはその購買層が小中学生なんだよ。ほら、コンビニではレジを打つ時に客の年齢層を入力しているから、そういうデータが出たわけだ。それで、その日にちに小中学生の間で何か特別なイベントがあったのかと。守秘義務があるので、これ以上はおまえにも詳しく明かすわけにはいかないんだが」

私は適当なことを言いながら古新聞を片づける。

15

見通しの悪い三叉路《さんさろ》で左右確認したところ、児童公園の一角に若者がたむろしているのが見えた。

このあたりでは見かけない顔だ。髪の毛が大仏のように縮れていたり、眉《まゆ》が剃《そ》り落とされていたり、レンズ部分のフレームが四十五度に傾いたサングラスをかけていたり、エナメルのサンダルを突っかけていたり、龍《りゅう》を縫い取ったサテンのジャンパーを着ていたり、そんな数人が藤棚の下に車座になってしゃがみ込み、タバコをふかしていた。公園脇の道路には、マフラーやハンドルを違法改造した原付バイクが、公園の入口を塞《ふさ》ぐ形で並べられている。

「八回の松井がなあ」

今村が手首だけでスイングのまねをして、公園とは逆の方に曲がった。

「あそこは抑えた石井を誉めなきゃ。それとカーブを連投させた古田のリード」

篠原はピッチングのまねをして今村の背中を追った。

二人の声がことさら大きかったのは、自分には何も見えませんでしたよと主張しているからだろう。小ずるいやつらだ。

そう思う私も黙って二人のあとにしたがった。

七月八日の日曜日、私は巡回の当番にあたっていた。パートナーは、五年生の男の子を持つ今村と、三年と一年の姉妹を持つ篠原。この二人とはよく組になる。

いったい何のために巡回しているのだろうと、このごろよく思う。巡回とはすなわちパトロールである。子供たちを誘拐犯の手から守り、野次馬《やじうま》による二次災害を未然に防ぐ。つまり、地域の安全を脅かしそうな人物に注意を払うことが使命なのだ。

しかし三人は今、公園にたむろしていた集団に、どこから来たのか、何をしているのかと、声をかけることはなかった。今日にはじまったことではない。カーステレオを派手《はで》に鳴らして路上駐車していた黒いワゴン車も、マンションの屋上で巨大な望遠レンズのついたカメラを構えていた髭面《ひげづら》の男も、見て見ぬふりをして通り過ぎた。野次馬相手の弁当の移動販売を仕切っていると噂されている暴力団幹部の邸宅の前は避けて歩く。

風体が怪しいからといって犯罪を犯すわけではない、見た目で悪人だと決めつけるのは差別だ、万が一彼らが何かを起こしたら警察が対処してくれる、校区内はお巡りさんが頻繁にパトロールしているのだ――それぞれが頭の中でそう言い訳しているのだろう。

公園にいた連中は明らかに未成年だった。どうしてタバコを喫うなと注意しなかったのか。バイクをここに停めたら公園に入れないと一言言わなかったのか。その一言が犯罪を未然に防ぐことにつながるのではないのか。「ひいらぎ台小PTA　校区巡回中」という腕章をつけて歩き回っていれば犯罪を抑止できるなど、絵空事だ。自治と称した自己満足にすぎない。

私は自分に憤っているのではない。ふとそう思ったのだ。ただ、思った。私もめんどうには巻き込まれたくない。PTAの集まりで意見してみようと決心したわけでもない。

「最近、どうです？」

今村がゴルフスイングのまねをした。

「コースには全然。打ちっ放しもごぶさたですね」

篠原もスイングしてみせた。

「木曜日ですよ、はじめて90を切れそうだったのに、部長命令により最終ホールでファイブ・パット」

「取引先に花を持たせろ？」

「ええ。接待だから仕方ないけど、あーあですよ、まったく」

「今日日接待でコースに出られるとは、おたくは不況知らずですね。しかも平日でしょう」

「景気いいもんですか。クライアントに逃げられないよう、あの手この手ですよ」

毎度この調子だ。

巡回が始まった当初は、どうすれば子供たちの安全を守れるだろうかと、そういう心配を口にしながら歩いたものだが、この近辺では誘拐事件の再発はなさそうだとなった今では、話題といえば、プロ野球にゴルフに競馬、そして景気。巨人が連勝すれば、これで景気が良くなると言い、競馬で万馬券が出れば、不景気の年には穴馬の活躍が目立つと、何でもかんでも景気と結びつけないと気がすまない。

バカか、こいつら。

私はいつもそう思っていた。そして、くだらないと思いながらも適当に口を合わせ、愛想笑いを浮かべてきた。意味もなく歩いて意味もなく会話を交わして意味を考えようとしないことが大人のたしなみなのだと心得ていた。充分心得ていたので、彼らとつきあうことに抵抗は感じなかった。

しかし今は違う。彼らと行動をともにすることは非常な苦痛だった。彼らは平和で、自分は不幸に直面している。彼らの心配は、自分の子供が犯罪被害者になりはしないかということなのだが、実際にそうなる可能性は限りなくゼロに近い。一方自分の心配は、自分の子供が犯罪加害者なのではないかということで、それが現実である可能性は相当高い。彼らと同じ回数休日を返上し、彼らと同じようにだらだら歩いて回ったというのに、どうして自分だけがこんな目に遭わなければならないのだ。自分が不憫《ふびん》で、彼らが妬《ねた》ましい。

「ちょっと休憩」

今村が自動販売機の前で足を止め、冷えたウーロン茶を買い求めた。

「これからの季節、見回りはしんどいですね」

篠原がうらめしそうに天を仰いだ。昨晩の大雨が嘘のように太陽がギラギラ輝いている。梅雨明けは近い。

「今まではいい運動になると思っていたけれど、こう暑くては逆に体調を崩してしまうよなあ」

「帽子とタオルは用意しておいたほうがいいですね」

「せめて、見回りが終わったあと、冷たいのをキューッとやりたいよね。こんなヤワじゃないのを」

今村はウーロン茶をぐっと飲み干し、空き缶を販売機の脇の籠《かご》に放り込んだ。

「じゃあ、早速やります？」

「は？」

「このあと、うちで一杯やっていきませんか？」

篠原がジョッキを口に運ぶジェスチャーをした。

「うちのが子供を連れて実家に帰ってるんですよ。一人で昼食をとるのもアレだし、先日買ったビアサーバーも試してみたいかなと。家庭でビアホールの味を、というやつです」

「そりゃいいや。行きましょう行きましょう」

今村が私の肩を叩《たた》く。

「せっかくのお誘いですが、私は買い出しの運転手を務めなければならないので。さあ、ラストスパートといきましょうか」

私はほほえみ、先に立って歩きはじめた。

背中に視線を感じる。つきあいが悪いとか女房の尻《しり》に敷かれているとか思っているのだろう。篠原の家で飲みはじめたら、実際にそう陰口を叩くのだろう。そしてそれは父母の間に噂となって広まっていく。いじめはこうやって発生するのかもしれない。

小一時間の巡回を終えてひいらぎ台小学校に戻ってくると、篠原があらためて誘いかけてきた。しかし私はきっぱり断わり、自宅に向かって自転車を漕《こ》ぎ出した。そして今村と篠原の姿が完全に見えなくなってから、針路を入間市駅の方へと変えた。

途中、自宅に電話を入れた。

「昼は食べてくる。篠原さんの家にお呼ばれした。帰りは夕方になるから」

16

十分待ちで池袋行きの急行がやってきた。急行だが、所沢までは各駅に停車する。所沢までの所要時間は十八分。

急行は所沢を出るとひばりヶ丘まで停まらないので、所沢のホームで次の列車を待った。三分待ちで各駅停車が入線し、一分後に池袋に向けて出発した。

各駅停車の旅はわずか一駅で終わった。所要時間は三分。私はそれを腕時計で確認しながら電車を降り、跨線橋《こせんきょう》を渡って自動改札を抜けた。

西武池袋線秋津《あきつ》駅。入間市から尾嵜豪太の事件があった現場に出向く場合、この駅が最寄りとなる。

秋津の駅前は商店街になっていた。ロータリーなどなく、狭い通りが駅と直結していて、その左右に小さな商店が軒を連ねている。丸い籠に尾頭付きの魚を並べた昔ながらの魚屋があり、半紙に墨書きした物件情報を窓ガラスに貼りつけた不動産屋がある。下町のようだ。はじめての町だが、どこか懐かしい。人の往来はそこそこあるのにのんびりした雰囲気が漂っている。入間市駅周辺のほうがしゃれていて、都市の匂いがする。

改札を出た者はみな右に流れていく。私はポケットサイズの地図を取り出し、東村山市のページを広げて、松根町の位置を確認した。自分も右だった。

町がのんびりと感じられるのは、たぶんビルがないせいだろう。駅舎は平屋で、駅前にありがちな複合ビルもなく、大型スーパーも見あたらず、ほとんどの商店が二階建て止まりだった。スカイラインが統一された町並みは美しく見えるものだ。ヨーロッパの町を歩くとそれがよくわかる。

人の流れにまかせて歩いていると、じきにJR武蔵野線の新秋津駅に到着した。人々はその改札に吸い込まれていく。私は新秋津駅を素通りし、西へ西へと歩いていく。

時刻は午後二時、天頂には夏の太陽がある。額に玉の汗が浮かび、シャツが背中にへばりつく。風はなく、空は白く濁っている。しかし不快というほどではなかった。真夏の都会には動物性タンパク質が腐ったような臭いが漂っているものだが、いま歩いている界隈《かいわい》にはそれがない。

キャベツの畑を背にマンションが建っていたり、住宅の切れ目に思いがけず雑木林が現われたりする。東京といってもここは二十三区の外、いわゆる都下だ。武蔵野の面影がまだ残っている。同じ東京の渋谷《しぶや》よりも、むしろ埼玉の入間に近い雰囲気がする。実際、東村山市は埼玉県と境を接している。

しかしながら入間とは違う空気も感じられる。同じコンビニがあり、同じファミレスがあり、同じガソリンスタンドがあり、住宅の外観に差異はなく、畑や雑木林の様子も同じだというのに、どこかが違う。どことなく垢抜《あか》けた、あくまで東京の顔をしている。そう感じてしまうのは、埼玉に住んでいる人間のコンプレックスだろうか。

そんなとりとめのないことを考えてしまうのは緊張しているからにほかならない。

私は疑いを捨てきれなかった。

わが子が一連の男児誘拐殺害事件に関与している――。

仕事中も食事中も床に入っても夢の中にまで、この恐ろしい想像が追いかけてくる。妄想に決まっていると言い聞かせてはいる。しかし疑惑の黒雲は少しも薄れない。むしろ一日ごとに膨らむ一方で、ほとんど事実として心の中に棲《す》みついてしまっている。疑惑を振り払うには、雄介の潔白を示す具体的な証拠が必要だった。その証拠を見つけようと、私は炎暑の中を歩いている。

雄介は男児の連れ出し役ではないかと私は睨《にら》んでいた。では雄介はどのようにして男児たちに接触したのだろう。電話で誘い出したのだろうか。それはないように思える。電話で誘い出すのなら、なにも子供にやらせる必要はない。「お母さんが車に轢《ひ》かれた」等、大人が誘い出す口実はいくらでもある。雄介はおそらく、公園や道端などで男児たちをつかまえ、犯人に指定された場所まで連れていったのだ。つまり直接接触した。

直接接触するには、あたりまえのことだが、その場所に出向かなければならない。たとえば尾嵜豪太のケースであれば、彼との接触場所は東村山市松根町近辺だろう。生きている彼が最後に目撃されたのも、死体で発見されたのも、同町内であるからだ。ではたして雄介は、六月二十日の放課後、東京の東村山市で尾嵜豪太と接触し、彼を犯人のもとに連れていき、しかるのち埼玉県入間市にある学習塾の授業に出席することが可能なのだろうか。それが不可能だとなれば、雄介の疑いは晴れる。私は今その検証を行なっていた。

私は地図を頼りに住宅街を縦横に歩き、やがて松根町四丁目の第五号児童公園に到着した。生きている尾嵜豪太が最後に目撃された場所である。

腕時計の針は二時二十六分を示している。入間市駅で切符を買ったのが一時二十五分だったので、ここまで六十一分かかった計算だ。さらに計算する。

ひいらぎ台小学校から自宅までは徒歩で十五分。自宅から入間市駅までは自転車で十五分。これは駐輪時のロスタイムも含む。そして入間市駅から東村山市の第五号児童公園までが六十一分だから、トータルで一時間三十一分。大人の足での計算だが、小学六年生には同等の脚力があると考えてさしつかえないだろう。一方、ひいらぎ台小学校の五時間目の終了は一時五十分。終礼があるので、校門を出るのは早くても二時になるだろう。すると東村山市の松根町近辺に出没できるのは三時三十一分以降となるのだが——尾嵜豪太は当日の四時にはまだ生きていたので、雄介が彼と接触することは充分可能である。これでは雄介の疑いは晴れない。しかし私はあきらめずに計算を続ける。

東村山市の現場付近から入間市駅までが六十一分。入間市駅から学習塾までが徒歩で約十分。自転車を使うとしても、駐輪場までは歩かなければならず、そこから自転車を出す手間もあるので、十分という時間はほとんど短縮されないだろう。したがって、現場から学習塾までは一時間十一分。一方、雄介が尾嵜豪太と接触したとしたら、それは四時以降である。豪太少年は四時の段階では一人で行動していたという証言がある。すると雄介の塾到着は、どんなに早くても五時十一分ということになる。塾が始まるのは五時。

疑いは晴れた。

尾嵜豪太と接触していたのでは塾に間に合わない。電車の連絡がよければ五分くらいは縮まるだろうが、それでも塾到着は五時を過ぎる。それに今の計算は移動時間を単純に加えたにすぎない。豪太少年と話したり、犯人のもとに連れていったりする時間は抜いてある。それらを考えに入れると塾は完全に遅刻だ。

雄介は潔白だった。誘拐犯の手先などでは断じてなかったのだ。

私はふうと息をつき、タバコをくわえた。

なのに少しも安堵《あんど》していない自分を感じていた。

17

私は引き返した。往路と同じように早足で歩き、途中喫茶店やコンビニで涼んだりせずに秋津駅まで戻った。改札の先はすぐに下りホームとなっていて、そこにはまさに列車が入線してくるところで、所沢での待ち合わせもなく、二十一分の乗車で入間市駅に着いた。徒歩と切符の購入時間を合わせると四十九分。これに塾までの十分をプラスすると五十九分で、徒歩の代わりにタクシーを使わないかぎり、これ以上の時間短縮は不可能だろう。

復路が五十九分ですむのなら、塾には滑り込みで間に合う。四時一分までに東村山市の第五号児童公園付近を離れればよい。しかしこの計算には遊びがまったくない。移動以外に使える時間はたったの一分しかないのだ。その一分間に尾嵜豪太を呼び止め、言いくるめ、犯人のもとに連れていくなど、とうてい無理な話だ。したがって、雄介の事件への関与は、数字上は成り立つが、実際上は不可能なのである。

わが子は潔白である。

私はそれを自分の足で確かめた。

しかし私の妄想は依然として続いている。

入間市駅を出た私は自転車置き場には向かわず、陸橋を渡ってけやき通りに出た。豊岡高校の方に歩いていき、グラウンド脇の細い道に入る。しばらく直進すると、屋上に「大谷進学会」の看板を掲げたビルが見えてきた。

六月二十日、雄介は塾に行ったのだろうか、もし休んだのであればアリバイは崩れる——今度はそんな妄想に取り憑《つ》かれている。

いったい自分は雄介の潔白を確かめたいのか。それとも誘拐殺人の片棒をかついでいてほしいのか。私はよくわからなくなっていた。

息子のことを心配しているのか、犯罪者としての息子を持つはめになる己の身を案じているのか、歯の隙間に引っかかった食べ物のかすを取ってしまわないことには気持ちが悪いから探偵のまねごとをしているのか。わからない。

私はベージュ色の建物の前を行きつ戻りつした。ビルの横の空き地には十数台の自転車が置いてある。今日は日曜日だが塾は開いているようだった。

タバコ二本分迷ったすえに建物の中に入った。

事務室は一階にあった。ドアを開けると、中にいた全員の目がこちらを射た。ボスらしき中年の男が窓を背に座っていて、その前にできた机の島に数人の若い職員がついている。

「ええと、うちの息子がこちらでお世話になっているのですが」

私はきょときょとしながら案内を請うた。

「はい、どうかされましたか？」

若い女性事務員が応対に出てきた。

「私、富樫雄介の父親です。六年生の富樫雄介」

「はい」

「ガラスを割ったのはおたくの子だと言われまして」

「はあ？」

「近所の方にです。窓ガラスが割られたそうなのですが、それがうちの子の仕業だというのです。なんでも、走って逃げるところを見たとかで」

「はあ」

「しかしうちの子はそんな悪さをする子じゃない。しかしそう言っても向こう様は聞かない。そこで気づいたのですよ。向こう様が被害に遭ったその日その時刻、うちの子は塾だったのです。ただ、口でそう言っても向こう様は納得しないので、こちらに証明書をいただければと」

「証明書？」

「いえ、そんなたいそうなものでなくて結構です、出欠を確認して一筆いただければそれで」

「はあ」

「六月二十日です。うちの子は出席していますよね？　先月の二十日。富樫雄介です。六年生の富樫雄介」

「少々お待ちください」

とりあえず出まかせは通用したようで、女性事務員はキャビネットを開けて書類を調べはじめた。私はふうと息を吐き、緊張をほぐそうと首を回した。壁のあちこちに、「考えよ！」とか「全員合格は不可能ではない！」とか「もう一段階上を目指す努力！」とかいう威勢のいい標語が掲げられている。

「お子さまのお名前は何でしたっけ？」

ファイルを繰りながら女性事務員が言った。

「富樫です。富樫雄介」

「富樫、富樫……。六年生ですよね？」

「ええ」

「富樫、富樫……。松田さん、ちょっと」

女性事務員は怪訝《けげん》な表情で振り返った。島の中で一番歳のいってそうな男が席を立ち、彼女の元に歩んでいく。二人は一緒になってキャビネットの中を覗《のぞ》き込む。

「富樫君って子はたしかにいたけど、いや、でもそんなはずないよなあ」

松田と呼ばれた男がぶつぶつ言った。

「富樫雄介です。ひいらぎ台小学校の六年生」

私は言った。すると松田は顔をあげ、きょとんとした様子で、

「ひいらぎ台小の？」

「はい」

「六年生の？」

「そうです」

松田は口を半分開いたまま黙り込んでしまった。何に驚いているのかわからず、私もぽかんとした。

「あのう、どういうことでしょうか」

松田は眉《まゆ》を寄せた。

「どういうことって、ですから先ほど申しましたように、息子がこの塾に出ていたという証明をいただきたいのです。六月二十日に」

「すみません、お話がまったく見えないのですけど」

「話が見えないって、ですから息子の出欠を確認したいだけ――」

「ひいらぎ台小学校六年生の富樫君は当会を退会されていますが、そちら様はその富樫君のお父さまとは違うのですか？」

18

「や、やめたって、いつです？」

あまりに意外な答だった。出席か欠席か、この二つの答しか予想していなかった。

「いつって……、おたく様はその富樫君のお父さまではないのですか？」

松田は怪しむような顔をした。

「それはこっちが訊《き》きたい。その富樫君がうちの雄介なのかそうでないのか。そちらが知っている富樫君はいつやめたのです」

勢い込んで尋ねると、松田は気圧《けお》され、答をよこした。

「ゴールデンウィーク前だったかと」

「じゃあそれはうちの子ではない。雄介がここに入ったのは四月ですから。今年の四月。ひと月足らずでやめるわけがない」

「僕が知っている富樫君も新学期から当会の会員になりました。ですから憶《おぼ》えているんですよ。入会したかと思ったら退会してしまったので」

「その富樫君とやらの下の名前と住所を教えていただけますか」

納得できずに食らいついた。

「はあ、しかし……」

「やめたからといって、即、名簿を破棄するわけではないのでしょう？」

「それはそうですが、話がどうも……。そちら様があの富樫君の親御さんであるのなら富樫君の退会を知らないはずはないし、といって別の富樫君はうちにはいないわけで……」

「私はこちらでお世話になっている富樫雄介の父親なんですって」

私はズボンのポケットから財布を取り出し、運転免許証を抜いてカウンターの上に置いた。

「お教えしてさしあげなさい。何か行き違いがあるようだから」

そう言ったのは、窓を背にして座っていた中年男である。ボスのオーケイを受け、松田は別のキャビネットを開けて書類を探す。

「ああ、これだ。富樫雄介君」

「そう、富樫雄介」

「住所は、入間市ひいらぎ台四の三の八」

私の息子に相違なかった。

「退会にあたってこれが出されていますが」

一枚のファイルが差し出された。

退会届だった。

四月二十日付けで提出されており、理由は家庭の事情となっている。プリンターで印字されたもので、最後に署名と捺印《なついん》がある。署名は富樫修と読める。しかし私の筆跡とは違う。一方、印影には見憶えがあった。宅配便の受け取りのために使っている三文判だ。いつも下駄箱の上に置いてある。

「ああ、いや、これは家内だ。家内の字です」

反射的にそんな嘘が口をついて出た。

「息子のことは家内にまかせきりでして。おまけに、恥ずかしい話、夫婦のコミュニケーションもうまくとれてなくて。すいません、とんちんかんな話を持ってきて」

頭を垂れ、額の汗をぬぐう。

「いえいえ、お気になさらずに。奥様にまかせてあるお宅がほとんどですよ。お宅の奥様も、お子さんの成績と志望校を照らし合わせて、模試だけで充分だと判断されたのでしょう」

「模試?」

「当会の模試はオープンで行なっておりまして、会員でなくても受けられるのです。富樫君は退会後も模試には欠かさず参加しているようですね」

「そうでしたか。何も知らず、まったくお恥ずかしい」

「ご家庭の事情もおありでしょうが、まだ夏期講習の申し込みを受け付けておりますので、どうかご検討ください。夏を制した者が春も制するのです」

松田は如才なくパンフレットを差し出してくる。私はそれを受け取ると、ぺこぺこ頭を下げながら退散した。

19

帰宅し、妻に尋ねた。

「雄介の塾は月水金なんだな？」

そうよと妻は答えた。

「今も月水金に行ってるんだな？」

今もとは何よと妻は笑い、夏休みに入ったら週五日になるけどねと言った。

「夏期講習はもう申し込んだのか？」

あら急に教育熱心になったのねと妻は目を丸くして、

「ご心配なく。とっくに申し込みました」

「受講料も？」

「払ってあるわよ」

「支払方法は？　振込か？」

「雄介に持たせた」

「いくら？」

「十万円。よそと較べたら少し高めだけど、大谷進学会はそれだけの実績があるから」

「月謝も雄介に持たせているのか？」

「そうよ」

「いくら？」

「三万円。心配？」

ギクリとした。

「落とすんじゃないかって」

「あ、ああ、まあそういうことだ」

「ご心配なく。毎月無事に届いています。領収証でも見る？」

「領収証があるのか？」

「あるわよ」

「そうか。そうだな。六年生なんだから、そのくらい持たせてもだいじょうぶだよな。大人になるための訓練にもなるしな」

私はそれ以上何も言わなかった。言えなかった。

雄介が塾をやめたと私は知らなかった。秀美がやめさせたわけでもなかった。雄介は親に黙って塾をやめたのだ。退会届を捏造《ねつぞう》して。パソコンで文書を作成し、自分で父親のサインをし、三文判を捺《お》した。

退会後も模試にオープン参加しているのは、試験の結果を持ち帰れば塾に通っていると思わせられると考えてのことだろう。なんてずる賢い。

そして今なお家計から月謝が支払われている。雄介の懐に。彼は領収証をパソコンで偽造している。

これは想像ではない。事実だ。

私が見ていた平和は虚像にすぎなかった。

妻の目に映る平和も虚像にすぎない。

しかし彼女の平和を打ち壊すなど、私にはできない。

20

七月十二日の夜、新橋の中華料理店で藪田研三と杯を傾けた。藪田は私の大学の先輩で、東邦新聞の文化部でデスクをしている。実に五年ぶりの再会だった。

話はこちらから持ちかけた。旧交を温めたいというのは建て前で、真の目的はもちろん、連続男児誘拐殺害事件の裏情報を仕入れることにあった。

藪田は五年前より若々しく見えた。半白だった髪が茶色に変わっていたからだ。おまけに外巻きのウェーブまでかかっている。大学の四年間を学らんと角刈りで通した硬派がである。今ごろ色気づいたのかと茶化すと、娘のたっての希望でねと藪田は頭を掻《か》いた。

私たちは朱塗りの丸テーブルに着くと、とりあえずビールで乾杯し、クラゲや中華ハムをつまみながら、最近の仕事の具合や家族の様子を交換しあった。

新しい話題は五年分ある。学生時代の思い出話にも事欠かない。しかしいつまでも懐かしさにひたっているわけにはいかなかった。

「静かさだけが取り柄だったのに、まさかこんな騒ぎが起きるなんて夢にも思いませんでしたよ」

ビールにも飽き、紹興酒に移ったのを合図に、私は本題を切り出した。

「まったくとんでもないことになったな」

藪田はそれまでの柔和な表情をおさめ、うつむきかげんにグラスに手を伸ばした。

「今はかなりましになりましたが、三月末から四月のなかばまではひどかった。桜の名所になってしまったかのようなお祭り騒ぎです。あまりの人出に、弁当やジュースを売るワゴン車がやってきたほどです。ほら、公園のホットドッグ売りみたいに」

「そういう商売人の話はたまに聞くよ」

「こういう騒ぎはテレビの中だけだと思っていました」

「被害者の子の家はどのくらい近くなの？」

「三区画先です」

「そりゃ本当の近所だ。自分の子供のことも心配だろう」

ええと私はうなずいたが、藪田が思っている心配とこちらのそれとでは種類がまるで違う。

「それで、捜査の具合はどんな感じなんですか。報道が派手《はで》なわりには進展が窺《うかが》えないのですが」

非公開情報を教えてくれとは、アポイントを取った段階でそれとなく頼んでおいた。藪田は怪しむことなく、むしろ同情するような口調で、役立てるよう努力してみると約束してくれた。

「たしかにこの手の事件にしては捜査にもたついている。通常、誘拐事件は他の犯罪よりも早期に解決できるものだ。一般の犯罪においては、その犯罪が行なわれてしまったあとで警察の捜査が始まる。後追いの捜査だね。一方、誘拐事件の捜査は後追いではなく犯罪と同時進行だ。犯罪が行なわれているまさにその最中に捜査が始まるから、犯人の動きを追いかけやすい。電話を逆探知して犯人の居場所を絞り込んでいけるのも、犯罪と同時進行で捜査を行なっているからにほかならない。ところが今回の一連の誘拐事件においては、犯人が接触してきたのは一度きりで、しかもそれは警察が介入する以前のこと。警察が乗り出したら連絡を絶ち、身代金の奪取もあきらめている。これではリアルタイムで捜査できない。せっかちというか用心深いというか、こんな誘拐犯は過去に例がないんじゃないかな」

「身代金目的は隠れ蓑《みの》で、犯人の真の目的は別にあるという説を目にしましたが。身代金の要求額が低く、交渉の意志も感じられず、およそ金を欲しがっているようには見えないと」

「逆に、本気で金を欲しているから少額の要求にとどめたとも解釈できるよ。一億円を要求しても相手の財力が乏しければ意味がない。だったらすぐに用立てできる額にとどめておいたほうがいい。すぐに用立てできる額なら、警察に届けず、自力で処理しようと考えるかもしれない。実際、先月起きた事件では、被害者の両親が勝手に動いている。交渉を持たなかったのは警察の介入を警戒してのことで、これも本気で金を奪おうとしているからこその用心深さかもしれない」

「一部週刊誌に書かれているようなことはないのですか？」

「性的いたずら？　ありゃまったくの扇情記事だ。いずれの男の子の死体にもそのような痕跡《こんせき》は認められていない」

「被害に遭った子たちに共通点はないんですか？　たとえば、あくまでたとえですよ、四人が同じ有名私立の生徒だったとしたら、その学校に入れなかった子の親が嫉妬《しっと》に狂って殺したという考えが成り立ちますよね」

被害者の共通点を探すことで、雄介が彼らの親の名刺を持っている理由が見えてくるかもしれない。しかし藪田は言う。

「共通点は、小学校の低学年であり、性別が男であること。それから、いずれの家庭も共稼ぎだ。赤羽聡君には母親しかいないが」

「共稼ぎ……。全員が一人っ子ということはないですか？　犯人の立場から考えると、一人っ子で鍵《かぎ》っ子なら、呼び出す際に家族の目を気にしなくてすみます。電話をかけてもかならず本人が取ってくれる」

「馬場雅也君にはお兄ちゃんがいたな」

「そうでしたか……」

「いや、富樫、目のつけどころはいいよ。雅也君は二年生で、お兄ちゃんは小学六年生。雅也君の帰りは早いが、お兄ちゃんは遅く、雅也君が家で一人でいる時間は結構ある」

「すると犯人はやはり、ターゲットを選ぶにあたって、その家庭環境を調べているのでしょうか」

「警察もそう考えているようだ。だが、そういう推理をしたところで犯人像を絞り込むことはできないんだよな」

そうですねと、私はグラスに手を伸ばした。薩摩《さつま》切り子を模した紅色のしゃれたぐい呑《の》みである。熱燗《あつかん》にした紹興酒に氷砂糖を一粒落とす。

「じゃあ、容疑者が浮かびあがっているなんてことは、まだないですよね？」

「そこまで絞り込めているのなら、こっちの耳にも入ってくる」

「容疑者とまではいかなくても、なんとなく疑わしい人物が浮かびあがっているということは？」

「それもなさそうだ」

少しホッとした。

「特定の誰それということではなく、こういう方面の人間が怪しいといったものも出ていないのですか？　犯人像ですね」

「最初の事件発生から相当時間が経過しているのだから、捜査の方向性は当然決まっているのだろうが、それがわれわれ報道にも伝わってこない」

「それは、警察があえて隠しているということなのですか？」

「ああ。当局がいっこうに情報を出ししぶっていてね。記者クラブ詰めのベテラン記者も、捜査がどの段階にあるのかさっぱりわからないと嘆いていた」

「それはやはり、ホームレスの誤認逮捕が影響しているわけですか」

「あれは逮捕じゃないぞ」

「でも有無を言わさずパトカーに乗せて連れていったのでしょう。事情聴取も威圧的暴力的だった」

取り調べのあと、青年ホームレスは姿を消した。段ボールハウスはまだふれあい公園に残っているが、当人の姿は、駅近くでもひいらぎ台でもまったく見かけなくなった。一説によると、人権擁護団体が東京都内で世話をしているとのことだった。

「まあな。功を焦っての大失策だったから、その後の捜査にしろ記者発表にしろ極端に慎重になっているきらいがある。しかし当局の口が重い理由はもう一つあって――」

藪田は徐々に声を落とし、左右に目を配った。だがそれは反射的な行動であって、実際に他人に聞かれる心配はまったくなかった。この空間は二人の貸し切りである。周囲を気にして話が中途半端になるのが嫌だったので、焼鳥屋でも寿司屋でもバーでもなく、個室のある中華料理屋を選んだのだ。

「――実はそちらの理由のほうが大きい。大衆は残酷だからね」

「残酷？」

「今回の被害者が小学生でなく独居老人だったらどうだろう。連続老女誘拐殺害事件」

「は？」

「世間はこれほど騒ぎはしない。被害者が子供だったからこそ、これだけの騒ぎになっているのだ。小学生と八十歳の老人、女子大生と中年男、一部上場企業の社長とホームレス――どちらも同じ人間だ。命の重さは等しい。しかしそれぞれの死は決して等しくとらえられはしない。その老人が代議士であれば話は別だが、市井の人間であるなら、その死は小学生の死より軽く扱われる。小学生は将来があるから、その命は尊いのか？」

藪田は自問するように言葉を止めた。私は黙って次の言葉を待った。

「もっとも、厳密に言うなら、われわれマスコミがセンセーショナルに扱うことが、イコール世間が騒いでいるとなるわけで、したがって被害者の種類によって扱いの質や量を変えるわれわれの責任は大きい。たとえば、観光バスが事故に遭った場合、『児童五人を含む二十三人が重軽傷を負った』と、子供の被害者を強調して報道する。『会社員八人を含む二十三人が重軽傷を負った』とは決して書かない。明らかな差別化だ。しかし富樫よ、言っておくが、われわれは世間の嗜好《しこう》に合わせて紙面や番組を作っているのだ。まず、子供がらみの事件に強い関心を示すという大衆の性質がある。だからマスコミは彼らを満足させるよう報道する。よく、マスコミが大衆を操作すると言われるが、実はマスコミが大衆に動かされている。なにしろこっちは商売だ。客に受けなければ売り上げに響く。もし大衆が老人の死に強い興味を示すのなら、子供がらみの事件はさておいて、そちらを大きく扱うさ。どの事件も等しく扱っていたのでは、新聞の紙面は電話帳のようになってしまい、テレビ番組は選挙速報状態だ。そんなものに商品価値があるか？　つまり真の平等などありはしないのだよ。残念だが、それが世の習いだ」

藪田は自分自身に腹を立てたように吐き捨て、紹興酒をぐいとあおった。私は銚子《ちょうし》を差し出す。

「小さな生命は哀れを誘いやすいのか、それとも親の不幸をわが身に置き換えてしまうからなのか、理由はともかく、大衆は子供がらみの事件に強い関心を示す。どんなやつが犯人で、何を目的に殺したのだろうかと、捜査の動向を窺いながら想像をたくましくする。だから警察は慎重になっている。予断を与えまいと、未消化の捜査情報は極力伏せるようにしている。マスコミの先走り等、いらぬ想像が世間に蔓延《まんえん》したら捜査がやりづらくなるからね」

「つまり、目新しい情報はないと……」

私はがっかりして溜《た》め息を漏らした。

「表に出ていない情報は、あるにはある。ただ、それは、君を安心させるような情報ではないよ。犯人を具体的に示唆する種類のものではないからね」

そう言いながらも藪田は手帳を取り出した。

「くれぐれもここだけの話にしてくれよ。オフレコ、つまり記事にしないことを条件に捜査関係者が明かした情報だからね」

「もちろん誰にも言いません。それでですね、一番不思議に思っているのが、脅迫メールの送信アドレスから犯人を割り出せないのかということなのですが」

私はフライングするように尋ねた。

「アドレスの主はすでに特定できているよ。しかし彼らは事件とは無関係だ」

「どういうことです？」

「さっき言い忘れたが、被害に遭った男の子たちにはもう一つ共通点があってね、全員がケータイを持っていた。両親とも家にいないので、安全のためにと持たされていたのだね。脅迫メールはそのケータイから送信されていた」

「え？　犯人は、さらった男の子のケータイを使って脅迫してきたのですか？」

「そう、毎回ね。したがって、メールアドレスを調べたところで被害者の名前が出てくるだけで、犯人にはたどり着けない。犯人は人の褌《ふんどし》で相撲を取っているのだな。賢い野郎だよ」

「賢いというか……」

ひどく悪質な印象だ。さらってきた子の所有物を使って親を脅迫するとは、「おまえの子は完全に俺の支配下にある」と言っているように聞こえる。

「残酷さすらおぼえるよね。だから公表すべきではないとされた。それともう一つ、子にケータイを持たせている親の不安をあおることになりかねない。足がつかない方法で脅迫メールを送りたいがため、犯人は意図的にケータイを持っている子をターゲットにしているようにも見えるだろう?」

「次は自分の子が狙われるのではないかと」

「そういうこと。ケータイの話が出たついでにもう一つ教えておこう。どの子のケータイの電源も、誘拐後ずっと切られていた。そのため、心配した親が電話してもつながらなかったのはもちろんのこと、位置情報も把握できなかった」

携帯電話やPHSは、通話時以外でも常に電波を発信しており、最寄りの基地局に端末の位置を知らせている。言い換えるなら、その端末が現在どの基地局のエリアにあるか、電話会社には筒抜けなのである。したがって電話会社の協力をあおげば、誘拐された子がいる範囲を絞り込むことができる。とくにPHSの場合、一つの基地局がカバーする範囲は半径百メートル程度と非常に狭いので、ピンポイントに近い感覚で場所を特定することができる。

ただし端末の電源が入っていないことには話にならない。電源を切ってしまったら電波は発信されず、飛んでこない電波は基地局も捕捉《ほそく》のしようがない。

「もしケータイの電源が入っていたなら、位置情報を頼りに、殺される前に男の子たちを救い出せたかもしれないのだよな。すると犯人は、ケータイの特性を知ったうえで、場所を知られないようにと電源を切ったのだろうか。そうだとしたら、犯人は実に狡猾《こうかつ》だな」

雄介にそれだけの知識があるだろうか。

「さてケータイの件はこのくらいにしておいて、次は塗料のことを話そうか。これがまたえらく地味な話なんだがね」

「塗料？」

「入間市駅のバスロータリーに残されていた夜光塗料だよ。そのブランドが判明している」

「ああ、ごみ箱に指示を書いていたという」

「正確には蓄光性夜光塗料というそうだ。外からの光を蓄えることで発光するから蓄光性というわけだ。で、あの蓄光性夜光塗料は大阪の西部合成化学工業がルミルックという名称で販売しているものだと判明した。成分はアクリル樹脂、発光の持続時間は約三時間。どうだい、地味すぎてがっかりだろう」

「一般人にも入手可能なものなのですか？」

「ああ。そのへんの金物屋やＤＩＹショップで扱っているそうだ」

「販路から容疑者を割り出せないのですか？」

「当然そういう捜査は行なっているさ」

「しかしこれといった人物が浮かびあがってこない」

「だろうね。浮かびあがっているのなら、こっちの耳に入ってきておかしくない」

ますが」

「夜光塗料なんてそうそう売れるものではないだろうから、購入者はすぐに特定できる気がし
「大型店では店員と客のコミュニケーションがない。それに土日ともなると人出も多く、店員はいちいち客の顔を憶《おぼ》えていられない」

「たしかにそうですね」

夜光塗料を百缶も買えば目立つだろうが、一缶ぽっちでは印象に残らない。

「それから、同じく夜光塗料関連の話だが、犯人がそれを使って指示を書き記した日時が絞り込まれている。三月二日以降だ。前日にごみ箱が新しいものと取り替えられているからだ。といっても、その後事件が発生する三月二十六日までにはひと月近くあるので、たいした絞り込みとはいえないな。その間に、ごみ箱の文字を見た、あるいは見ていないという話は拾えていない。誰かがごみ箱に落書きをしていたという目撃談もない」

問題のごみ箱はバス乗り場からもベンチからも離れており、利用する者が少ない。

「夜光塗料の件はそのくらいで、次は、ええと――」

藪田は指先を舐《な》めて手帳のページを繰った。

「――そう、自転車の件。江幡真吾君の死体は農地で発見されたよね。正確には休耕地だが」

「ええ。そこの物置小屋の中で」

「その農地に自転車で乗り入れた跡があったらしい。横を走る市道から小屋にかけて」

「犯人の自転車？」

「その可能性がある。ただ、犯人のものでない可能性も多分にあるわけで、だから警察は発表

を控えている」

「自転車で乗り入れた跡とは、つまり自転車のタイヤの跡が残っていたということですか？」

「そう」

「だったら、タイヤのトレッドパターンからタイヤのメーカーを特定でき、それを採用している自転車のブランドを絞り込め、ひいては持ち主までたどりつけるのではないですか？」

おそるおそる尋ねてみる。

「タイヤ痕が鮮明であればね」

「はっきりしてなかったのですか？」

「故意か偶然か、タイヤ痕がひどく潰《つぶ》れていたらしい。一度ついた跡をあとから乱したような感じで」

「じゃあ、車種を特定するのは……」

「無理らしい」

私はなかばホッとした。だが藪田はこうつけ加えた。

「ただ、タイヤの直径は判明している。一・九五インチ。と言ってもピンとこないだろうが、一般的な自転車、いわゆるママチャリは一・三七五インチで、それより〇・五七五インチ、つまり一・五センチも太い。そういうタイヤを持った自転車といえば？」

「マウンテンバイク……」

「そう。マウンテンバイクであることは間違いないらしい。しかしトレッドパターンが潰れているので、どこのメーカーのタイヤなのかはわからない」

雄介の自転車もマウンテンバイクである。

だがマウンテンバイクなど巷《ちまた》にあふれている。今の若者にとっては、自転車といえば、イコール、マウンテンバイクなのではないか。私は自分にそう言い聞かせた。

藪田は手帳のページをあらためて続ける。

「死体発見現場がイコール殺害現場ということですね？」

「あとは――、いずれの遺体も動かされた形跡はなかった」

「そのとおり」

「現場近辺で不審な者を目撃したという証言はないのですか？」

「山のように届けられたそうだ」

「え？」

「信憑性《しんぴようせい》に欠ける情報ばかりで使いものにならなかったらしい」

私は落胆と安堵《あんど》が入り交じった溜め息をついた。

「銃声を聞いたという証言は？」

「これも多数集まったが、クラクションや工事作業の音と勘違いしているようなものばかりらしい。ああ、銃といえばね、報道では、四件ともに同じ小型の拳銃《けんじゆう》が使われているとしか伝えられていないが、実は短銃の種類も判明している。米国コルト社製のウッズマンというモデルだ」

「ウッズマン……。どんな銃でしたっけ。名前には憶えがあるのですけど」

「富樫は銃に詳しいの？」

「詳しいというほどではありませんが、モデルガンに興味を持っていた時期があります。中学生のころですか」

男なら誰でも一度は銃器に惹《ひ》かれるものだ。フロイトにかぶれた者は、銃は男性器の象徴であるとでも言いそうだが、そういうこじつけは抜きにして、単純に銃はカッコよかった。女の子がみな宝飾品に目を輝かせるのと同じことだ。ただし私はモデルガンを所持していなかった。親の反対があったからだ。こっそり小遣いで買えるほど安くもなかった。だから金持ちの友達の家に遊びにいき、彼のコレクションをさわらせてもらっていた。

「本物の銃を撃った経験は？」

「あるわけないでしょう」

「海外旅行先で撃ってくる日本人は多いよ。ロスとかグアムとかで」

「僕には経験ありません」

「銃を撃つと反動があるのは知ってる？」

「それは知っています」

物理学でいうところの作用反作用の法則だ。弾を前方に撃ち出すエネルギーが十だとしたら、同じ十のエネルギーが後方に、つまり体の方にかかる。

「非力な人間が銃を撃つと、反動で体のバランスを崩し、怪我をしてしまうこともある。ところが今回使われたウッズマンというモデルは射撃時の反動が非常に少ないのだそうだ。これは言い換えると、弾を前方に撃ち出すエネルギーが小さいということだ。エネルギーが小さい理由は火薬の量が少ないからだ。つまり弾が小さいのだね。ウッズマンの口径は二十二しかない。

二二口径ってどのくらいかわかる?」

藪田は親指と人さし指の先端を近づけたり遠ざけたりした。

「ええと、口径の数値は百分の一インチを表わしているんでしたっけ。二二口径だと〇・二二インチ。ミリに換算すると――」

「五、六ミリ。弾の直径がその程度しかないということだ」

「たしかにかなり小さなモデルですね。日本の警察で採用されているニューナンブは三八口径ですから」

「〇・三八インチだとほぼ一センチだね。あと、近年日本国内の犯罪でよく使われているトカレフが三二口径相当で八ミリ程度。ウッズマンはそれらよりも小型なのだよ。反動が少ないので取り回しは楽だ。しかし反動が少ないということは、弾に威力がないということで、すなわち殺傷力が低い。銃はそもそも人を傷つけるためにあるのだから、殺傷力の低い銃は一般的には使われない。二二口径の拳銃は主として射撃競技に使われている。あとはSPが懐に忍ばせるくらいか。暴漢はその場で射殺せず、生け捕りにしたいからね。

さてここで話を現実に移そう。最初の被害者、江幡真吾君は胸を撃たれて殺されたわけだが、実は胸より先に撃たれた部位がある。頭だ。しかし真吾君は死ななかった。なぜかというと、頭蓋骨《ずがいこつ》が弾を跳ね返してしまったからだ。頭皮と頭蓋骨は傷ついていたが、弾は脳内に達しておらず、小屋の床に落ちていた。殺傷力の低い銃を距離を置いて使うとそうなるらしい。そして今回の犯人は、一発で仕留められなかったので、もう一発撃っている。胸?　違う。頭だ。そう、頭部の二ヵ所に傷があったのだよ。そして二発目も頭蓋骨にはばまれている。そこで犯人は真吾君との距離を詰め、胸を撃ち、ようやく目的を達成した。

むごい話だろう？　わずか八歳の子に三発も撃ち込んだんだ。うち二発は急所をはずれたから、真吾君は痛みを感じている。真吾君はいったいどんな気持ちで次の一発を待ったのだろう。残酷な話だろう？　だから警察はオフレコにしているんだ。この事実を表に出したら、世間の不安をあおることになるし、また、プロファイリングと称した無責任な想像をさせやすくもなる」

藪田は眉《まゆ》をひそめて言葉を置いた。

私は唇を結んだまま顔を伏せた。

しかし同じ暗い表情でも、二つの心の中はまるで違っていた。

不吉な影がまた一歩にじり寄ってきた。

犯行に使われたのは射撃時の反動が非常に小さい拳銃だった。それはつまり、十二歳の男児にも引き金を引けると物語っているのではないか？

21

翌十三日は五時半に自転車で家を出た。普段より一時間も早い。妻には、ブレックファスト・ミーティングがあると嘘をついた。

さわやかな朝だった。空は透明なブルーで、露を含んだ濃緑の街路樹の葉がキラキラ輝いていた。霞川《かすみがわ》の堤から渡ってくる風も肌にやさしい。これがあと三、四時間でオーブンのような灼熱《しゃくねつ》になるのだが、今は初夏の陽気である。夏は早朝にかぎる。

朝はさわやかだったが私の気分はすぐれなかった。

前夜は午前様だった。中華料理屋を出たあと、寿司屋とショットバーに連れていかれた。もともと自分から誘っただけに断わるわけにいかず、結局終電まで飲んでしまった。三時間ほどしか眠っていない。頭の芯《しん》が重い。胃の中がただれている。

具合が悪い理由は、しかしそれだけではなかった。藪田の話が気分を重たくさせている。

死体発見現場にマウンテンバイクで出入りした痕跡《こんせき》があったという。犯行に使われた拳銃《けんじゅう》は非力な人間にも扱えるものだったという。

だからといって雄介が事件に関与しているとはとても言い切れない。しかし、では雄介が無関係だと断言できるのかといえばそうではない。どうして雄介には運転できない４ＷＤ車のタイヤ痕が残されていなかったのだと憾《うら》みに思う。同じコルトでも、大人でも容易に扱えないパイソン・マグナムが使われていればよかったのにとも。

こちらに有利な材料があればと思って藪田に探りを入れたのに、そのようなものは一つとして出てこなかった。むしろ心中の暗雲がますます膨らんだ。

藪田の話を聞く以前は、雄介は犯人の手伝いをしているのではと想像していた。いや、手伝いをさせられている、だ。何らかの弱みを握られていて、やむにやまれず従っている。共犯ではあるけれど、ある意味被害者でもあるわけだ。

ところが藪田の話を聞いて考えが変わりつつある。

雄介は主犯なのかもしれないとの想像をはじめている。

凶器の拳銃が、実は子供にも扱えそうな種類だったからだ。子供がどうして拳銃を手に入れられるのかという問題はさておいて、悪い想像ばかりがむくむく膨らんでいく。わが子を信じてやらなくてどうするのだと思う。わが子を信じることが親の務めだとも思う。しかし私は悪い想像を止められない。

そして私は悟った。そもそも、わが子を信じてやらなければと考えてしまうこと自体、わが子を信じていない何よりの証《あかし》なのだ。本当に信じているのなら、わが子に不利な想像など、はなからしやしない。

私は相変わらず自分の本心をはかりかねていた。いったい自分は、雄介の無実を確かめたいのか、それとも罪をあばきたいのか。わからない。わからないが、ここまで想像が膨れてしまった以上、どういう現実であれ、それを見極めないことには収まりがつかない。その一心で動いている。

川沿いの県道を西に向かって自転車を漕《こ》ぐ。道路脇の草むらの中に何体もの道祖神が見えてくる。地蔵塚と呼ばれる場所だ。ハンドルを右に切り、車線のない細い道に入る。道はずっとまっすぐに延びている。

私が向かう先は上高田の休耕地である。ここの物置小屋で江幡真吾が死体で発見された。連日、土地に隣接した狭い市道には、ひいらぎ台の江幡邸前に負けず劣らず人が集まってくる。

黒土の上に夏草が生い茂っている。夏草の間に粗末な小屋が見える。小屋の前に鮮やかな色の小山ができている。花束の山だ。農地と道の境界部分にも切れ目なく花が供えられている。手紙や千羽鶴や菓子やジュースや玩具も供えられている。

見慣れた風景だ。朝に、昼に、晩に、テレビに映し出されている。ただし、テレビの映像にはつきもののあれが欠けている。ピースサインを送ってくる若者だ。今はまだ朝の五時台である。私のほかには誰もない。

人はいなかったが鳥がいた。カラスが一羽、二羽、三羽――、小屋の前や道路との境界あたりを一心不乱につついている。花束と一緒に供えられたスナック菓子やケーキや寿司をあさっているのだ。このような映像をテレビは流していただろうか。

私は小さな憤りを感じた。カラスに憤慨したのではない。供え物をした人間に対してだ。幼い命の冥福《めいふく》を祈る気持ちはわかるが、食べ物を供えたのは軽率である。カラスがこうやって寄ってくると、どうして考えなかったのか。いや、たとえ鳥や猫に荒らされなかったとしても、食べ物はだめだ。そのうち腐ってしまう。その時、供えた人間は、腐った供え物を回収するだろうか。しやしない。なんて無責任な。事実上、生ごみを遺棄しているのと同じではないか。腐った供え物をされたのでは死者も浮かばれない。

花束を供えるのも無責任な行為ではないのか。花も生ものだ。時が経つと、しおれ、腐る。現実に、道端に層をなした花束の多くは、しおれ、色を変えている。見た目に汚らしいだけでなく、虫もたかっている。何やら臭いもする。これらのごみをいったい誰が片づけるのだろう。土地の所有者にさせようというのか？　農地なので肥料になって好都合だとでも思っているのだろうか。

花は許そう。花は生物だ。土に還る。そういう意味では食品も土に還る。だが花束はだめだ。花を束ねている合成樹脂製のリボンは土に還らない。ケーキそのものは土に還るが、型崩れを防止するための透明フィルムはそのまま残る。アルミ素材を使ったスナック菓子のパッケージも、ジュースのアルミ缶も、ソフビの人形も、すべてごみとしていつまでも残る。それを誰が片づけるのだ。もし自分が今ここですっかり片づけてしまったり、「ごみは各自持ち帰りましょう」などという看板を立てでもしたら、人でなし扱いされるだろうか。

結局、土地の所有者が片づけるはめになるのだろう。死体を放置されただけでも迷惑なのに、ごみまで大量に投棄され、いったい彼はなぜそのような理不尽な目に遭わなければならないのか。彼は泣き寝入りするしかないのだろうか。それ以前にも、肥料が臭くてたまらないとさんざん文句を言われ、それが原因で耕作をやめてしまったというのに。宅地化される遥《はる》か以前からこの畑はあったのだから、あとからやってきた者が文句をつけるのは筋違いだ。

私の怒りはふつふつと大きくなっていく。なぜ怒っているのか、理由ははっきりしている。義憤ではない。自分の心と向き合うのが恐ろしいからだ。悪い想像の方に頭が向かないよう、どうでもいいことを考え続けている。

畦道《あぜみち》にさしかかったところで自転車を停めた。畦道は小屋の方へまっすぐ続いている。畦道の左右は花束で彩られている。夏草の間に脚立が見え隠れしているが、カメラマンの姿はない。記者も見学者もいない。

自転車のスタンドを立て、小屋に向かって歩きはじめる。二、三歩進んでは足を止め、振り返る。朝の散歩をしている者も見あたらない。しかし誰かに見られている気がしてならない。犯罪者の心境である。

私の目的は漠然としたものだった。雄介の事件への関与を示す、いや、雄介の無実を物語る何かを探しにきた。何かが具体的に何を指すのかはわからない。どういう類のものであるのかも見当がついていない。ただ、現場に足を運べば何かが見えるような気がした。

江幡真吾の死体が発見されたのは三ヵ月半も前のことである。当所はすでに警察によって調べつくされている。土も毛髪も指紋も採取され、徹底的に分析されている。それでも容疑者は浮かびあがっていない。素人がほんの思いつきで足を運んだところで、いったい何が見えるというのだ。

しかし私は思うのだ。警察が気にもとめない些細《ささい》な、けれど身内が見れば重大な何かが転がっているのではないかと。これもまた妄想か。

きっと、重要な発見があるとは期待していないのだと思う。何かしていないと気持ちが落ち着かないから、とりあえず行動を起こした、というのが正直なところだろう。

物置小屋は舗装道路から十メートルほど入ったところに建っている。新しいとはいえないが、年代物というほど古くはないプレハブだ。建坪は三坪ほど。テレビで見るより大きく感じられる。

ドアには真鍮《しんちゆう》の南京錠が降りている。子供の拳《こぶし》ほどもある大きな錠前だ。ピカピカ光り輝いていて、くすんだドア板と不釣り合いである。おそらく事件後つけられたのだろう。そう、報道ではたしか、事件当時小屋への出入りは自由だったとあった。盗まれるようなものは置いていないので施錠していなかったという。

窓は一つあったが、上から板が打ちつけられていた。隙間もなく、中を覗《のぞ》くことはかなわなかった。

私はゆっくりと小屋を周回した。足下を見、壁を舐《な》め回し、屋根に目をやる。振り返り、人がやってきていないことを確認し、また足下を観察する。そう繰り返すうちに、ビリッと鈍い音がした。何ごとかと思って見ると、ズボンの左裾《すそ》が裂けていた。

小屋の壁が一部めくれあがっていた。ちょうど足首の高さで、そこにズボンの裾を引っかけてしまったのだ。

さいわい体は傷ついていなかった。しかしズボンの裾は十センチほど裂けていて、歩くたびにぴらぴらはためく。これでは仕事に出ていけない。いつもならまだ床の中にいるころなので穿《は》き替える時間は充分にあるが、さて妻には何と言い訳しよう。

その言い訳を考えている最中だった。

ズボンの裂け目が私に別のものを連想させた。

裂けたタイヤだ。自転車のタイヤ。

ホームレスにタイヤを切り裂かれたと、雄介がぶーぶー文句を言っていたのはいつのことだった?

22

寝室の押入の中に厚紙製の衣装ケースがいくつか入っている。中身は衣類ではなく、子供たちの保育園当時からの絵や工作や作文やテストである。大人になって家を離れる際に持たせてやろうと保管している。

その中に、こういうものが入っている。

火事

四年一組　富樫雄介

夕ごはんを食べていたらサイレンがなりました。だんだん近づいてきて、けっこう近くで止まりました。ぼくはびっくりして、二階のぼくの部屋にかけあがって、ベランダに出て、外を見ました。おとなりの西川さんちのほうの空がオレンジ色になっていました。白いけむりも、もくもくあがっています。

「火事だ！」

あとからやってきたおとうさんがさけびました。おおあわてで階だんをかけおりていきます。ぼくもあわてておとうさんのあとについて階だんをおりました。

「雄介、見にいくぞ」

おとうさんはサンダルをつっかけて外に出ていきます。ぼくもくつをはきました。おかあさんは、まだ夕ごはんが終わっていないでしょうともんくをいいましたが、そんなのむしして外にとびだしました。

火事になっていたのは田口さんのうちでした。家の前には消ぼう車が何台もとまっていて、ものすごいいきおいで水をかけていました。二階のまどからオレンジ色の火が出ていました。左にゆれたり右にいったり、のびたりちぢんだり、まるで生きもののようでした。時どきバンと音がして、火のこがパッととびちります。そのたびに心ぞうがドキドキしました。火事は、テレビでは見たことがあったけど、じかに見るのははじめてでした。ぼくはずっとおとうさんにしがみついていました。

もえている家の中から銀色の服を着た人が出てきました。せなかには女の人をおぶっています。田口さんのおばあさんです。消ぼう士さんが助けてくれたのです。おばあさんは、きゅう急車に乗せられて、病院にはこばれました。元気になればいいなと思いました。

ぼくは、おとなになったら、消ぼう士とかきゅう急車の人とか、そういう人を助けるような仕事がしたいと思いました。あと、医者でもいいです。

この作文を書いた子が誘拐に手を貸したというのか？　その手で人を殺したというのか？

23

週が明けた十七日火曜日の午前中、私はJR総武線に乗って江戸川を越えた。業務で移動しているのではない。会社には風邪で休むと連絡を入れてある。妻には普段どおり朝食を作らせ、六時半にスーツを着て家を出た。最近では嘘をつくのにすっかり慣れてしまって、見抜かれやしないかとドキドキすることもなくなった。

黄色い電車を市川で降り、江戸川の堤を下流に歩いていくと、製紙工場があり、それを過ぎたところに三階建ての小さなビルがあった。門柱には「東葛環境技研」の表札がはめ込まれている。

アイボリーの建物に入ると、すぐのところにあったガラス窓を開け、案内を請うた。青い制服を着た女子事務員が席を立って近づいてきた。

「東邦新聞の藪田さんの紹介で来たのですが、中上哲也さんをお願いします」

そう言うと、すでに話は通っているらしく、事務員の彼女はこちらの素性や目的をあれこれ質《ただ》すことなく内線電話に向かった。

やがて横手の階段から人が降りてきた。

「中上です」

白衣の男が名刺を差し出してきた。背が高く、肩幅が広く、顔は髭《ひげ》もじゃで、山男のような印象の男である。歳は私より少し下か。

「お世話になります。調べていただきたいものはこれなのですが――」

私は性急に名刺交換をすませて鞄《かばん》を開けた。透明なビニール袋を取り出す。中には少量の土が入っている。

「黒ボク土か」

中上がつぶやいた。

「は？」

「立ち話もなんですから、こちらへどうぞ」

中上はサンダルをぺたぺた鳴らしながら階段を昇っていく。私は、片手に鞄、片手にビニール袋を持ってあとにしたがった。階段は薄暗く、湿っぽく、薬品の臭いが満ちている。通されたのは二階の小部屋である。ソファーセットが置かれているので応接室なのだろうが、壁際には段ボール箱が積まれていて、物置のようでもある。

「適当に召しあがってください」

中上は冷蔵庫を開け、麦茶のポットを取り出した。応接セットのテーブルの上には饅頭《まんじゆう》や焼き菓子が無造作に並べられている。

「調べていただきたい土は二つあります」

私は菓子を横に押しのけ、手にしたビニール袋を机の中央に置いた。そして鞄からもう一つビニール袋を取り出し、机上に並べて置いた。最初の袋には土が大さじ一杯ほど入っている。あとのほうにもやはり土が入っていたが、こちらはひと握りほどと、やや多い。

「どちらも黒ボク土ですね」

中上がテーブルに麦茶のコップを置く。

「黒ボク土？　この土の名前ですか？」

「そうです。関東地方で多く見られる土です。色が黒くて、歩くとボクボクした感触があるので、黒ボク土」

「はあ？」

「進駐軍がそう名付けたのです」

「進駐軍？」

「日本に進駐してきて、おそらく厚木でしょうが、そこから関東地方のあちこちを見て回った際に。色が黒いのは火山灰の風化物であるからで、ボクボクしているのは土の粒子と粒子の隙間が空いているからです」

「はあ」

「かついでいるのではありませんよ。本当に進駐軍の人間が命名したのです。黒くてボクボクしているからという理由も本当。黒ボク土が正式名称です。ものの名前なんて、しばしばそういういいかげんな感じでつけられるものです。たとえば、寿司についてくる生姜《しょうが》の甘酢漬け、あれはガリと呼ばれていますが、嚙《か》むとガリガリ音がするからガリなわけでしょう」

「はあ」

「それで、この黒ボク土の何を調べればよいのでしょう。どうぞ、おかけください」

中上はソファーに着いた。私も腰を降ろす。

「ああ、ええと、二つの土が同じかそうでないかを調べていただきたいのです」

「同じとは、同じ土地で採取されたということですか？」

「はい。そういう分析はできますか？」

「もちろん可能ですよ。これは何の土なのですか？」

中上は左右の手に一つずつビニール袋を取り、窓からの明かりにかざした。

「ええと、それは、ちょっと、社外秘でして……」

私は視線をそらした。

「さしさわりがあるのなら結構です。それで、分析結果はこちらにお送りすればよろしいのですね？」

中上は白衣のポケットからハマナカ食品の名刺を取り出した。

「あのう、その分析には時間がかかるのでしょうか？」

「一つのサンプルを分析するのに二時間程度かかります」

「でしたら今日結果を教えてください」

「今日？」

「結果が出るまでどこかで時間を潰《つぶ》しています」

「ずいぶんお急ぎですね」

「スケジュールの都合上、今すぐ分析するのは無理ですか？　でしたらいつ分析していただけるのか教えてください。それに合わせてこちらから電話を入れますので、結果はそこで」

「いえ、分析には今から取りかかれます」

「じゃあどこかで時間を潰して四時間後にまいります」

私は勝手に決めて席を立った。

ドアノブに手をかけたところで振り返った。

「先ほど、その種の土は関東で多く見られるとおっしゃいましたよね？」

「はい」

「つまり珍しい土ではないのですね？」

「全国レベルで見ても一般的です。日本の畑地や果樹園地の半分は黒ボク土ですから」

「そうですか。ではよろしくお願いします」

軽く頭を下げ、私は応接室を出た。

24

東葛環境技研は環境計量証明の会社である。環境計量証明とは、地下水や煤煙《ばいえん》や産業廃棄物などの理化学検査をすることである。平たくいうと、環境汚染の状態を検査することだ。

東葛環境技研は東邦新聞の藪田に紹介してもらった。以前ダイオキシン問題を扱った際、この環境計量証明会社に取材協力をあおいだらしい。

私が環境計量証明を必要としている裏には例の想像の存在がある。

江幡真吾の死体発見現場をうろついた際、小屋の壊れた壁に接触し、ズボンの裾を破いてしまった。それが記憶の扉をノックした。

いつだったか、雄介の自転車のタイヤが破れるという出来事があった。タイヤの側面がナイフで切り裂かれたようになっていたのだ。傷はチューブまで達していた。雄介はそれを、入間市駅前の駐輪場に置いている間にいたずらされてしまったと説明した。ふれあい公園を根城にしているホームレスのしわざだろうとも言っていた。私はその説明に疑問をおぼえることはなかった。

しかし、上高田の休耕地で電撃に打たれた。雄介の自転車のタイヤはここで傷ついたのではないか？　めくれあがった小屋の壁の鋭利な部分に切り裂かれた。江幡真吾を連れてきた際に。新たな想像の芽生えだった。

ただの妄想か、それとも少しは可能性のある想像か。それを判断するにはまず、実際にタイヤが傷ついた日付を検証する必要がある。その日が事件発生の三月二十六日とずれていたら、ただの妄想ということになる。

けれど日にちの確かめようがなかった。私は日々の出来事をノートに記録するような几帳面《きちょうめん》さは持ち合わせていない。秀美もそうだ。念のため尋ねてみたところ、案の定憶《おぼ》えておらず、どうしてそんなことを訊《き》くのかと変な顔をされた。そして雄介本人に質すわけにはもちろんいかない。

私は必死になって記憶を探った。桜のころであった気もするし、ゴールデンウィーク明けだった気もして、具体的な日付は思い出せなかった。ただ、一つのエピソードを思い出した。

「サイクルショップに持っていったら、メチャメチャ金取られるよ。タイヤもチューブも定価販売でしょ、それプラス手間賃として何千円も取られるわけじゃない。だからさ、ディスカウントストアでパーツを買ってきて自分で交換しようと思うんだ。できるよ。パンクも自分で直してるんだし。ねえ、もし自分で直したらさあ、手間賃分を小遣いとしてくれない？」

雄介はそういうことを言っていた。そして、夜のテラスで室内の明かりを頼りに黙々と作業を続けていた彼の姿を私は見ている。

雄介は自分で自転車を修理したのだ。では、古いタイヤとチューブはどうしたのだろう。不燃ごみとして出したのか？

私は自宅の物置を覗いてみた。棚板に載っていたミカン箱の中にタイヤとチューブが押し込まれていた。タイヤはマウンテンバイク用の太いものだ。手に取って確かめてみると、側面が不規則に十センチほど裂けていた。

私は物置の片隅にしゃがみ込んで記憶を探った。タイヤが切られたと怒っていたあの時、雄介はほかに何をしゃべっただろう。日付を想起させる何かを口にしていなかったか。

やがてハッと気づいた。日付を思い出したのではない。指先が何かを感じた。タイヤをもてあそんでいた指だ。指先にざらついた感触があった。何だろうとそこに注目すると、タイヤの傷口に土がこびりついていた。タイヤの内側をさわっていた別の指もザラザラした感触をおぼえている。土は裂け目からタイヤの内側にも入り込んでいた。

そして土は私に一つの閃《ひらめ》きをもたらした。もしタイヤの傷が例の休耕地でできたのだとしたら、この土はそこのものではないのか。言い換えれば、この土を分析した結果、休耕地の土であると判断されれば、雄介は死体発見現場に自転車で行ったことになる。

私は早速薮田に電話をし、土の分析をしてくれる機関を知らないかと尋ねた。そして千葉県市川市の東葛環境技研を紹介してもらったのである。

25

タイヤに付着していた土は黒ボク土、休耕地の土も黒ボク土。

悪い想像は確実に現実に近づいている。しかし私は抵抗する。

中上が言っていたではないか。黒ボク土はごくごくありきたりの土だ。同じ黒ボク土だからといって同じ場所の土とはかぎらない。

江戸川の堤防にたたずんでいると、弱気と強気が交錯し、混乱と苦しさのあまりワッと叫び出しそうになった。じっとしていると頭を使ってしまうので、川沿いの道を汗水垂らして往復し、歩き疲れたら駅前のパチンコ屋に入った。騒音があれば思考回路は麻痺《まひ》する。ヤケクソで玉を弾《はじ》き続けるうちにようやく三時になり、東葛環境技研に戻った。一階の事務室で中上に内線を入れてもらったところ、分析はすでに終了しているとのことだった。

二階の応接室にあがった。テーブルの上は四時間前とまったく同じ状態だった。饅頭や焼き菓子が無造作に並べられ、飲みかけの麦茶のコップが二つ、向かい合わせに放置されている。

やがて白衣の中上が入ってきた。彼の両手は紙や器具で塞《ふさ》がっていた。私の前に腰を降ろすと、それらの荷物を隣のソファーに置き、結論から切り出した。

「二つのサンプルは同じ土地から採取されたと判断してほぼ間違いありません」

覚悟はできていたので、とくに驚かなかった。ただ、驚いたわけではないのに、心搏《しんぱく》数が何段階も上昇し、呼吸が苦しくなった。

「量が少なかったほうのサンプルをA、多かったほうをBとして説明します」

量が少なかったほうは、タイヤの内側にたまっていた土である。多かったほうは、昨日の深夜に休耕地まで足を運び、物置小屋の壊れた壁の付近から採取してきたものである。

「まず、pHを測定しました。土壌のpHは、サンプルに二・五倍の蒸留水を加えて懸濁状態とし、その溶液をこちらのpHメーターにかけて測ります」

と中上が取りあげたのは、電子体温計、あるいは妊娠検査薬にも似た、長さ二十センチほどのスティック状の器具だった。先端部分に透明な丸い窪《くぼ》みがあり、柄の部分に液晶パネルがついている。先端の窪みに懸濁液を垂らすと、液晶パネルにpHの値が表示されるらしい。

「その結果、サンプルAのpHは6・11、サンプルBのpHは6・14でした。また、KClによるpHも測定し、サンプルAが5・53、サンプルBが5・56という結果が出ています。KClによるpHというのは、蒸留水の代わりに塩化カリウム溶液を用いる方法です。話が難しいですか？」

　中上がそう尋ねてきたのは、私が押し黙り、相槌《あいづち》すら打たないからだろう。

「いえ、続けてください」

　私はか細い声でうながした。

「pHは、H_2O、KCl、いずれを用いた方法でも百分の三の違いしかなく、これは誤差の範囲とみなせます。ただしpHが同じだから同じ土壌であるとはいえません。含まれている元素が違うかもしれないからです。そこで次に土壌中のイオンを測定しました。蒸留水を加えたサンプルを濾過《ろか》して原子吸光光度計という機械にかけると陽イオンが、イオンクロマトグラフィーにかけると陰イオンが測定できます。原子吸光光度計とイオンクロマトグラフィーは据え置き型の機械なので、ここに持ってきてお見せすることはできません。で、結果がこれです」

　中上は机上に数枚の紙を広げた。いずれもコンピューターから排出された記録紙のようで、心電図のような波形をしたグラフがあり、記号や数値が並んでいる。中上はそのうちの一枚を手に取って、

「これがサンプルAの原子吸光光度計による分析結果です。グラフにはいくつかピークがありますよね。そこが各元素の種類と量を表わしています。ピークが高ければそれだけ量も多い。

サンプルAでは、カルシウムが0・22パーセント、マグネシウムが0・04パーセント、ナトリウムが0・4パーセント——いや、こうしたほうがわかりやすいか」

と、もう一枚紙を手にすると、二枚を重ね合わせて窓からの光にかざした。

「どうです。二枚目はサンプルBの原子吸光光度計による分析結果です」

二つの波形はほとんど一致していた。続いて中上は、サンプルAとサンプルBのイオンクロマトグラフィーのグラフを重ね合わせたが、こちらもほぼ一致していた。

「pHが同じで、イオンの存在割合も同じ。微妙な違いはありますが、それは採取した日時が異なっているからでしょう。降雨や乾燥によって土壌の状態は常に変化しています。この程度の誤差であれば、二つのサンプルは同じ土地から採取されたと判断してよいと思います」

私は強張《こわば》った表情でうなずいた。

26

明くる十八日、私はまた嘘をついた。

勤めに行く格好で六時半に家を出ると、わずか二分で自転車を降りた。月極めで借りている駐車場の隅に自転車を置き、車に乗り換え、国道16号線の方にハンドルを向けた。適当なところでファミリーレストランに入り、モーニングセットを注文し、八時過ぎに、今日も風邪で休むと会社に電話を入れ、いいかげん飽きたので別のファミレスに移動し、そこで一時間、また別のファミレスで一時間を潰してから自宅に戻った。

水曜日である。子供たちは学校に行っている。妻は十時から仕事である。

私は隣近所の目に注意しながら家に入ると、まっすぐ二階にあがった。

サンプルAとサンプルBは一致した。しかし、だからといって雄介が江幡真吾の殺害に関与しているとはならない。雄介は上高田の休耕地に行ったことがあると証明されたにすぎないのだ。行ったのは、事件が発生した三月二十六日より何週間も前のことかもしれないし、逆に事件発生後なのかもしれない。土壌の分析では、行った日にちまで割り出すことはできない。

方便だ。そう考えることで心の平静を保とうとしたのだ。けれど、そんなごまかしは通用しない。状況はむしろ悪くなっている。

雄介が黒であると決定づけられたわけではないけれど、では白であることが証明されたかといえば決してそうではないのである。事件の現場に自転車で行ったのは事実であり、それが三月二十六日であった可能性は依然として残されている。

私を不安にさせることがもう一つある。タイヤの中に休耕地の土が入り込んでいたことからみて、タイヤが傷ついたのは休耕地においてであると断定してよいだろう。ところが雄介は何と言ったか。

「駅前の駐輪場で傷つけられた」

明らかな嘘だ。どうして嘘をついた。嘘とは、真実を隠すために使われる。では雄介はなぜ、自転車で上高田の休耕地に行ったという真実を隠さなければならなかったのか。

雄介が休耕地に行ったのは事件後で、行った理由は事件現場を見てみたいという興味を抑えきれなかったからで、そういう不謹慎な態度が親に知られたら叱られると思い、嘘をついた——

—これで納得できる単純な人間に生まれつかなかったことを私は憾《うら》みに思う。

　土壌の分析で白黒はついていない。雄介は灰色だ。しかし嘘をついたと明らかになったことで、灰色はより暗さを増したと言わざるをえない。

　ただし、あくまで灰色だ。いくら暗くなったとはいえ、まだ白が混じっている。黒であると（否！　白であると！）断定するには、自転車のタイヤが破れた日にちの特定が不可欠である。

　私は雄介の部屋に入るとコンピューターを起《た》ちあげた。ファーンとクラクションのような音が鳴り、ハードディスクがカリカリ音をたててシステムの読み込みをはじめる。やがて画面の中央に小さなウインドウが表示された。パスワードを入力しろと要求している。私は「３８４７４５Ｈ１Ｎ６０」とキーボードを叩《たた》き、ＯＫのボタンをマウスでクリックした。雄介の手帳の三月二十六日の欄に記されていた謎《なぞ》の文字列だ。

　警告音が鳴った。パスワードが間違っている、正しいパスワードを再入力せよと言ってきている。私は手元の紙片に目を落とした。前に侵入した際、Ｍ３の手帳に記されていた謎の文字列をすべて書き写しておいたのだ。そのメモを見ながら慎重にキーボードを叩く。

　結果は前回と同じだった。「８４８４Ｍ４５４Ｙ４」も「４Ｋ４８４Ｎ３５４７０５Ｈ１」も「０２４Ｋ１６０７４」も防御システムに拒否された。

　続いて雄介の名前をローマ字でタイプした。誕生日、出席番号、車のナンバー、電話番号——先日同様思いつくかぎりの文字列を打ち込み、先日同様すべてがはじかれた。そしてパスワードのネタがつきてしまうと、最初に戻って「３８４７４５Ｈ１Ｎ６０」を入力してみた。だめだとわかっていても、何度も何度も同じ文字列を入力してみた。このブラックボックスの中に答があると確信していた。

一時間近く失敗を繰り返し、ようやくあきらめがついた。だが、あきらめたのはパソコンの中を覗《のぞ》くことであり、家捜しはなおも続けられた。デジタルデータがだめならアナログデータがある。

勉強机の引き出しの中をかき回し、自転車のトラブルに関する覚えを探した。いついつタイヤが破れた、というような日記風の書きつけでなくてもよい。たとえば、タイヤとチューブを購入した際のレシートが出てくれば、そこに日付が印字してある。もちろん、自転車は抜きにして、一連の事件を臭わせる何かにも注意を払った。

机が空振りに終わると、洋服簞笥《だんす》や本棚の中を引っかき回した。こちらも先日の侵入時に調べてあったが、一からのつもりで丁寧にチェックした。何もないわけがないと、根拠もなく自信を持っていた。

そして私はついに成果を得た。

それはスチール製の整理棚で見つかった。

棚にはプラモデルや工具箱やテレビゲームの情報誌が乱雑に並べられていた。その中にクッキーの缶があった。見憶《みおぼ》えのある缶だった。ドイツ旅行の土産として同僚からもらったものだ。開けてみると、焼き菓子の甘い香りの代わりに溶剤の刺激臭が鼻をついた。プラモデル用の塗料と筆が収められていた。

私は缶を棚に戻した。が、ふと違和感を覚えてもう一度缶を取りあげ、蓋《ふた》を開けた。

何が気になったのかというと、中の塗料だ。塗料の容器はどれも円筒形をしていて全部で二十本ほどあったのだが、その中に一つだけ大きさが違う容器が混じっていた。周りから頭一つぴょこんと飛び出している。まさかそんなことはあるまいと思いながらその容器のキャップをつまみあげ、その「まさか」に打ちのめされた。

ラベルに「ルミルック」とあった。製造元は西部合成化学工業。蓄光性夜光塗料とも書いてある。中身は鶯色《うぐいすいろ》のどろっとした液体だった。

しばし呆然《ぼうぜん》と立ちつくしたあと、私はぶつぶつ繰り返した。

「プラモデルの塗装に使ったんだ。だからほかの塗料と一緒になっている。プラモデルの塗装に使った。そうに決まっている」

何も見なかったことにして部屋を出ていこうと思った。これ以上の探索はわが子を崖《がけ》っぷちまで追い詰めるようなもの、いや、崖から突き落とすようなものであり、結果としてわが身の破滅にもつながる。

けれど私は部屋にとどまった。さらに奥には何がひそんでいるのか見届けないことには気持ちがおさまらない。というよりも、もはや引き返すことがかなわないほど深い樹海に入り込んでしまっているのだ。

押入を調べた。ベッドの下を覗き、衣装ケースを開け、コンテナボックスをチェックした。パソコン本体やモニターをずらしてみたり、本棚の裏側を懐中電灯で照らしたり、ごみ箱をひっくり返したりもした。箱があったら、どんなに小さな箱でも中身を検《あらた》めた。持って中が空のような感じがしても、いちいち開けて確かめた。

ゲーム機、ゲームソフト、ボードゲーム、スニーカー、ソフビの人形、プラモデル、マンガ本、腕時計、サッカーボール、グローブと軟球、美少女のポスター、ビデオソフト、ミニ四駆、そしてトレーディングカード――モノは売るほど見つかったが、その中に事件を臭わせる何かは存在しなかった。

私はそれでもあきらめられず、ふりだしに戻って机を検めはじめた。

そして執念が実を結んだ。

それは机の一番下の引き出しで見つかった。

その引き出しはほかの引き出しより高さがあり、中には教科書や参考書や問題集が入っていた。前回私はそれらを、一冊取り出しては内容を確かめ、確認し終えたら戻して次の一冊を取り出す、というふうに調べた。今回は、最初に中身を全部取り出してから一冊一冊調べることにした。とくに理由はなく、なんとなくそう行動した。そして中身を全部取り出したあと、引き出しをいったん閉めた。これも何気なくそうした。その動作の最中、違和感をおぼえた。

引き出しが重いのだ。閉めようと押した際、手首に微妙な抵抗を感じた。中身はすっかり出してしまったというのに。滑りが悪いということではない。いったん動いてしまえばスムーズに閉まっていく。開ける場合も、最初は重いが、あとは音もなくなめらかに動く。物が入っているような感じの重さなのだ。しかし引き出しの中には紙切れ一つ残っていない。引き出し自体が重いのだろうか。引き出しはスチール製だが、それほど重量があるとは思われない。

私は首をかしげながら引き出しの開閉を繰り返した。そして妙なことに気づいた。

引き出しの高さが内と外で違うのだ。外側は三十センチほどある。ところが内側は二十センチ程度しかないように見える。錯覚か？　もし錯覚でないとしたら十センチはどこに消えた。

引き出しの底部が十センチの厚みを持っているのか？　それとも十センチの上げ底になっているのか？

そう思った直後、ピンときた。引き出しの内側に手を差し入れ、底を押してみた。さほど力を入れなかったのにぐらぐらした。

机の上に目をやった。M3のペン立てにカッターナイフがあった。引き出し内側の底部と側面の接合部にカッターナイフの刃先を入れた。ナイフを梃子《てこ》のように使うと、何度かの失敗ののち、引き出しの底が手前にはずれた。そして、はずれた底の向こう側に底がもう一つあった。引き出しは二重底になっていたのだ。

隠されていた空間には衣類が詰まっていた。首周りが伸びたTシャツや破れたタオルだ。どうしてこんなものを隠すようにしまっているのだ。私は不可解に思いながらボロ布を掻《か》き分けた。

指先に硬いものが当たった。摑《つか》んでみると片手に収まった。布の間から引きあげてみるとそれは、黒色の鈍い艶《つや》を放っていた。ボディの横に跳ね馬の絵が刻印され、その下の文字は「WOODSMAN」と読める。

27

意外に軽いな、というのが第一印象だった。会社で使っているペーパーウェイトのほうが重い。これなら小学六年生にも扱えそうだ。

が、すぐに思い直す。

本物の銃がこんなに軽いもんか。そう、これはモデルガンだ。

しかしモデルガンでないことは一目瞭然《いちもくりょうぜん》だった。なぜなら銃口が塞《ふさ》がれていないからだ。私がモデルガンに興味を持っていた時期に、モデルガンマニアにとって大変ショックな出来事が起きた。銃身が空洞なものは販売禁止になったのだ。本物の銃と同じように銃身が空洞だと、実弾を発射できるよう容易に改造できるからだ。したがって、それ以降のモデルガンは銃口が塞がれている。たんに蓋をしただけでは改造されやすいので、銃身全体に詰め物がされている。そのせいで本物らしさが失われてしまい、マニアはひどくがっかりしたものだ。

しかし、雄介の机から出てきた銃は銃口に穴が空いていた。空洞は奥の奥まで続いていた。件《くだん》の規制は昭和四十年代後半に施行された。ということは、この銃はそれ以前に製造されたモデルであると解釈することは可能なわけだ。

いや、だめだ。引き出しの中にあったのは銃だけではない。白と赤のツートンの徳用マッチ箱のようなものがあり、蓋を開けてみると、鈍い金色をした銃弾が入っていた。その数、二十三。箱には五十発入りと印刷されているので、二十七発がすでに使われたことになる。

これもイミテーションとは考えられないか。薬莢《やっきょう》の中は空なのではないか。

そういう逃げ道も無理のようだった。引き出しの中には手袋が入っていた。薄手の黒い手袋だ。手に取り、鼻を近づけると、動物的な革の臭いに混じって、刺激的な硝煙の臭いが感じられた。この手袋をはめて実弾を撃ったから火薬の臭いが付着しているのだ。耳栓も入っていた。射撃音から耳を守るために必要だったのだ。

いや、違う。この銃はたしかに一連の事件に使われたものに相違ない。しかし雄介が使ったという証拠がどこにある。雄介はこれらを拾ってきただけなのかもしれないではないか。そう、これらは犯人の落とし物なのだ。

だが、たとえ拾ってきたのだとしても、本物の銃を所持しているのは大問題だ。この拳銃が一連の事件に使われていないとしてもだ。雄介は警察に届けず、いったい何を企《たくら》んでいるのだ。

私はなおも逃げ道を探す。

未来は運命ではなく、
神が賽《さい》を振った結果でもなく、
ましてや人から与えられるものでもなく、　己の意志で切り拓《ひら》くものである。

I

1

引き出しの中身を元に戻すと、自分の痕跡《こんせき》を残していないかチェックして階下に降りた。そして隣人の目に注意しながら自宅を出て駐車場に向かい、ファミレスやパチンコ屋をはしごして、暗くなるまで時間を潰《つぶ》した。

この日二度目の帰宅は八時になった。夕食は雄介と一緒にとった。私は拳銃《けんじゅう》や夜光塗料については一言も触れなかった。秀美にも何も言わなかった。

翌日は六時半に家を出た。この日は本当に会社に行った。九時過ぎまで働き、十一時近くに帰宅した。雄介はすでに就寝しているようだった。

その翌日は海の日だったが、いつもと同じ時刻に家を出て、八時まで働いた。火曜水曜と丸二日さぼった埋め合わせということもあったが、雄介と顔を合わせたくないという気持ちが暗に働いていた。

正直、どうしていいかわからなかった。雄介が拳銃を所持している意味がわからなければ、その対応策もわからない。詰問すべきなのか、警察に届けるべきなのか、猥褻《わいせつ》な雑誌のように黙って処分すべきなのか。

混乱したすえ、私は考えるのをやめた。雄介の部屋では何も見なかったことにして、日々の生活を送ることにした。そんな虫のいいことができるのかと思ったが、忙しく働いていれば案外ほかのことには目がいかないものである。ただ、雄介と接触したら気持ちがどう動くか心配だったので、顔を合わせないように行動した。

土日も出社し、次の週もワーカホリックを演じた。するとその週の終わりごろには、本当に何もなかったと思えるようになった。二十七日の晩は思いがけず雄介と一緒に夕飯をとるはめになったが、とくにまごつくようなことはなかった。

しかし私は大きな錯覚をしていた。何もなかったと思えるようになったところで、現実には何かが発生してしまっているのだ。

七月三十日、ついにその時がやってきた。

2

携帯電話が鳴ったのは、月曜午前の定例会議の最中だった。

ディスプレイを見ると自宅の電話番号が表示されていた。帰りに池袋のデパートで何を買ってきてくれとか、健康保険証が見あたらないが持っていったのかとか、どうせそんな用事だろう。私はそう思い、電源を切ってしまおうとしたのだが、何か予感があったのだろう、席を外し、廊下の隅で端末を耳に当てた。

「ああ、あなた……」

秀美の声はただならぬ事態の発生を物語っていた。

「どうした？」

私の声もうわずった。

「いま電話が……」

「電話？　誰から？」

「パートに出ていこうとしたら電話があったの」

「だから、誰から？」

「それが……」

「誰なんだよ？」

「警察の人」

「警察……」

私は言葉を呑《の》み込むと、左右に目を配りながらトイレに移動した。

「狭山警察署だって」

「それで、なんでまた警察から？」

「それが……」

秀美は口ごもった。

「どうした？」

私の声も震えた。

「それが、その、お宅の息子さんのことで……」

ぐうともむうともつかぬ奇妙な声が私の喉《のど》から漏れ出た。

「富樫雄介君のことで話があるっていうの」

「ゆ、雄介のどういったことで？」

「わからない」

「わからない？」

「そう、わからない。どういった話でしょうかと尋ねても、電話では申しあげにくいとか、電話で説明するには複雑すぎるとか言われて」

私はまた唸《うな》った。

「もしもし？　あなた？」

「ああ、聞こえてる」

「それで、うちに来て話をしたいというの」

「ああ」

「できればご主人も一緒にって」

「ああ」

「今すぐにでもって」

「ああ」

「帰ってこられる？」

「ああ、帰る。すぐに帰るさ」

「お願い」

「それで、雄介は？」

「昨日から林間学校じゃないの」

「いや、だから、帰ってくるよう連絡はしてないんだな？」

「してないわ」

「警察は、帰宅させろとは言ってなかったのだな？」

「ええ。でもこういう場合、やっぱり帰ってこさせたほうがいいのかしら」

少し考え、私は答えた。

「いや、雄介はそのままにしておけ」

「わかりました。あなた、早く帰ってきてね」

「ああ」

それで電話を切ろうとしたら秀美が呼びかけてきた。

「ねえ、いったいどういう話だと思う？」

「さあ」

そうとしか答えられない。

「雄介、悪いことしたのかしら」

「うーん、どうだろう」

「また万引きをはじめたのかしら」

「それはないと思うが」

「受験勉強でストレスがたまっているのかしら」

「とにかく帰るから」

秀美の反応を待たずに携帯電話を耳から離した。指が震えて終了ボタンを押せない。

3

「台風が近づいているそうですな」

年配の方が言った。最前渡された名刺によると、狭山警察署刑事課の巡査長ということだった。名前は藤森末雄《ふじもりすえお》となっていた。歳のころは五十、顎《あご》の傷と目尻《めじり》の深い皺《しわ》が刑事としての年輪を感じさせる。

「奥様、どうかお気づかいなく」

若い方は須永宏《すながひろし》といい、所属は県警本部となっていた。三十歳前後の、スーツの似合う男である。髪を六四に固め、オーデコロンの匂いを遠慮なく撒《ま》き散らすそのさまは、刑事というよりもセールスマンの印象だ。

私は十二時半に帰宅し、一時に警察官の来訪を受けた。やってきたのが藤森と須永の二人である。二人とも真っ黒に日焼けしていた。

インターホンが鳴り、ドアを開けると、玄関先で捜索令状を突きつけられ、制服私服入り乱れ、警察官がどやどやあがりこんでくる——そんな想像が頭をよぎったが、実際には拍子抜けするほど静かな来訪だった。刑事たちは「どうも」と半分笑顔で頭を下げ、私は用件を質《ただ》すこともなく彼らを居間に通した。

「関東への上陸はなさそうですが、前線が発達して大雨になるおそれがあるとか」

藤森の表情は穏やかだが、目は笑っていない。

「そうですってね」

秀美は刑事たちに麦茶を出した。気持ちの悪い愛嬌《あいきょう》を振りまいているのは極度に緊張しているからにほかならない。

「雄介君、雨にたたられなければいいですね」

「ホント、台風なんかきたら、せっかくの林間学校がだいなしですわ」

「天気が崩れるのは明日の午前中からだというから、ギリギリ持つかもしれませんよ。この時期の台風は太平洋高気圧にじゃまされて速度が落ちますから」

なるほど、警察は、雄介が現在二泊三日の林間学校に参加していると把握しているのか。事前調査は相当行なっているらしい。

「大雨は嫌ですけど、少しおしめりは欲しいですわ。梅雨が明けて一度も雨が降っていませんし」

秀美はまだそんなお愛想を口にする。

「言われてみれば、今年は夕立が一度もありませんなあ」

藤森もいったいいつまで世間話を続けるのだろう。

「そうなんですよ。異常気象なんです」

「エルニーニョとかと関係あるんでしょうかね」

「いつかのように給水制限になるのはもうこりごり」

「そういう年がありましたなあ」

「ママー」

ドアが開き、菜穂が顔を覗《のぞ》かせた。

「だめでしょう、上のお部屋にいなくっちゃ」

秀美がいつになくやさしく言った。

「だってぇ、のどがかわいた」

菜穂は手にした人形をぶらぶらさせる。

「パパとママはお客さんなの。いい子にしててね」

ちょっと失礼と秀美は席を立ち、プラスチックのコップに麦茶を注ぐと、菜穂の手を引いて居間を出ていった。

「おいくつですか？」

藤森は私にも愛想を使ってくる。

「六つです」

「というと小学校一年生」

「ええ」

「かわいい盛りですなあ」

「ええ」

私は相手をするつもりはなく、会話は発展することなく終わった。あとは沈黙だ。空気が両肩にのしかかるようで、視線をどこに置けばいいのかわからない。その場しのぎに麦茶のお代わりを注ぎに立ったら、ようやく秀美が戻ってきた。

「いつまでも甘えん坊で」

秀美は相変わらずよそ行きの笑顔だ。

「子供は、甘えてくれるからかわいいんですよ」

藤森が調子よく応じる。

「そうですねぇ、そのうち、頼んでも口をきいてもらえなくなるかも」

「恥ずかしい話、うちがそうですよ。娘は私をごみ扱いです」

「それで、うちの雄介が何か？」

私はとうとうじれてうながした。藤森が一瞬で真顔になった。須永に目配せしたのち、私に向き直って言った。

「雄介君に捜査に協力してもらえないかと思いまして」

「協力？」

「いくつか伺いたいことがあります」

「雄介に？」

「そうです」

「どうして雄介本人に訊《き》かないのですか？」

「その前に親御さんにもお話をと。雄介君は未成年ですから」

「あのう、何の事件の捜査なのです？」

秀美がおずおず尋ねた。藤森はまた須永に目配せして、

「江幡真吾君の事件です」

そう言われた刹那《せつな》、左胸がズキリと痛んだ。

「真吾君の？　雄介に？　何を？」

しかし秀美は少しも勘づいていない様子で首をかしげた。藤森はその問いを無視して、

「馬場雅也君のことも」

と言った。

「馬場？」

「赤羽聡君のこと」

「赤羽？　それってもしかして……」

秀美の表情が翳《かげ》った。

「そして尾嵜豪太君のことも」

「この間東京で誘拐された？」

「そうです」

「あのう、どういうことでしょうか。雄介が知っているのは真吾君だけですけど」

「雄介君は江幡真吾君とは親しかったのですね？」

「親しいといっても、そこそこですけど。歳が離れているので」

「真吾君の家に遊びにいったことはありますか？」

「ありますよ、何度も。ええと、事件当日の真吾君の様子を雄介に訊きたいのですか？　それでしたら残念ながらご期待にそえないかと思います。あの日雄介は真吾君とは遊んでいません

から。誘いにいったら、留守だと真吾君のお母さんに言われたとか。たしかそんなことを言っていましたし、そのことはずっと前に聞き込みにいらした警察の方にお話ししてあります」

秀美は二人の刑事を交互に見た。藤森はまたも彼女を無視して、

「馬場雅也君とはどの程度の仲だったのでしょうか」

「ですから、雄介はその子のことなんか知りません」

秀美は同意を求めるような目を私に送ってきた。

「なぜ馬場雅也君の名前が出てくるのですか？　赤羽聡君や尾嵜豪太君も。そこのところをきちんと説明してください」

私はせいいっぱい毅然《きぜん》とした態度を取った。胸が苦しかった。きちんと説明された時、破滅が現実のものとなるのだ。その一方で、ようやくミッシングリンクが解明されるという期待感も、心のどこかに確実に存在していた。

「一連の誘拐事件には奇妙な共通点がありましてね」

ずっと黙っていた須永が口を開いた。

「いずれのケースも要求された身代金が非常に少額でした。江幡真吾君の事件では二百万円。馬場雅也君の事件も二百万円。赤羽聡君の時は百万円、尾嵜豪太君は六十万円。これに関しては、身代金を奪うつもりなどはなからないのでいいかげんな額を要求してきたのだという説と、相手が確実に用立てできる額の要求にとどめたという説、大きく分けて二つの説があるのですが、ここでもう一歩踏み込んで考えなければならないのが後者の場合です。確実に用立てできる額といいますが、犯人はその額を何を根拠に決めたのでしょうか。この程度ならすぐに用意

じ額を要求しなかったのかという疑問が出てきます。それから、少額とはいえ十万百万単位の現金なのですから、要求を受けて即用意できるとはかぎりません。その程度の蓄えはあるにしても、引き出すのに手間のかからない普通預金や簞笥《たんす》預金にしているとはかぎらないでしょう？　むしろ、それだけまとまった金があるのなら、利率のよいほかの貯蓄を考えることが多いのではないでしょうか。しかし、普通預金以外の貯蓄を現金化するには窓口での手続きが必要で、貯蓄の種類によっては即日解約ができないものもあり、迅速に用立てさせたいがために少額の要求をしたという犯人の意志と反します。

さて、奇妙な共通点はここからです。脅迫メールが届いた時点で各被害者宅にどれだけの現金があったのかというと、四、五万といったところでした。普通預金の残高は、最もあったお宅で三十数万。犯人の要求額には遠く及びません。しかし現実には、どのお宅も短時間で要求額を用意できました。それはなぜか？

定期預金や郵便局の定額貯金を担保に借り入れを行なったからです。奥様はご存じでしょうが、定期預金や定額貯金を担保にした借り入れは実に簡単にできます。窓口を通す必要はなく、キャッシュカード一枚で、定期預金、定額貯金の総額の九割までを借り入れることができるのです。そして被害者のお宅はいずれも、その方法で現金を揃えました。これが奇妙な共通点です。各家庭が定期預金や定額貯金を担保に借り入れを行なったのは偶然なのでしょうか。

このことから、犯人は被害者宅の貯金通帳を見たことがあるのではないかという推測が成り立ちます。定期預金や定額貯金にどれだけ預けているか把握しており、その九割までなら要求してもだいじょうぶだと考えた。となると、一連の誘拐はゆきずりに行なわれたのではありません。あらかじめ貯蓄の状態を調べたうえで、その家の子を狙った。では犯人はどこで貯金通帳を見たのでしょうか。貯金通帳はそう持ち歩くものではないし、持ち歩く際には用心するので、外で盗み見るのは難しいでしょう。ですから犯人は被害者宅で貯金通帳を見た可能性が高いと思われます。つまり、犯人は被害者宅にあがったことがある。そして家にあがるには、ある程度の親しさが必要です。

そこで、四被害者の交友関係を徹底的に洗いました。その結果、共通の知人は見つかりませんでしたが、四被害者それぞれと接点を持っている人物が浮かびあがりました。それが富樫雄介君なのです」

妻と私は顔を見合わせた。

「勘違いなさらないでください。雄介君が事件とかかわっていると言っているのではありません」

藤森があわてた様子で口を挟んだ。

「雄介君には、被害者の男の子について知っていることを尋ねたいのです。それと、雄介君と同じように四人の被害者すべてとつきあいのある人物がほかにもいるかもしれないから、雄介君にはその人物を捜す手助けをしてほしいのです」

しかし須永は即座にこう言い放った。

「この際ごまかしはやめます。駆け引きもしません。富樫雄介君が一連の事件に何らかの形で関与していると、われわれ警察は考えています」

妻と私はまた顔を見合わせ、二人ともそのまま固まってしまった。私自身はとっくの前から雄介の関与を感じ取っていたわけだけれど、いざ警察にそう宣告されると、あらためて愕然《がくぜん》とさせられた。一方妻は、愕然とするよりもまず、あまりに突拍子もないことにきょとんとしているのだろう。

「おっしゃられていることがよくわからないのですが。雄介がどうして、馬場なんとか君とかとつながるのです。違う学校の子ですよ。市外の子ですよ」

私はやっとのことでそう口にした。

「馬場拓海《たくみ》という名前に心憶《おぼ》えはありませんか？」

須永が言った。私は首を振った。

「馬場雅也君のお兄さんです。雄介君とは同い年です」

「だからといって雄介とはつながらないじゃないですか。学校が違う。その子は飯能に住んでいるのでしょう」

「雄介君は馬場拓海君と同じ塾に通っていました。クラスも一緒でした」

「え？」

「雄介君は三月までは、まるひろの近くにある一進会という塾に通っていましたね？」

「え、ええ」

「馬場拓海君も一進会に通っていました。いや、今も飯能から週二回通ってきています」

どう解釈してよいかわからず、妻に目をやった。彼女はまだきょとんとした表情で固まっていた。

「ザイオンという名前に聞き憶えはありませんか？」

須永は言う。私は首を振った。

「所沢駅の近くにあるおもちゃ屋です。テレビゲームのソフトやトレーディングカードやアニメのキャラクターグッズを扱っています。ザイオンでは、購入額に応じてポイントを発行し、一定ポイントを貯めると非売品のグッズをプレゼントするポイント会員制度を行なっているのですが、雄介君はそのポイント会員になっています。ご存じありませんでした？」

私は首を振った。

「三番目の被害者、赤羽聡君もザイオンのポイント会員でした」

私は唸った。

「では尾嵜豪太君とはどうつながるのか？　先々月の末、雄介君はマイティ・マジック・マイスターズというアニメのトレーディングカード、通称M3カードをインターネット・オークションに出品しています。五百枚限定で発行された、俗にいうレアもののカードで、結局五万四千円もの高値で落札されました。競り落としたのは東京都東村山市の尾嵜毅彦さん、豪太君のお父さんです。毅彦さんは豪太君に代わってオークションに参加したのではありません。毅彦さん自身がM3カードのコレクターでした。近年、子供のおもちゃを集めている大人が増えているのだそうですね。自身が子供の時には財力がなくて眺めるしかなかったおもちゃを、大人の財力で一気に買い集める。余談はさておき、雄介君は商品を引き渡すため、六月三日の日曜日に所沢のファーストフードショップで尾嵜毅彦さんと会っています。そこで二人は意気投合し、雄介君は尾嵜さんのM3カード・コレクションを見せてもらうため、翌週の土曜、六月九日に東村山の尾嵜さんの家を訪ねています。豪太君とはそのとき顔を合わせました」

「四人とつながっているとおっしゃられますが、そういう人物は、雄介一人ではなく、ほかに何人もいるかと……」

私は声を絞り出して言った。無意味な抵抗だとわかっていた。けれど親としてのポーズをつけるには必要な台詞《せりふ》だった。

「もちろんです。ですから、ほかにそういう人物に心あたりがないか話を伺いたいのです」

藤森は笑いながら言った。しかし須永は容赦なかった。

「富樫さん、あなたは今月の八日に大谷進学会を訪ねていますね？」

咳《せ》き込みそうになった。

「そして、先月の二十日に雄介君が塾に出席していたかどうか質問している。なぜそのような質問をしたのです。先月の二十日というのは、尾嵜豪太君の事件が発生した日ですよ。お父さん、あなたも実は息子さんに何かを感じているのでしょう？」

「あなた……」

困惑したような、怯《おび》えたような表情で、秀美が腕を摑《つか》んできた。私は力なく首を振った。

「ここまで話せばお気づきでしょうが、われわれもお父さん同様、雄介君が四月二十日付で大谷進学会をやめたことを把握しています」

「やめた？」

秀美がきょとんとした。

「四月二十五日と五月二十三日と六月二十日は水曜日で、ひいらぎ台小学校六年二組の授業が一時五十分に終わっていたことも調査済みです」

　私は首を振る。

「その日の放課後、雄介君と一緒に遊んだという生徒は見つかっていません。三月二十六日の放課後も」

　首を振る。

「江幡真吾君の死体発見現場に、マウンテンバイクで乗り入れた跡が残っていました」

　首を振る。

「多摩湖そばの向かいにゲームセンターがあります」

「多摩湖そば？」

「西武新宿線東村山駅前の立ち食いそば屋、尾嵜豪太君事件の際、十万円の包みが置かれ、そして消えた場所です」

「ああ」

「そのそば屋の向かいがゲームセンターになっているのですが、六月二十日の午後五時二十分から六時にかけて、そのゲームセンターに小学校高学年の男児がいたことが複数証言で確認されています。その子には連れがおらず、西武ライオンズの帽子をかぶっていました」

「西武線沿線に西武ライオンズの帽子をかぶった子がいったい何人いると思っているのです」

　私がそう反論した直後だった。

「いやーっ！」

　金切り声があがった。秀美だ。両手で耳を塞《ふさ》ぎ、頭を激しく振っている。

「いやーっ！」

秀美は叫びながら頭を振り、足を踏み鳴らす。

須永は口を半分開けたまま動かない。藤森も呆然《ぼうぜん》としている。

私は妻の肩を引き寄せた。

「いやーっ！　いやーっ！」

妻は私の胸の中で叫び続ける。

ドアが勢いよく開いた。

「ママー！　ママー！」

菜穂が泣きながら飛び込んできて、母親の体にむしゃぶりついた。

4

その日のうちに菜穂を小田原に連れていった。彼《か》の地は私の生まれ故郷で、今も父母が長男夫婦と一緒に住んでいる。

菜穂を連れていったのは、実家に預かってもらうためだ。そうしたほうがいいと警察に助言された。たしかに、間もなく始まる大混乱は、幼い菜穂には過酷すぎるし、私たち夫婦も彼女を守るどころではないだろう。

前ぶれもなく訪ね、挨拶《あいさつ》もそこそこに菜穂をしばらく預かってくれと切り出すと、いったいどうしたのと母は目をぱちくりさせ、続いて、秀美さんの具合が悪いのかと顔を曇らせた。私はそうだと答えておいた。そうとしか答えられなかった。

するど母は、どこが悪いのか、入院しているのか、雄介の食事はどうするのか、などと矢継ぎ早に尋ねてきた。はっきりしたら教えるよと、私は曖昧《あいまい》なままで押し通した。事実をありのまま伝える自信も勇気もなかった。

ただ、秀美の具合が悪いのは事実である。刑事がいとまを告げると彼女は、彼らを玄関まで送ることもなく、そのままソファーに倒れ込んでしまった。意識を失ったわけではない。目は開いているが、呼びかけても返事がないという状態だ。頭の中が真っ白になってしまったのだろう。

泊まっていけばという母の勧めを振りきり、私は入間の自宅にとんぼ返りした。

菜穂に泣かれた。どうしてパパだけ帰るのか、ママはどうしたのか、あたしもおうちに帰りたい——。娘を突き放してハンドルを握った私も涙ぐんだ。

私には一つの心配があった。秀美のことだ。ショックのあまり自殺してしまうのではないか。

帰宅すると家中の明かりが消えていた。妻の名を呼んでも返事はなかった。

秀美は、私が家を出た時と同じように、居間のソファーに横たわっていた。しかし出た時と違い、目は閉じていた。ドキドキしながら耳をすますと、規則正しい寝息が聞こえた。

私はホッとするよりもまず、どんな時にでも人は眠れるのだと妙な感心をした。そんな感心をする自分の頭の構造が不思議に思えもした。

翌七月三十一日、雄介が補導された。

5

雄介が林間学校から帰ってきたのは午後三時過ぎだった。

そして雄介の帰宅を待っていたかのようにインターホンが鳴り、昨日の二人組が現われた。近くに車を停めてわが家を観察していたのだろう。

「尾嵜豪太君の事件について話を聞かせてほしいんだ」

須永刑事が用件を切り出すと、雄介はわずかに顔をゆがめて、

「どういう話ですか?」

と言った。尾嵜豪太が誰であるか尋ね返さなかった。つまり尾嵜豪太という人物に心あたりがあるのだ。

「どうしたの? 何があったの?」

秀美が涙目で尋ねた。彼女は雄介が帰宅する少し前にソファーから起きあがっていた。子供の前ではしっかりしていないと、本能がそうさせたのだろう。

「さあ、なんだろね」

雄介は首をかしげる。

「尾嵜豪太君を知ってるの?」

「テレビでよく見るよね」

「それだけ?」

「それだけ」

「聞きました？　うちの子は関係ありません。本人がそう言っています」

秀美は須永に訴えかけた。しかしそれで引き下がる警察であろうはずがない。須永は首を左右に振って、

「雄介君、ここでは話しにくいので車に来てくれるかな」

「今、ですか？」

「そう、今すぐ」

「林間学校から帰ってきたばかりなんですけど」

雄介は不服そうに頰を膨らませ、

「麦茶飲んでからでいいですか？」

動揺している様子はまるでない。それを見て私は、この子は潔白なのかもしれないという気持ちがわずかに芽生えた。

「麦茶？　カルピスでなくていいの？」

秀美が小走りに台所に向かった。

「んー、麦茶でいいや。大盛りで」

麦茶を一杯ぐっとあおると雄介は、体がべたついているからシャワーを浴びて着替えてもいいかと言った。大人顔負けの物腰だ。そのふてぶてしいまでの落ち着きように私は、逆に不自然なものを感じてしまい、先ほど芽生えた安心もどこかに消えてしまった。

シャワーを浴びたあと雄介は、もう一杯麦茶を飲んで刑事たちに従い、所沢児童相談所に向

かった。この時点では任意の事情聴取である。

家を出る際、雄介は言った。

「そうそう、リュックの一番上におみやげがあるから、テキトーに食べて。ありがちなお菓子だけどね。あと、夕飯はトンカツがいいな」

それが、私が見た雄介の最後の笑顔だった。秀美はトンカツの用意をしたが、雄介がそれに箸《はし》をつけることはついになかった。

七月三十一日午後六時十二分、埼玉県警は所沢児童相談所内において富樫雄介を補導し、同相談所に通告した。

6

雄介が警察に連れられて出ていくと、秀美は自転車で買物に出かけた。いつ警察から連絡が入るかわからないので家にいろと止めても、豚ロースの切り身を買ってこなければといって聞かなかった。

買物から帰ってくると秀美は台所に直行し、キャベツの千切りをはじめた。続いて肉の筋を切り、卵を割り、小麦粉とパン粉をバットに広げる。私はタバコを続けざまにふかしながら、狭い居間の中をうろうろするばかりだった。

そうするうちに六時が過ぎ、インターホンが鳴った。警察ですという声に玄関ドアを開けると、藤森とも須永とも違う眼鏡の男に警察手帳を突きつけられた。

「ただ今、埼玉と東京における連続男児誘拐殺害事件に関連して富樫雄介君を補導し、所沢児童相談所に通告しました」

私と妻は顔を見合わせた。

「嘘です！　あの子がそんなひどいことを!?　嘘です！　嘘です！」

秀美が手を振りたて、足を踏み鳴らした。私は彼女の肩を抱き寄せて、

「『関連して』とは何です？　具体的な逮捕容疑は何なのですか？」

「直接の容疑は、尾嵜豪太君の身代金目的による誘拐、ならびに殺人ですが、逮捕はしていません。補導です」

眼鏡の刑事は感情のこもっていない声で言った。

「同じじゃないですか」

「違います。十四歳未満の少年には刑事責任能力がなく、刑事捜査の対象外にあります。したがって、逮捕も勾留《こうりゅう》も取り調べもありません」

「じゃあどうして雄介は帰ってこないのです」

「富樫雄介君は刑罰法令に触れる行為を行なった疑いがあるため、行為の全容解明のために調査を行ないます。取り調べではなく、調査です。なお、雄介君の行為は社会的に重大かつ複雑であると考えられ、調査には相当な時間がかかると思われます。そこで児童福祉の観点から所沢児童相談所内に一時保護という形を取り、児童相談所と協力して調査を進めていきます。お宅のほうもいろいろ調べる必要があります。あくまで任意ですが、御協力いただけますね？

雄介君の部屋は二階ですか？」

聞き慣れない言葉ばかり並べられ、ええと、あのう、はあ、とうろたえていると、眼鏡の刑事はつかつかと中に入ってきて、勝手に靴を脱いだ。それを合図に玄関ドアが大きく開かれ、若いのやら老けたのやら、男や女が、どやどや入ってくる。

最後に入ってきてドアを閉めたスーツ姿の中年女性が名刺を差し出してきた。

「所沢児童相談所の加治木と申します。雄介君の今後の福祉措置のこともありますので、ご協力をお願いします」

加治木も階段を昇っていってしまうと、玄関には私と秀美だけが取り残された。私は彼女の肩を抱き、彼女は私の胸に顔をうずめ、二人は立ったまま震えあった。

しばらくして、あなたたちも立ち会ってくださいと上から声がした。

六畳相当の洋間の中で十何人もが立ち働いている。誰かが勝手にエアコンをつけていたが、これだけ鮨詰《すしづ》めだとまるで用をなさない。

警察官と児童相談所員の合同調査チームは汗を流しながら黙々と作業を続ける。顔つきや言葉遣いや動作から、誰がどちらの組織に属しているのかはおおよそ判断がついた。四分の三が警察の人間のようだった。

ある者は机の引き出しを開け、ある者はノートをパラパラめくり、ある者は押入の中にもぐり込む。充分な打ち合わせをしてやってきたようで、持ち場がわからず右往左往する者はいない。体をぶつけあうこともない。雄介の所有物は次々と段ボール箱の中に放り込まれ、階下に運ばれていく。

「お茶を出さなくていいかしら」

混乱しきった秀美は、そんなことを私にささやいた。

私たち夫婦は立ち会っているだけで、調査チームは勝手に作業を進めたが、たまに警察官と思《おぼ》しき人間から声をかけられることがあった。

「これをご存じですか？」

名刺を見せられた。尾嵜毅彦ら、被害者の親の名刺だ。秀美はぶるぶる首を振り、私も知らないと答えた。

赤と黄色を基調とした派手《はで》なカードを見せられた。ザイオンの会員証だ。これは本当に見憶えがなかった。もしかすると、私が侵入した時にもあったのかもしれないが、重要な意味を持っているとは思わず、見逃していた。

夜光塗料を見せられた。M３の手帳を広げられ、どういう意味かわかるかと、例の文字列について尋ねられた。

そしてコルト・ウッズマンを見せられた。私は驚いたふうを装った。妻は本当に驚き、花がしおれるようにその場にくずおれてしまった。

妻を階下に運んで横に寝かせた。しっかりしろしっかりしろと冷たくなった手を握っていると、私を呼ぶ声が二階から情け容赦なく届いた。

「これに見憶えは？」

数枚のレポート用紙を見せられた。何やら走り書きしてある。二重線で消したり、矢印を入れて挿入したりした文字も多く、ひどく読みにくい。文字を拾い読む。

――60万円を用意しろ――10万円の包みを――多摩湖そばの――50万円の包みを持って――待機したのち――警察は呼ぶな――命はない――

「脅迫文の下書きですね。雄介君の字ですか？」

警察官は次の一枚をこちらに向けた。一枚目と同じく、物騒な単語が並んでいた。一枚目と同じ見憶えのある筆跡で。

「え、ええ、雄介の字に似ていますけど……。あのう、その紙はどこにありました？」

ポーズではなく、私は本当に驚いた。この部屋は何度も引っかき回したが、このようなメモは見つからなかった。

「そこです」

捜査員は背後の床を指さした。カーペットがめくられている。私はカーペットの下は覗《のぞ》いていなかった。

「これはどうです？」

別の捜査官が掌《てのひら》サイズのカメラを提示した。

「知りません」

私はかぶりを振った。見憶えがあるにはあった。色っぽい女性タレントがテレビでよく宣伝している。けれど実物を見るのははじめてだった。このデジタルカメラも私が捜索した時には見あたらなかった。

「お父さんが雄介君に買い与えたものではないのですね？」

「ええ、違います。どこにありました？」

「天井裏です」

「そんなところに……」

天井裏に置いてあったということは、イコール隠してあったと判断できる。しかし、どうしてデジカメを隠さなければならないのか。誘拐殺人とは関係のないものではないか。黙って買ったことが後ろめたかったのか。それとも万引きしたものなのか。

そんな日常的な理由からではなかった。

捜査官はカメラを裏返し、液晶画面をこちらに向けた。何かが映っている。私は目を凝らして覗き込み、いいっと奇妙な声をあげた。

画面の中に人が倒れていた。男の子だ。体やその周囲が異常に赤い。おびただしく出血しているのだ。

被害者の男児を撮影したものだった。

驚きはそれにとどまらない。

画面の中にはもう一人いた。こちらは倒れていない。倒れた男児の脇に片膝《ひざ》を突き、拳銃を胸の前に掲げてカメラ目線を送っている。

そのポーズを取っている人物の姿形は雄介に見えた。

私も気を失いそうになった。

だが本当のパニックはここからだった。

「七時半より狭山警察署内で記者会見が行なわれます」

眼鏡の刑事、佐古が携帯電話を片手に言った。

「記者会見？　何のです？」

私はぼんやり尋ねた。

「東京都東村山市で尾嵜豪太君を誘拐、殺害した容疑で埼玉県内の十二歳の男児を補導し、埼玉県内で発生した同様の男児誘拐殺害事件との関連についての調査を開始したと、埼玉県警の刑事部長が発表を行ないます」

「ああ……」

「あまり時間がありません。下の部屋の雨戸を閉めてください。雨戸がない窓にはカーテンを引いてください」

どういう意味かわからなかったが、私は尋ね返す元気もなく、黙ってしたがった。

窓をさえぎった理由はじきに自然とわかった。

まず、電話が鳴った。

「お宅の息子さんが連続男児誘拐殺害事件の容疑者として補導されたそうですが、親としてその事実をどうとらえていますか？」

相手は名乗りもせずに質問してきた。

「本日補導されるまで、お子さんの犯罪に気づかなかったのですか？　まさかそれはないでしょう。何か不審なものを感じていたのでしょう？　ピストルはどうやって手に入れたのですか？　あなたが所持していたのですか？　それから、亡くなった四人の遺族の方にコメントを」

こちらが黙っていると、機関銃のように言葉を浴びせかけられた。

「すいません」

私は恐怖にかられながら電話を切った。

切ったそばからまた電話が鳴った。

取ろうか取るまいか迷っているとインターホンも鳴った。怒ったように続けざまに鳴り響く。

「いちいち応じていたらきりがないですよ」

佐古にそう言われ、電話線を引き抜いた。インターホンのケーブルも抜いた。雨戸とカーテンを閉めておいてよかったと、そうするよう助言してくれた警察に心から感謝した。

しかしまだ接触手段があった。携帯電話だ。ズボンのポケットの中でうるさく鳴っているそれを取り出し、電源を落とそうとボタンに指をかける。が、ディスプレイに見知った名前が表示されていたので電話に出た。

「お休みのところすみません」

会社の西だった。

「お疲れさま。遅くまでご苦労だね」

驚いたことに、普段どおりの挨拶《あいさつ》が自然と出た。

「マツキフーズの見積なんですが、一ヵ所数字がおかしくて」

「マツキ？」

「味付けもやしです」

「ああ、中国産の。どこがおかしいの？」

私はあくまで普段どおりに話をしていた。滑稽《こっけい》であり、腹立たしくもあった。自分ではない誰かが自分のふりをして勝手にしゃべっているような心地だった。

西は雄介の逮捕については一言もふれなかった。まだニュースになっていないのだろう。それとも、会社にいるからテレビを見ていないのか。しかしニュースになったとしても雄介は未成年なので名前は伏せるはずだから、それが会社の同僚の息子であるとは気づかないか。

私は少し安心した。けれどすぐに不安に襲われた。

この状況では今後しばらくは会社に出ていけない。会社には何と説明すればよいのだろう。胃を壊して緊急入院することになったとでもする？　しかしすぐに情報漏れを起こすのではないか。悪魔のような少年の父親の実像を探ろうと、マスコミがハマナカ食品にまで押しかける可能性は大だ。

そう、雄介は人殺しなのだ。刑事責任能力があろうがなかろうが、人を殺したことには変わりない。それも四人も。これはもう殺人犯などという生やさしいものではない。殺人鬼だ。

そして私は殺人鬼の父親。幼い命を平気で殺してしまうような子に育ててしまったのはこの私なのだ。そんな人物を会社は雇い続けるだろうか。馘《くび》は必至だ。この不況の中、四十を超えての再就職はそう簡単にはいかない。しかも「あの少年」の父親であるという事実が発覚したら門前払いである。

そこまで考え、私はハッとした。

亡くなった男の子やその遺族のことはそっちのけで、真っ先に自分の職の心配をしている。富樫修とはいったいどういう人間なのだ。こういう冷血漢だから息子が人殺しになってしまったのか。

「悪い。あとは君の判断にまかせる」

嫌な気分に耐えきれず、一方的に通話を終了させた。

そのまま電源も切ってしまおうと思ったが、一つ大切なことを思い出し、もう一度携帯電話に向かった。

小田原の実家に電話を入れると、秀美さんの具合はどうかと尋ねられた。

私は正直に伝えた。

「雄介が補導された」

え？　という声が返ってきた。驚いたのではなく、何を言われたのか理解できないのだろう。

「説明している時間がない。詳しくは今夜のニュースを見て。いや、もしかしたらもう臨時ニュースが流れているかもしれない。ある事件の容疑者として男子小学生が補導されたというニュースをやる。その容疑者の男子小学生が雄介だ。そんなわけで、こっちは大変なことになっている。だからもうしばらく菜穂のことを頼む。落ち着いたらこちらから連絡する。ごめん」

母親の反応が恐ろしく、一方的にしゃべって電話を切った。電源も落とした。

玄関の方で音がする。ドンドンと、家が揺れるほどドアが叩《たた》かれている。富樫さん富樫さんと連呼している。

小学生が銃で人を殺したのだ。米国ならともかく、日本では先例のない事件だろう。世間が放っておくはずがない。

小学生が人を殺した。

小学生が銃を使った。

その小学生は自分の息子である。

私はあらためて事態の重大さに気づき、戦慄《せんりつ》した。

雄介の部屋の調査が終わったのは午後十一時過ぎである。完了したのではなく、今日のところはひとまず打ち切られた。

しばらくはこの家を離れたほうがいいという警察の勧めもあり、私たち夫婦は生活の拠点をよそに移すことにした。といっても近くに身を寄せられる親戚《しんせき》もいないので、飯能市のホテルに泊まることにした。ホテルは警察が手配してくれた。

深夜にもかかわらず、おまけに台風の影響で雨が降り出したというのに、家の前には報道陣と野次馬がひしめきあっていた。そこに私たち夫婦が出ていったら、警察でも制御できない事態が発生しかねない。そこで私たちには制服が与えられた。警察官になりすまして脱出しろというわけだ。

作戦は成功した。段ボール箱を運ぶ男女を誰も見とがめなかった。私たちはそのまま警察のワゴン車に乗り込み、夜陰にまぎれた。さらに途中で車を二度乗り換えるという念の入れようで、私たち夫婦は飯能市のホテルに落ち延びた。

私と秀美は一言も口をきかなかった。話し合わなければならないことは山とあったが、今はその元気もなかった。

秀美はベッドで、私はソファーで、それぞれの思いに耽《ふけ》った。といっても私はほとんど何も思っていなかった。事態があまりに大きすぎ、何から考えはじめればよいのかわからなかった。

途方に暮れながら私は、このホテル代は自腹だろうかなどと、どうでもいいことをぼんやり思っていた。

7

翌日も家の中の調査が行なわれ、私と秀美はそれに立ち会わされた。また警察官に扮《ふん》して行くのかと思ったら、今度は大きな段ボール箱の中に詰め込まれた。昼間だと隣人に変装を見破られるかもしれないからか。

調査に立ち会うといっても、雄介の犯行を示唆する物品をときどき見せられたり（デジタルカメラの画像以上に驚かされたものはなかった）、参考のため何々を持ち帰るという書類にサインしたりするだけで、残りの時間は事情聴取に費やされた。

事件当日の雄介の様子、家庭での普段の様子、どんなテレビゲームをやっていてどんなテレビ番組を好んでいるか、ホラーやアクション映画への興味はどの程度か、学校の成績と対人関係、補導歴——。生まれてこの方どのように育ててきたのかということまで尋ねられた。

それに加えて私は、七月八日に大谷進学会を訪問したことについて追及された。

「あの子が塾をさぼっているような気がしてならず、それを確かめようと思いました。尾嵜豪太君の事件が起きた日の出席について尋ねたのはたまたまで、他意はありません」

私は卑怯《ひきよう》にも真実を語らなかった。犯人を知っていながら警察に相談しなかったことで咎《とが》めを受けるのではと恐れたのだ。刑事は繰り返し、本当に雄介君を疑っていたのではないのですねと尋ねてきたが、私は知らぬ存ぜぬで押し通し、追及を振り切った。

それより心配だったのが東葛環境技研を訪ねた件である。土壌サンプルの分析を依頼した事実が発覚したら言い逃れはきかない。だがこの件については一言もふれられなかった。今後も、藪田や中上がピンときて警察に通報しないことを祈るばかりである。

私はやはり自分がかわいい。

8

台風は関東南岸をかすめただけだったが、わが家は壊滅的な打撃を受けた。

自宅の調査は五日に及んだ。当然のことながら、その間は仕事を休んだ。真実を口頭で伝える勇気はなく、とりあえず体調がすぐれないと電話を入れたのち、息子が不祥事を起こしてその後始末に追われているとファクシミリを送った。不祥事の内容についてはいっさいふれず、欠勤する期間についても当面の間としか書かなかった。そんないいかげんな長期休暇が受け入れられるとは思えない。しかし馘《くび》は覚悟のうえだ。黙っていてもいずれ真実は会社の知るところとなり、私はもう会社にいられなくなる。

自宅の調査の終了と相前後して、私たち夫婦はホテルを引き払った。同じ埼玉県の川越に遠縁の者が住んでいるとわかり、菜穂と三人でそこに世話になることにしたのだ。秀美の母親の従兄《いとこ》の奥さんの姪《めい》のお婿さんの姉という、ほとんど他人のような人なのだが、家内の両親が八方手をつくして探し出してくれ、先方も快く受け入れてくれた。小田原の実家にもマスコミが接触しはじめていたので、本当に助かった。血のつながりというのはありがたいと、生まれてはじめて思った。

事情聴取はなお続いていたが、自宅の調査に立ち会う必要がなくなったので、川越の親戚宅で行なわれるようになった。そのぶん時間に余裕ができ、私はいろいろ考えるようになった。

まず、雄介に会いたいと思った。会って、真実を聞きたかった。

雄介の補導以来、私たち夫婦は新聞やテレビをいっさい見ていない。見るのが恐ろしかった。寄留先の夫妻も気をつかって、私たちの目にニュースが触れないようにし、話題にもしなかった。事情聴取にやってくる警察官や児童相談所の職員も、一方的に質問をしてくるだけで、調査状況を教えてはくれない。けれど情報というものはどこからか舞い込んでくるものだ。

聞くところによると、雄介は黙秘を貫いているという。

雄介は七月三十一日に、尾嵜豪太の身代金目的による誘拐、ならびに殺害容疑で補導されたのち、江幡真吾、馬場雅也、赤羽聡の三事件も行なったものと断定された。しかし本人はどの事件に関しても口を固く閉ざしているらしい。否認ではなく黙秘だ。警察官に対しても、児童相談所の職員に対しても、世間話以上のことは語らない。

親として雄介を諭さなければならないのではないかと私は思った。黙っているだけでは何もわからない、無実であるのならそうであると主張しなさい、事件に関わっているのなら洗いざらい本当のことを話しなさい、そして自分の行ないを深く反省して被害者とその遺族に謝罪しなさい――。

それに、本人の口から聞くまでは、わが子があのような大罪を犯したとはとても信じられなかった。机の中に拳銃《けんじゅう》と実弾が隠されていても、デジタルカメラの画像を見せられても。

だが、面会はすぐにはかなわなかった。雄介が一時保護されている所沢児童相談所の周りはマスコミだらけで、私たち夫婦が面会に訪れたらどのような混乱が生じるかわからない、というのがその理由だった。

私を悩ませたもう一つが遺族への謝罪だった。雄介は未成年者であるから、保護者である私と秀美も彼の行動に責任を負わなければならない。

ではどうやって謝罪する？　一軒一軒訪ねて頭を下げる？　訪ねる前にはアポイントが必要なのか？　手紙で？　それとも電話？　どう切り出す？　どう謝れば相手は納得するのか？　見舞金を持参すべきなのか？

私と秀美は話し合ったが、どうすればよいかわからず、雄介のことを世話してくれている弁護士に相談した。すると松尾というその弁護士は、謝罪するのはもっとあとになってからだと言った。今はまだ相手方のショックが大きく、どういう形で詫《わ》びを入れても拒否されるだけだという。それになによりも、現時点においては雄介は容疑を認めていないのだから謝るべきではないとも言われた。謝罪は、家庭裁判所による審判がくだされたあとだという。

しかしそんなことは建前論だ。雄介は犯行を否認していない。黙秘しているだけだ。そして黙秘とは、実は罪を犯した人間が、裁判で不利な材料になるようなことをしゃべるまいとする姑息《こそく》な手段ではないのか。そもそも、犯人でない人間がどうして拳銃や夜光塗料を持っているのだ。わが子は信じてやりたいし、わが子の口から自分がやりましたと聞くまでは信じられないという気持ちでいっぱいだ。けれど客観的に考えて、九分九厘雄介が犯人である。

したがって、遺族への謝罪は避けて通れない。世間一般に対しても、何らかの詫びを述べる必要があるかもしれない。それらをどうするかだ。今はまだ謝罪する時期ではないとしても、来たるべき時に備えて今のうちから考えておくべきだろう。けれど私は具体的にどうすればよいかわからなかった。

——このたびは私どもの子が大変なご迷惑をおかけしました。

まさにそのとおりなのだが、そのように切り出して相手は納得するだろうか。

——お子さまのご冥福《めいふく》をお祈り申しあげます。

こちらは心からそう思っていても、相手にはただの儀礼としか受け止められないのではないか。

——こうして謝ってすむ問題ではないと重々承知しております。

こういう慣用句も相手の神経を逆なでするだけではないのか。

いったいどう謝ればいいのだ？　仏門に入ったりボランティア活動をしたりすれば納得してくれるのか？

気が焦るばかりで胃がキリキリ痛んだ。悩みがきわまって嘔吐《おうと》するほどだった。

その苦しみを助長するように糾弾の声が舞い込んできた。毎日松尾弁護士が運んできてくれる入間の自宅に届いた郵便物の中に、「人殺し一家」だの「死ね」だの「天誅《てんちゅう》」だのといった嫌がらせを書き連ねた匿名の手紙が見られるようになったのだ。剃刀《かみそり》の刃やゴキブリの死骸《しがい》が同封されていたこともあった。消印は全国各地にわたっている。

実名報道されていないのに、どうしてこのような手紙が届くのかと気味悪く思っていたら、原因はインターネットだった。富樫雄介の名前がさらしあげられているという。顔写真も小学校名も自宅の住所も家族の名前も。人権侵害にあたるとして削除されても、また別のサイトに掲載される。

インターネット上ではもっとひどいことが起きていた。雄介とわが家に対する根も葉もない誹謗《ひぼう》中傷だ。曰《いわ》く、富樫雄介は幼児期に虐待を受けていた。曰く、富樫雄介の部屋から塩漬けにしたネコの耳が発見された。富樫雄介は過去に傷害容疑で二度補導されている、父親は前の会社をセクハラ行為で懲戒解雇されている、母親はパチンコ依存症である、妹の顔立ちが兄とまったく違うのは父親が違うからである――さも真実であるような調子で書き込まれているのだから質《たち》が悪い。

もっともそれらは直接目にしたわけではなく、松尾弁護士から聞かされた。もし自分でインターネット上のあらゆる記事と書き込みをチェックしていたら、怒りのあまり昏倒《こんとう》していたかもしれない。

そうやって苦しみ悶《もだ》えていた八月八日のことである。

川越の隠れ家に松尾がやってきて、雄介と面会してくれと言うのである。突然の申し出に驚いていると、できれば明日にでもと言われ、二度驚いた。

十四歳未満の刑事未成年者が刑罰法令に触れた場合、児童相談所で調査を行ない、審判のために家庭裁判所に送致するかどうかを決定する。調査は捜査とは違って期間の制限はないが、しかし児童福祉の観点から、できるだけ早く終わらせることが望ましい。ところが雄介は黙秘を続けているため、一時保護期間がいたずらに長くなっている。

これを人権擁護団体が問題視し、激しく抗議してきているのだという。その一方で世論の一部は、子供だからといって甘やかさず、凶悪な犯罪者とみなして容赦なく追及しろと、怒りに満ちた調子で声高に叫んでいる。事件の本質とはかけ離れたところで騒ぎが拡大していた。

この騒ぎをおさめるには雄介が話をはじめるしかなかった。そこで警察と児童相談所が協議した結果、両親と対面させればかたくなな心も開くのではないかということになった。

家内と私は一も二もなく諒承《りょうしょう》した。ようやく雄介に会えるのだ。断わる理由などない。けれど喜ぶ一方で、それと同等の不安もあった。秀美とは話していないが、きっと彼女も同じだっただろうと思う。

どういう顔で接すればいい？　何と話しかければいい？

9

所沢児童相談所へは車で行った。警察が用意した車は二台で、私と秀美は別々に乗り込んだ。揃って行動したのではマスコミの目にとまりやすいからだ。

聞かされていたとおり、児童相談所の周りは黒山の人だかりだった。私たちは水色の作業服で清掃作業員を装って裏口から潜入した。さすがのマスコミも建物の中までは入り込んでいなかった。

狭い応接室に通され、作業服を脱いで面会の心支度をしていると、女性の職員がやってきて、差し入れの物品を預かっていった。この日私たちが差し入れたのは衣類である。あらかじめ松尾弁護士に注意を受けていたので、スエットパンツの腰紐《こしひも》は抜いておいた。紐やベルトは首吊《くびつ》り自殺に使われるかもしれないので差し入れできないのだ。

松尾には、食べ物の差し入れも禁止だと言われていた。にもかかわらず秀美は弁当を持ってきていた。だめだと職員に拒否されても、あの子の好物なんですと食いさがっていた。衣類だけ持って職員が立ち去っても、まだあきらめきれない様子で、トンカツを詰めた保存容器の蓋《ふた》を開けたり閉めたりしていた。

やがて別の職員がやってきて、外に出るよう私たちをうながした。いよいよ面会なのだ。私たちはぎくしゃくした足取りで職員のあとをついて歩き、二階のはずれにある部屋に入った。

殺風景な部屋だった。壁は白く、掲示物が一つもないので、ことさら白く見えた。板張りの床には学校にあるような簡素な机と椅子が何脚か置かれている。

分厚いアクリル板が部屋を二分し、その透明な仕切りの真ん中あたりに小さな穴が開いた丸い部分があり、向こう側とこちら側は行き来できない――わけではない。テレビで見たような面会室とは違い、ずっと開放的な印象だ。部屋の隅には大型のホワイトボードが置かれているので、何かの教室として使われている部屋なのかもしれない。ただ、真っ昼間だというのに窓には厚手のカーテンが引かれており、外界からは隔離されていた。

子供用の小さな椅子に窮屈な思いで座っていると、やがてノックの音が響き、廊下のドアが開いた。最初に、警察官らしき目つきの鋭い男女が入ってきた。続いて、教師のような中年の男性に押されるようにして、華奢《きゃしゃ》な男の子が現われた。

雄介だ。十日ばかり離れていただけなのに、何年ぶりかで再会するような気持ちにさせられた。胸の奥から何かがこみあげてくるのをはっきり感じた。私と秀美は言葉も忘れ、中腰になってわが子の動きを目で追った。

ちょっと痩《や》せただろうか。頬のあたりがこけたように思える。顔色もすぐれない。それはそうだろう。こんなところに閉じこめられ、毎日毎日質問攻めに遭っているのだ。

雄介はびっくりしたような顔をして、私たちから少し離れた席に着いた。両親が面会に来ると知らされていなかったのだろうか。

「雄介君、お父さんとお母さんだよ」

松尾弁護士があたりまえのことを言った。

「元気？」

秀美が震える声で尋ねた。

「見てのとおり」

雄介は両方の掌《てのひら》を天に向けて首をすくめた。手錠や腰縄はかけられていない。

「ご飯は食べてるの？」

「まあね」

「具合は悪くない？」

「べつにぃ」

「眠れてる？」

「そこそこ」

「どんな部屋に入れられているの？」

「チョー狭いビジネスホテルみたいな感じ。鉄格子ははまってないよ。鍵《かぎ》かけられてて自由に出入りできないけどね」

「つらくない？」

するとと雄介はあきれたように目を見開き、ふっと唇の端で笑って、

「つらいに決まってんじゃん」

と吐き捨てた。

それで会話が途絶え、部屋の空気が一段と重たくなった。秀美が洟《はな》をすする音だけが不規則に鳴り響く。

私は咳払《せき》いをした。

「それで――」

そこでまた咳払いをして、

「何を尋ねられても答えないそうじゃないか。どうして黙っているんだ？」

雄介は無言で首をすくめた。

「黙っていたのでは何も伝わらないよ」

雄介は応《こた》えない。

「潔白であるのなら、そうであると言いなさい」

立ちあがって訴えかけた。

「何もしていないのなら、そうとはっきり言いなさい。そうすれば、ここの先生方や弁護士の先生がよくしてくださる」

罪を犯したのなら潔く認めなさいとは、ついに言えなかった。

雄介はすっとぼけた表情であらぬ方を眺め続ける。

絶望的な気持ちが私の中に広がった。秀美は横で嗚咽《おえつ》するばかりである。

十五分の面会時間はそうして終わった。

警察官や児童相談所の職員の一人一人にすみませんと頭を下げ、私と秀美は二手に分かれて川越の隠れ家に帰宅した。

10

私たちは無力だった。雄介は私たちと面会したあとも変わらず黙秘を続けていた。弁護士は、あきらめずもう一度面会してみましょうと言うが、私はうなずくことができなかった。ああ拒絶されてしまったのでは、雄介とどう相対すればよいのかわからない。

警察は順調に物証を集めているようだった。

たとえば、六月二十日に西武池袋線秋津駅の自動改札機に回収された、雄介の指紋が付いた切符。

たとえば、雄介の部屋の衣装ケースの中から発見された、デジカメの中で着ていたのと同じ柄のトレーナーに付着していた微量血痕《けっこん》。

四遺体の中に残っていた二二口径の銃弾のライフルマークも、雄介の部屋にあったコルト・ウッズマンのものと完全に一致した。ライフルマークとは、発射された銃弾の表面につく螺旋《らせん》状の傷のことだ。銃身の内側には、弾丸に回転を与えるために螺旋状に溝が切ってあり、それが弾の表面を傷つける。ライフルマークは一丁一丁異なっている。同じメーカーの同じモデルでも違っている。ライフルマークはいわば銃の指紋であり、それが一致したからには、雄介の部屋にあった銃が凶器として使用されたことは百パーセント間違いない。

警察はパソコンの中も覗《のぞ》いている。雄介が口を割らないので、専門家にパスワードを破らせた。その結果、四件の犯行の克明な行動記録が見つかったという。

警察の調査は順調だ。このまま雄介が黙秘を貫きとおしても事実の全容を解明できそうな情勢だった。

そんな中、弁護士から意外な知らせがもたらされた。

「雄介君がお二人に会いたがっています」

私たちを引っ張り出す方便ではなかった。両親を前に胸の内を正直に明かすと雄介が言っているのだという。両親に話したあと、黙秘をやめるとも。

八月十二日、私たちは前回同様清掃作業員を装って児童相談所に入り、前回と同じ部屋で面会に臨んだ。

「制限時間が十五分なので要点だけ話します」

部屋に入ってきた雄介は、着席しながらそう切り出した。表情はなく、言葉も乾いていた。両親と会いたがっているという雰囲気ではなかった。

先生、と雄介は松尾に目を向けた。

「これからの発言は僕の意志によるものです。何を言っても止めないでください」

「どういう意味かね？」

松尾は眉《まゆ》をひそめた。雄介はそれには答えず、私と秀美に向き直った。

「僕が江幡真吾を殺した」

そう聞かされた時の私の気持ちをどう表わせばいいだろう。

「馬場雅也も僕が殺した」

秀美は顔を覆って泣き出した。

「泣いてたら聞こえないよ。言い直す時間はないからね」

雄介は顔の筋ひとつ動かさない。そして十五分間の独演会が始まった。

11

「江幡真吾、馬場雅也、赤羽聡、尾嵜豪太――四人とも僕が殺した。どうやって呼び出したのかとか、どうやって殺したのかとか、どうやって身代金を奪ったのかとか、どうやってピストルを手に入れたのかとか、要するに犯行の手口ってやつ？　そういうのはここでは話さない。そっちも事務的なことは聞きたくないでしょ？　もし知りたければ、このあと警察の人に一から話すから、新聞とか読んで。とにかく僕が殺したことは間違いない。

そっちが一番知りたいことはたぶん動機だろうと思う。どうして小さな男の子を四人も誘拐したあげく、殺したのかって。それを今から話す。でも、驚くようなことじゃないよ。誘拐なんて、ずっとずっと昔から何度となく行なわれてきたわけでしょ。僕がやったこともそれと同じ。一言で言えば金が欲しかった。ただそれだけ。でもまあ一言で終わらせてしまったら、せっかく来てもらったのに悪いから、もうちょっと話そうか。

金、欲しいよ。フィギュア、ゲーム、トレカ、ピンズ、コミック、マスコット、ゲータイのストラップ、CD、スニーカー、リストウォッチ、LAレイカーズのスタジャン——欲しいものはいくらでもある。毎月毎月、ううん、毎日毎日、新しいものが出てくる。でも金がない。小遣いは千五百円。クラスの連中もだいたいそんなもんだ。でも千五百円ぽっちじゃ何も買えないって。せいぜい中古のクソゲー一本ってとこかな。

ま、そこで大人はフッー、我慢しろと言うわけだ。小遣いの範囲内で買いたいものを買いなさい、コマーシャルに踊らされて何でもかんでも欲しがるのはバカだってね。冗談じゃないって。あれ買えこれ買えそれも買えって言ってるのは誰だよ。テレビのコマーシャルで、雑誌の記事で、インターネットのホームページで、あんなものやこんなものやそんなものを見せつけるから、僕らはそれが欲しくなるんじゃないか。大人が子供の欲望をアオってるんだよ。そうやって欲望に火を点《つ》けておきながら、何でもかんでも欲しがったらいけませんと言うわけだ。なんだよ、それ。拷問じゃん。イジメだよ。それにさ、もし僕らが鉄のように我慢強くて何も買わなかったとしたら、困るのは子供相手に商売している大人なんだよ。モノが売れなきゃ会社は潰《つぶ》れる。でもって、不況だ不況だって騒ぐ。勝手だよ。むちゃくちゃ矛盾してる。いったい買わせたいの？　買わせたくないの？　子供に欲しがるなって言う前にモノを作るなって。

欲しいものは死ぬほどある。けど金がない。お年玉くらいじゃ全然足しにならない。こっちも高校生くらいだったらバイトするって手があるけど、小学生じゃね。どこも雇ってくれない。

つーことは、大きくなるまで我慢しなきゃなんない運命？　でもさ、こっちはいま欲しいの。今すぐ欲しいものがいっぱいあるわけ。大人になったらなったで、その時にはまた別の欲しいものが出てくるんだし。

欲しいものは死ぬほどある。けど金がない。でも死ぬほど欲しい。我慢できない。だから万引きした。昔の話ね。でもさ、万引きでゲットできるものってたかが知れてる。体の中に隠せないような大きなものはだめでしょ。小さなものでも、ガラスのショーケースに入っているような高価なものはだめ。剝《む》き出しで陳列されてても、万引き防止システムのある店はだめ。ゲームソフト屋はどこもそれに守られてる。てことで、万引きしても、欲しいものがすべて手に入るわけじゃない。欲求不満だね。

そうこうするうちにへまをして捕まった。だから万引きからは足を洗った。でも、交番に連れていかれたからって、ブッヨクが消えるわけじゃない。じゃあどうしようかって、次に財布の中身をくすねることにした。そっちの二人の財布ね。気づかなかった？　そりゃ、こっちも注意を払ったから。一万円札を抜くようなバカはしなかった。うちは大金持ちじゃないんだから、いっぺんにそんなにくすねたらバレちゃう。せいぜい千円で止めておいた。それも小銭でね。でもさ、そうやってちまちま失敬してもラチ明かないよね。レアなトレカを転がして稼いだこともあったけど、それもたかが知れてる。トレカってトレーディングカードのことね。

欲しいものは死ぬほどある。けど金がない。でも死ぬほど欲しい。とにかく金だ。金がないことにははじまんない。どうやって金を調達する？　男じゃ援助交際《エンコー》できない。小学生に銀行強盗なんてできっこない。コンビニ強盗もオヤジ狩りも無理。ガキを脅して小遣いを巻きあげる？　小学生をカツアゲしてもたいした儲《もう》けにはなりそうにない。それに、親や学校にチクられたら一巻の終わりだし。で、誘拐に行き着いたと。

　とはいえ、誘拐なんてそう簡単にできるもんじゃない。外国ではそうでもないみたいだけど、日本では成功したためしがないでしょ。お手本になる成功例がない。だからケッコー頭使ったよ。どうしてみんな失敗してるんだろうと考えた。するとわかった。警察だ。警察がこっちの行動をじゃまだてするんだ。電話の逆探知をしたり、身代金の受け渡し現場に張り込んだり。てことは、警察が捜査に乗り出さなければうまくいくんじゃないの？　じゃあどうしたら警察が入ってこないようにできる？

　僕なりに出した結論が、欲をかかないということ。何千万も何億も要求するから警察に通報されるんじゃないのかな。そんな大金はすぐに用意できないから、どうしていいかわからず警察を頼る。だったら、身代金の要求額を低く抑えてはどうだろう。十万、百万といったレベルね。すると向こうさんは、これだったらすぐに用意できる、警察に頼らず自力で解決しよう、と考えるのではないか。脅迫状には『警察を呼んだら人質を殺す』とある。金がすぐに用意できないのならともかく、キャッシュカード一枚でおろせる程度であれば、わざわざ警察を呼んで子供の命を危険にさらすまでもないと考えるのではないだろうか。警察に通報するのは、身代金を支払って、子供が返されてきたあとでいい、とにかくにも子供の安全を確保しよう、とね。

　誘拐の報酬が百万というのは割が合わないとは思う。あれ買ってこれ買ってしてたら、百万なんてあっという間になくなっちゃう。ガイコツ伯爵の八分の一サイズのフィギュアの初期ロットには十万以上のプレミアがついてるしね。でも、ほら、昔の人も言ってるじゃない。塵《ちり》も積もれば山となる、だよ。百万の誘拐を十回やったら一千万になる。労を惜しまなければそれなりに儲かると。

ところが、実際にやってみるとうまくいかなくて。何はともあれ警察に届けるんだよ、みんな。こっちはさ、狙った子の家に遊びにいった時に貯金通帳を盗み見て——貯金通帳を置いてある場所なんて、だいたいどこの家でも一緒だもんね——、それぞれの家が無理なく用意できる額を要求したつもりなんだけど、なのに真っ先に警察を呼ぶんだよ。どゆこと？　金払って、子供が戻ってきて、警察に届けるのはそのあとでいいじゃん。子供の命より金が大切なの？だってそうでしょ、百万程度ならすぐに用意できる、なのにそれっぽっちも取られたくないから警察を呼ぶ。子供の命は百万の価値もないと。それとも、たとえ自力で解決できるとしても、まず警察に届けるべきであるという義務感があるのかなあ。なんてカタブツなんだろ。

四度目でやっと成功。素直に犯人に従わないと子供が帰ってこないと学習したんだね。でも、素直に従ったところで子供は帰ってこないんだけどね。そりゃそうでしょ、人質は僕と面識があるんだから、それを返したら富樫雄介が犯人だと知れる。僕的には口を封じるしかないわけ。身代金を奪えようが奪えまいがね。じゃあ、どうせ殺すのなら、さらってすぐにサクッと殺しちゃえと。生きている人間を監禁し続けるのは難しいもん。騒がれたり逃げられたりするかもしれないから。

うん、そっちが言いたいことはわかる。欲しいものがあるのなら、誘拐なんて大それたことをしでかす前にどうしてねだらなかったのか——。

じゃあ訊《き》くけどさ、買ってくれなきゃ誘拐すると言ったら相手にしてくれたわけ？　バカ言ってないで勉強しなさいというのがオチでしょ。あーあ、捕まる前に六十万円を使い切っておけばよかったよ。さて、そろそろ時間かな」

12

ショックのあまり、秀美は面会室で気を失ってしまった。意識はすぐに取り戻したものの、親戚《しんせき》宅に戻ったら布団に直行で、だいじょうぶかと声をかけても反応はない。耳をすましていると時折、死にたい死にたいというつぶやきが聞こえてくる。食事を拒み、涙ばかり流し、頬がこけ、肌の艶《つや》を失っていき、みるみる死人のようになってしまった。

私も今すぐ死んでしまいたかった。

ショックなのは、雄介が人を殺したことではない。人の命を何とも思っていないことだ。以前想像したように、誰かに脅されてやむなく誘拐を手伝っていたのなら、まだ救いがあった。たとえ拳銃《けんじゅう》の引き金を引くところまで手を貸したのだとしても。

雄介にとって人の命は道具にすぎないのだ。自己の利益を生み出すための道具。彼にとっては人の命も学習帳もきっと同じ重さなのだ。ノートや鉛筆といった道具に生命が宿っていないように、自分以外の人間も無生物だと思っている。そういう思想にとらわれているからこそ、何のためらいもなく人を殺せるのだ。書き損じたノートを破って捨てるように。

私には雄介が人間とは違う種類の生物に思えた。

そんな人間に誰がした？

私と秀美は雄介を、他人の痛みがわかるように教育してきたつもりだ。自分が痛いと思うようなことをほかの子にしてはいけないと教えてきた。体罰も与えなかった。幼児期に尻《しり》を叩《たた》くようなこともしなかった。口先だけでなく、身をもって暴力を否定してきたのだ。なのに雄介は殺人という究極の暴力に走ってしまった。

私たちの育て方のどこに問題があったというのだ。

たしかに私は雄介に、「人を殺してはいけない」と言って聞かせたことはない。言うまでもないほどあたりまえのことだからだ。人を殺してはいけないということは、私だけの常識ではないと思う。私も自分の親にそう言い聞かされてはいないし、世間を見渡しても、自分の子供に「人を殺してはいけない」とわざわざ言って聞かせる親がどれほどいるのだろうか。

小動物を殺すなとは教えるが、人を殺すなとは教えないだろう。

人を殴るなとは教えても、人を殺すなとは教えないだろう。

戦争の悲惨さを説いて聞かせたあと、だから日常生活の中でも人を殺してはならないと言ってやらなければならないのだろうか。

人を殺してはいけないというのは不文律ではないのか。普通に会話をし、普通に本を与え、普通にテレビを見せ、普通に遊びに連れていってやれば、自然と人を殺さない人間に育つのではないのか。

しかし現実には、雄介は人を殺した。正当防衛や過失で死なせたのではなく、命を奪うことを目的として殺した。それを、人の命の大切さを教えなかった親がいけないのだと責められたとしたら、黙ってうなずくしかない。そんなあたりまえのことを教える親がどこにいるのかとの反論はきかない。

雄介は未成年だ。すべての責任は私と秀美にある。こんな非道な子の親として、遺族にどう謝ればいい。絶望的な現実だ。

ショックなことはもう一つある。面会の席で雄介は、私たちを何と呼んだか。お父さんお母さんともパパママとも言わなかった。「そっち」である。雄介は私たちを親として扱っていないのだ。「そっち」とはすなわちモノ扱いである。人を人と思わず殺してしまう心理に較べると小さなことなのだが、私としては実はこちらのほうがショックだった。

いったい私のどこに落ち度があったのか。考えてもわからないし、たとえわかったところでもはや手遅れである。もう死んでしまいたい。

普通、誘拐殺人を四度も犯したら死刑である。しかし刑法第四十一条に「十四歳に満たない者の行為は罰しない」とある。十二歳の雄介は、死刑にならないばかりか、刑務所に入れられることもない。家庭裁判所の審判により、児童自立支援施設に送致されるだけだ。そこで生活指導や学習指導、作業指導を受ける。要するに、教育指導を通じて常識的な人間に矯正していこうというわけだ。

だが、雄介のような冷酷無比な人間が、ちょっとやそっとの教育で真人間になるとは思えない。そして教育がうまくいかなくても、時期が来れば児童自立支援施設から出される。通常は義務教育期間にかぎっての入院で、最長でも二十歳までだという。

施設を出た雄介がどうなるのかと考えるとそら恐ろしい。金が欲しいからと、また人を殺してしまうのではないか。そんな恐怖さえ覚える。

やはり今すぐ死んでしまいたい。

けれど、廃人のようになってしまった秀美の様子を見ていると、自分がしっかりしなければという気にさせられる。人の心のありようは不思議だ。

そう、私が弱気になってどうする。秀美もそうだが、菜穂を誰が支えてやるのだ。菜穂はおそらく、わが家に何が起きたのか察している。けれど、わが家の不幸については決して話題にしない。おにいちゃんはどこに行ったのかとも尋ねてこない。部屋の片隅で独り人形とたわむれ、黙々と夏休みの宿題を片づけている。そうやってけなげに耐えている彼女を支えてやる義務が、私にはある。

予告どおり、八月十二日の面会を境に雄介は黙秘をやめた。被害者との関係も、犯行の手口も、奪った現金の使途も、拳銃の入手経路も、警察に問われるがままに答えたという。

「九日の面会の際、お二人が苦しんでいる様子を目の当たりにして、正直にならなければいけないと心を変えたのでしょう」

松尾弁護士はそんなことを言ってきたが、なぐさめになどなりはしない。

13

川越の親戚は林といい、ご主人と奥さんの二人暮らしだった。二人の娘はすでに嫁いでおり、余っているのでと、私たちに二部屋も使わせてくれていた。

その林宅に意外な来客があったのは八月十五日のことである。

昼食後、菜穂の人形遊びの相手をしていると、玄関のチャイムが鳴った。それに応じて出ていった林信子が、とまどったような様子で私のところにやってきた。

「お客さんなんですけど」

「私に？」

「ええ。お断わりしたのですが、どうしても会わせてくれと」

警察官や児童相談所員の訪問であれば、このような言い方はしない。

「マスコミですか」

嗅《か》ぎつけられてしまったのかと、暗澹《あんたん》たる気分になった。

「そうかもしれません。本人は違うと言っていますが。氏原《うじはら》という人です」

「氏原……」

聞き憶《おぼ》えのある名前だ。

「雄介君の同級生の父親だというのですが」

「ああ、氏原君。いますよ」

「本当ですか？　なんだか、普通の人ではない感じなのですけど」

信子は声をひそめた。

「出てみましょう」

私は菜穂の頭をなでて立ちあがった。

「名前を騙《かた》っているだけなのかもしれませんよ」

「連れは？」

「お一人のようですけど」

「とにかくこの目で確かめてみますよ」

雄介の同級生に氏原という子はたしかにいる。ただし、雄介とその子、氏原北斗《ほくと》が親しかったという話は聞いたことがない。私も、その子の父親、氏原晋策とはつきあいを持っていない。なのに訪ねてくるとは、いったいどういうことなのか。同級生の父親を騙ったマスコミなのかもしれない。しかしこの訪問者が本当に氏原の父親であった場合、門前払いを食わせると、あとあと面倒なことになりかねない。氏原の父親は暴力団の幹部なのだ。

玄関の土間に降り、チェーンをかけたままドアを開けると、スーツを着た男の姿が見えた。

「ああ、富樫さん。このたびは大変なことになりましたね。心中、お察し申しあげます」

男はアタッシェケースを足下に置くと、腿《もも》の脇に両手をつけ、兵隊の人形のように腰を曲げた。見憶えのある顔だった。

「ありがとうございます」

私も頭を下げた。

「みなさん、体調を崩されたりしていませんか？」

「ええまあ、どうにか」

「しかし、毎日毎日こう暑くてはかないませんな」

「そうですね」

「とりあえずあげていただけませんかね」

「私はここで立ち話してもいっこうにかまいませんが、それではあなたが困るでしょう。人目を避けていらっしゃるのでしょう?」

「あ、はあ」

氏原は分厚い唇の間から黄色い前歯を覗《のぞ》かせた。私はとまどいながら振り返った。

「すぐに和室を片づけます」

信子が奥に消えていく。私はドアチェーンをはずした。氏原は素早い身のこなしで家の中に入ってきて、後ろ手にドアを閉めた。

「突然押しかけて申し訳ありませんなあ」

氏原の服装はどちらかといえば地味だった。上着が紫色であったり、ズボンがだぶだぶであったり、シャツの襟が幅広であったりというようなことはなく、ごく普通のグレーの三つ揃いをきちんと着こなしていた。サングラスをかけているわけでも頬に傷があるわけでもない。言葉遣いも丁寧である。しかし、笑っても緩まない目元は、ただ者ではない雰囲気を漂わせている。目の下の隈《くま》と鼻の下の髭《ひげ》と細く伸ばしたもみあげも、一癖も二癖も感じさせる。腕時計とブレスレットとネックレスは金色に輝き、信子が「普通の人ではない」印象を抱いたのも無理からぬ話だ。

「やあ、お嬢ちゃん。こんにちは」

何事かと顔を覗かせていた菜穂に氏原は声をかけたが、菜穂は挨拶《あいさつ》を返さずにさっと姿を隠してしまった。

氏原と私は和室の座卓を挟んで向き合った。

「ずいぶんお疲れのご様子で」

氏原はラークをくわえ、金のライターで火を点けた。

「ええ、まあ」

「家宅捜索のほうは一段落つきました？」

「そうですね」

「事情聴取も」

「いえ、それはまだ続いています」

「雄介君とは面会されました？」

「はあ、まあ」

「今日は奥さまは？」

「ちょっと体調を崩していまして」

「それはよくありませんな。お大事にとお伝えください」

「ありがとうございます」

「それにしても、雄介君もたいしたタマだ。小学生にして誘拐殺人ですからね。それも四件。おまけに一回はまんまと身代金を奪っている」

うつむく。

「つい最近まで黙秘していたそうじゃないですか。警察相手に黙秘なんてね、プロでもそうできるもんじゃないですよ。すごい子だ」

唇を噛《か》む。

「富樫さん、まあそう硬くならずに」

氏原がラークのパッケージを差し出してくる。拒否すると因縁をつけられるのではと、私は一本抜き取った。そしておずおず尋ねた。

「あのう、私がここにいるとどうして？」

「人捜しはお手のものですから。世の中には非常識な人間がごまんといましてね、人から金を借りておいて、一円も返さずにトンズラするわけです。私はそういう連中を年中追いかけています。はっきり言って、人捜しに関しては警察より上です」

氏原は組から闇金融の経営をまかされていると聞く。

「それで、私にどのようなご用で？」

「倅《せがれ》同士がクラスメイトだというのも何かの縁です。少しでも力になれればと思いましてね」

氏原はニッと歯を剝《む》いた。

襖《ふすま》が開き、信子が入ってきた。座卓の上に茶托《ちゃたく》を敷き、湯呑《ゆの》みを置く。

「暑い時は熱いお茶にかぎりますな。冷たいのを飲むと、どうも体がだるくなる。もっともビールは別ですがね」

氏原は下品に笑う。

「ビールがよろしかったですか？」

信子が引きつった表情で尋ねる。

「いやいや。今はビジネスの最中ですから」

「ごゆっくり」

菓子器を置き、信子はあたふたと部屋を出ていく。氏原は私に向き直り、ぎょろりと目を剝いた。

「賠償はどうするおつもりです？」

「それは……」

「雄介君はまだ子供なので、監督責任者であるあなたに賠償の義務がある。それとも、刑事罰を受けないので賠償も行なわないおつもりで？」

「まさか。そんなことはありません。誠心誠意賠償します」

「口で言うのは簡単ですが、現実問題として考えてくださいよ。一人一億はくだらないでしょうね。四人で四億円」

私は力なくうなずいた。

「それだけの蓄えがありますか？」

今度は力なくかぶりを振る。

「働いてコツコツ払っていきますかね。しかし、あなたは一介のサラリーマンだ。定年までにどれほど稼げますかね。奥さんに働かせてもたかが知れてる。シャバに出てきた雄介君が働くにしても、過去が嫌われていい仕事には就けないでしょう。いい高校、いい大学にも行けないでしょうし」

力なくうなずく。

「あなた方家族も生きていかなければならないのだから、稼ぎをすべて賠償に充てるわけにはいかない。ひいらぎ台の家を売っても、このご時世、一千万円がいいところでしょう。さて困りました。どうしましょうか」

かぶりを振る。

「そうでしょう。途方に暮れていらっしゃることでしょう。それで私、何か力になれればと、こうしておじゃましたわけです」

氏原はずるずると音を立てて茶をすすった。

「氏原さんが金を貸して……、融資してくださるということですか?」

こわごわ尋ねた。氏原はニッと歯を剝いて、

「ご融資してもかまいませんが、返済できますか? うちは金利がキツいですよ」

「それはまあ……」

私は顔を伏せ、頭を掻《か》いた。

「いい稼ぎ口を紹介してさしあげようと思いましてね」

「どんな仕事です」

「いやいや、仕事というほどのものではありません。体を使って、ちょいちょいとね」

「体……」

息を吞んだ。氏原はまた歯を剝いて、

「いやいや、どうかご安心を。奥さんをソープに売り飛ばそうというのではありません。お宅の奥さんでは、ソープに売ったところで、せいぜい何百万円にしかなりませんし。あ、これは失礼。保険に入ってもらうだけです」

「保険……」

あらためて息を呑んだ。多額の借金を背負った者が、ヤクザに生命保険をかけて殺されるという話を聞いたことがある。

「その想像も違いますよ。そうしてさしあげてもいいですが、富樫さんはまだ死にたくはないでしょう？」

うなずく。

「死なずに多額の保険金を手に入れる方法があるんですよ——」

氏原は顔を突き出し、声をひそめた。整髪料のきつい臭いがする。

「——指を切るんです」

「指？　切る？」

「傷害保険に後遺障害保険金というのがありましてね。後遺障害とは、事故によって身体やその働きに将来においても回復が困難と見込まれる傷害が残った場合をいいます。たとえば指が欠損した場合ですな。傷害の程度が非常に大きいため、保険金の額もそれなりに大きく、死亡保険金額と同額に設定されているのが普通です。死亡保険金額が一億円の保険では、後遺障害保険金額も一億円を上限として支払われる。

もう少し具体的に説明しますか。指欠損の場合、どの指をどの程度欠損したかによって、支払われる保険金額が定められています。最も多くの保険金がおりるのが、親指の第一関節以上を失った場合で、死亡保険金額の二十パーセントが支払われます。次いで、親指の第一関節より先を失った場合が死亡保険金額の十五パーセント。ほかの指の欠損は、第一関節以上を失った場合が八パーセント、それ以外が五パーセントとなっています。なお、このパーセンテージは、手の指、足の指に共通です。

すると、両手両足の親指を根元から失い、両足の小指と薬指の先端を失ったとしたら、二十パーセント掛けることの四本プラス五パーセント掛けることの四本で百パーセント。死亡保険金額をそのまま後遺障害保険金として受け取ることができます。仮に死亡保険金額が一億円だったら、一億円を満額受け取れる。死ぬことなくそれだけもらえるのです。二億円の保険に入っていれば、二億円です。

指が欠損すれば不自由はしますよ。しかし全部なくすわけではない。何本か残っているので、慣れれば生活も仕事もやれます。腕一本、または脚一本を失えば、死亡保険金額の六十パーセントも支払われます。しかし百パーセントを得るには二本失う必要があり、腕や脚を二本も失うと、生活上非常な支障をきたします。ですが指だったら、腕や脚ほどの支障はない。

それになんといっても、命が残っているというのが大きい。死んでしまったらおしまいだが、指を失っても、生きていればいいことがあるかもしれない」

何と応じればいいのだろう。自分の指先を見つめて目を白黒させるしかない。氏原はアタッシェケースから書類を取り出し、卓の上に置いた。傷害保険のパンフレットと申込用紙だった。

「ぶっちゃけた話、保険金詐欺ですな。しかし保険会社もバカじゃないから、いま言ったことを素人がやろうとしても、まず失敗します。匕首《あいくち》で自分で指を切り落として『保険金をよこせ』と言ったところで一円も支払われません。切断された時の状況や部位を厳密に審査されます。たとえ本当に事故で切断したのだとしても、切断された指先が接合可能であれば、後遺障害保険金は支払われません。接合可能な指を紛失したことにしようとはかってても支払われません。

けれど、私どもはそういうことに慣れています。これもぶっちゃけた話、借金の形に指を切ってもらわなければならないケースが多々ありましてね、保険会社の裏をかくノウハウは持ち合わせています。診断書を甘く書いてくれる親切な医者も知っています」

「いや、しかし……」

私は指を隠すように手を握った。

「私どももボランティアをやっているわけではないので多少の仲介料はいただきますが、PTAのよしみでお安くしておきますよ。保険金の一割をバックしていただければ結構です」

「はあ……」

「あなたと奥さんと二人で保険に入れば、問題は一気に解決ですよ。それとも、賠償は不可能だと、一家心中しますか？　富樫さん、それはいけない。死ぬことは逃げです。被害者の遺族に対して申し訳がたたないでしょう」

「それはまあ……」

「ま、よく考えることですな。この場で返事をしろなんて、そんな無茶は言いません。奥さんともじっくり相談して、その気になったら連絡をください」

氏原はずるずると音を立てて茶を飲み干し、アタッシェケースを閉じて腰をあげた。

何を考えろというのだ。考えたくもない。しかし考えなければならない時がかならずやってくる。

14

八月二十日、所沢児童相談所が雄介の身柄を浦和家庭裁判所に送致、雄介は浦和少年鑑別所に収容された。

その夕方、川越の隠れ家に狭山警察署から電話があった。今一度自宅の中を調べさせてくれという。なんでも、雄介の自白を裏づける物品を探したいとのことだった。勝手に引っかき回してくれと私は応《こた》えたが、そうはいかないらしい。しかし入間の自宅の前には今もマスコミが群がっているのではないか。そう躊躇《ちゅうちょ》すると向こうは、ガードしてやるので心配するなと、西久保公園を待ち合わせ場所に指定してきた。西久保公園は自宅から十分ほどのところにある児童公園である。江幡真吾はこの公園に遊びにいくと言い残し、行方不明となった。

電車で行くと目立つので、私は親戚《しんせき》に事情を説明し、ご主人の車を借りて自宅に向かった。サングラスと、信子が持っていた鬘《かつら》で素顔を隠すことも忘れなかった。

車庫から車を出していると、ショルダーバッグを提げた男が近づいてきたが、私はそれを無視してアクセルを踏んだ。たぶん記者だ。この隠れ家にもマスコミの手が伸びはじめている。一昨日はじめて、話を聞かせてくれとチャイムが鳴った。ジャーナリストを名乗る者からの電話もあった。いずれにも信子が出て、人違いではありませんかとすっとぼけてくれた。

この家はもうだめだ。次はどこに隠れよう。秀美の実家のつながりで、私たちを受け入れてもいいという家があるそうなのだが、場所が北海道なのである。この先行なわれる裁判所での審判には私たちも出廷しなければならないので、そんな遠方で暮らすわけにはいかない。だが、どこかに移らなければ生活は脅かされるし、世話になっている親戚にも迷惑がかかる。とりあえずホテルに逃れるか。いや、ホテル住まいはだめだ。菜穂をホテルから学校に通わせるというのか。

そうだ、学校の問題を忘れていた。間もなく夏休みが終わる。菜穂は学校に行かなければならない。どこの学校に？　ひいらぎ台小学校にはもちろん通えない。現在の住まいはマスコミに察知されてしまったので、川越の小学校に転入させても騒ぎに巻き込まれるだけだ。幼い彼女はあっという間に押し潰《つぶ》されてしまう。

私たち夫婦には雄介という怪物を育ててしまった責任があるので、マスコミに追い回され、世間の非難を浴びてもそれはいたしかたない。しかし菜穂には何の罪もない。彼女だけは雑音のない環境で暮らさせてやりたい。菜穂だけ北海道に預けるか？　六つの子が見ず知らずの家で独りやっていけるのか？

暗澹《あんたん》たる気分でハンドルを握るうちに、車はやがてひいらぎ台の西久保公園に到着した。陽はすっかり西に傾き、園内に子供の姿はない。大人の姿もない。私は安心して車を降り、藤棚の下のベンチに腰かけて警察官の到着を待った。

ブランコがありシーソーがあり鉄棒がある。私は駅への行き帰りにこの公園の横を自転車で通っていた。ひいらぎ台に越してきてからずっと、五年間。ブランコもシーソーも鉄棒も、五年間変わらずその場所にある。ここしばらくこの土地を離れていたが、それでも公園の様子は以前と何ら変わりない。

同じように、自分の家族も変わらないものだと思っていた。風雪で遊具が色褪《いろあ》せるように、妻や私の顔には皺《しわ》が増えた。逆に、息子や娘は年ごとに柱の傷を延ばしていった。けれどそういう見た目の変化はあるにしろ、本質は何も変わらないと信じていたし、実際、何も変わっていないように私の目には映っていた。

ところが雄介は変わっていた。五年前とはまったくの別人といってもいい。どうして変わってしまったのだろう。いつ、何をきっかけに変わってしまったのだろうか。

「富樫さん？」

と声がかかり、われに返った。目の前に男が立っていた。

「ご苦労さまです」

私は立ちあがり、サングラスをはずして頭をさげた。

「お待ちになりました？」

「いいえ、私もいま来たところです」

「この時間になっても少しも涼しくないですね」

「まったくです」

私は汗をぬぐいながら周囲を窺《うかが》った。目の前の男以外に人はいなかった。私はふと不安になった。たった一人でガードできるのだろうか。

「行きましょうか」

男は先に立って歩き出す。私が運転してきた車の横に黒いミニバンが止まっている。

私は一歩踏み出し、そこで足を止めた。

男はTシャツにジーンズを穿《は》き、ウエストバッグを腰につけている。Tシャツ？　ジーンズ？　ウエストバッグ？　警察官が？　いくら暑くても、警察官がTシャツ一枚ということがあるだろうか。

「どうしました？」

男が振り返った。私は薄暮に目を凝らした。家宅捜索や事情聴取で相当数の警察官と会ってきたが、この顔にはまったく憶《おぼ》えがない。

「狭山警察署のどちら様ですか？」

私は警察手帳の呈示を求めた。

男はウエストバッグの口を開け、黒革の手帳を取り出した。警察手帳ではない。システム手帳だ。男はその表紙裏のポケットから名刺を一枚抜き取り、こちらに差し出した。

「フリーライターの三田村といいます」

警察を騙《かた》って呼び出されたのだと、ようやく理解がいった。

「失礼します」

私は三田村を押しのけて車に向かった。

「逃げるのですか？」

背中に声がかかる。

「やり口が卑怯《ひきょう》だ」

「卑怯なのは、富樫さん、あなたのほうでしょう」

「私が？」

聞き捨てならず、足を止めた。

「四人もの子供を誘拐し、殺したのは誰です。お宅の息子ですよ。それについて一言あって当然じゃないですか、親として。なのにあなたは逃げ回っている」

「それは……」

「遺族への謝罪もない」

「それは……」

「このままずっと逃げ回り、何もなかったことにしてしまうつもりなのですか？」

「今はまだ調査の途中ですから」

「なるほど、そういうお役所的なことを言いますか」

「しかし、審判が終わらないことには……」

「なるほど。つまり、富樫さんはこうおっしゃるわけですね。冤罪《えんざい》の可能性があると」

「え？」

「わが子は無実であるにもかかわらず、警察当局の誤認により補導されてしまった。最近自白をはじめたのも、威圧的な追及から逃れようと、警察の言いなりになってやってもないことを口にしているのだ」

「いや、そんな……。そうは思っていません」

「息子さんの罪を認めているのなら、その罪に対してどう思っているのかコメントがあってもいいでしょう。それとも何とも思っていないのですか？」

「まさか」

「審判が終わった時の気持ちは審判が終わった時に聞きます。私は、現時点でのあなたの心の内を知りたい。いや、私だけではない。国民すべてがそう思っているはずです」

「…………」

「ではお尋ねします。亡くなった四人の男の子に対して、今どのように思われていますか？」

三田村は私の前に回り込んできた。

「それは、その、心からご冥福《めいふく》を祈っています」

私はか細い声で答えた。

「遺族に対しては？」

「大変申し訳ないと」

「富樫さん」

「はい？」

「遺族を前にしても、そのような紋切り型の謝罪ですませるつもりなのですか？」

私は返答に窮した。今は問題を先送りにしているが、いつかかならず遺族と対面しなければならない。そのとき何と言う？　申し訳ないと思っているのは事実だが、事実そのままを言葉にしたのでは相手は納得しないのか。

いや、その前に、いま目の前にいる男を納得させる言葉が必要だ。でないと、何を書かれるかわからない。殺人犯の少年の親に謝罪の意志はない、そのような親だから子供が涼しい顔で人を殺す人間になったのだ――。

ここにもまた自分をかわいがる私がいた。遺族を思ってではなく、自分の立場を守るために、美しい言葉で謝らなければならないと考えている。

きっとその罰が当たったのだ。

「おいこら！　なに黙ってるんだよ！」

突然、罵声《ばせい》を浴びせかけられた。三田村が言ったのではない。

いつの間にか人が集まってきていた。十人はいるだろうか。みな、怒りに満ちた目で私を睨《にら》みつけている。

「きちんと謝れよ」

「記者会見なさいよ」

「いつまでも逃げてんじゃないよ」

口々に私を罵《ののし》る。見憶えのある顔もいくつかある。

「場所を変えましょう」

三田村が緊張した様子で私の手を取った。彼と話はしたくないが、この場はひとまず従ったほうがいいだろう。

「卑怯者！」

三田村は私を彼の車の方に誘導する。

「責任取れ！」

容赦のない非難が乱れ飛ぶ。

「人殺し！」

そして私は、ぎゃっと声をあげてその場にうずくまった。

何が起きたのかわからなかった。ただ、顔面が猛烈に痛い。その痛みは四肢の動きを奪い、呼吸を止めてしまうほどだった。

「暴力はいけません」

三田村の声が聞こえる。

殴られたのか？　しかしそれを確かめようにも目が開けられない。

「とにかく車へ」

三田村が体を起こしてくれた。どうにか立ちあがることができたが、顔面の激痛は相変わらずだ。とくにひどいのが左側だ。左目が開けられない。瞼《まぶた》の上に重しを載せられたような感じがする。

肩を貸されて歩きながら、顔の左に手を当てた。本当に重しでも載っているのかと思った。隆起しているような感じなのだ。そんなにひどく腫《は》れているのかと愕然《がくぜん》とするうちに、もう一つの異状に気づいた。掌《てのひら》にねっとりとした感触がある。

おそるおそる顔から手を離し、右目を懲らす。掌が真っ赤に染まっていた。

15

私は三田村によって病院に運ばれ、眼窩《がんか》底骨折で全治一ヵ月の診断を受けた。投石されたらしい。拳大《こぶしだい》の石が左目を直撃したという。

入院の必要はなかったが、川越の林宅に帰ると、私はそのまま寝込んでしまった。顔面の痛みからではない。精神的に打ちのめされてしまった。

私は臆病《おくびょう》だ。私は身勝手だ。石を投げつけられるほどひどい人間なのだ。

「遺族はまだ謝罪を受け入れられる心境ではないし、雄介君の保護処分も決定していない。謝罪はまだあとでいいのです」

松尾弁護士は言う。けれど私は救われない。

「今回の投石は絶対に許されるべきものではありません。問答無用に斬《き》りつけたも同然です。犯人を捜して訴えるべきです」

とも言う。けれど私はとてもそんな気にはなれなかった。

私は日々を布団の中で過ごした。時は私の気持ちの回復を待たずに進んでいった。

八月二十七日、浦和家庭裁判所で第一回の審判。混乱が予想されるため、私と秀美は裁判所に出向かなかった。

この日は朝から林家の電話とチャイムが鳴りっぱなしだった。私たちの居所は完全に割れてしまったらしい。信子は、適当にあしらっとくから平気よと笑うが、彼女の顔には疲労の色が濃く現われていた。

二十八日、四週間の予定で雄介の心身鑑別が行なわれることになった。心身鑑別が終わるまでは審判は中断である。

二十九日、「社会的重大性を鑑《かんが》み」という理由で、ある週刊誌が今回の事件の写真入り実名報道を行ない、即日回収されるという騒動が起きた。その週刊誌によると、富樫雄介が同年代の一部少年少女からカリスマ的な人気を得ており、インターネット上にはファンサイトまででてきてしまったとのことで、私の気持ちはいっそう重くなった。

その記事を裏づけるような事件が三十日に起きた。大阪で小学一年生の男児が行方不明になり、十三歳の男子中学生二人が身代金目的による誘拐容疑で補導された。中学生は、埼玉と東京の事件をまねたと話しているという。誘拐された男児が無事保護されたことだけが唯一の救いだった。

三十一日、北海道から親戚《しんせき》がやってきて、菜穂を連れていった。やはり彼女だけは安全な場所に移すことにしたのだ。電話やチャイムが鳴るたびにびくっと身を縮め、外に出ていくこともかなわない。これでは心身ともに健全な成長は望めない。菜穂の転校の手続きは秀美が行なった。不思議なもので、私が寝込んだのと入れ替わりに秀美は床を出た。

「いい子で勉強するね。パパとママも早く来られるといいね」

菜穂は笑顔で手を振った。妻と私は一晩中抱き合って泣いた。

審判中断中の九月八日、私と秀美はこっそり北海道に出かけた。菜穂に会うためだ。

菜穂は明らかにやつれていた。親戚に尋ねると、ご飯を食べたがらないのだという。布団の中で泣いていることもあるという。しかし菜穂は私たちの前では元気にふるまった。新しい学校は前の学校より楽しく、友達もたくさんできて、おじさんおばさんにも親切にしてもらっている――息を継ぐ間がないほどしゃべってみせるのだった。

いたたまれず、私たちは菜穂が寝ている間に暇《いとま》を告げた。

16

帰京して三日後のことである。

昼食を終えて写経をしていると、携帯電話が鳴った。この携帯電話は私がもともと持っていたものではなく、偽電話事件のあと、ふたたびあのような手に引っかからないようにと、親戚に買ってきてもらったプリペイド式のものだ。弁護士や警察や裁判所からの連絡はこの電話にしてもらうようにした。

携帯電話のディスプレイには「非通知」と表示されていた。しかしこの携帯電話の番号は信用できる人間にしか教えていないので、私は躊躇《ちゅうちょ》なく電話に出た。警察や裁判所の内線から発信されていれば非通知扱いになる。

「富樫さん?」

相手は中年の男だった。

「そうですが」

「娘に会いたいか?」

「は?」

「あんたの娘を預かっている」

17

「あんたの娘を預かっている」

男はもう一度言った。

「娘？」

私は理解できずに尋ねた。

「富樫菜穂というのはあんたの娘と違うのか？」

「菜穂は私の子ですが」

「それを誘拐したということだ」

「は？」

私はまだ理解できなかった。

「返してほしければこっちの言うことに素直に従え」

「え？」

「警察には絶対に届けるな」

「警察？」

「信じられないのか？　嘘だと思うのなら松沢に訊《き》いてみろ」

それで電話は切れた。松沢というのは菜穂を預かってくれている北海道の親戚だ。

「菜穂がどうしたの？」

首をかしげていると秀美が尋ねてきた。

「誘拐したって」

私はぼんやり答えた。

「誘拐!?」

「うん、誘拐」

「誘拐!? 菜穂が!?」

「うん。菜穂を誘拐したって」

そう答え、私はようやく事の重大さを認識した。あわてて携帯電話の電話帳を操作する。

「どういうこと? どういうことなの?」

秀美がおろおろ繰り返す。いったい何ごとかと信子も顔を覗《のぞ》かせた。私は二人に背を向けて北海道に電話をかける。

「菜穂はいますか?」

相手が出るなり、挨拶《あいさつ》も抜きに尋ねた。

「富樫さん? 菜穂ちゃんは学校ですけど」

「確認していただけますか」

「は?」

「学校に電話して、菜穂が行っているか訊いてください」

「ちゃんと行きましたよ」

「いま学校にいるか至急確かめてください。結果は携帯電話のほうにお願いします」

一方的に通話を打ち切り、携帯電話を机の上に置いた。

「ねえ、何なの？　菜穂がどうしたの？」

秀美が私の腕を揺さぶる。

「うるさい！　黙れ！」

そう怒鳴りつけたのち、私は秀美の体を引き寄せ、落ち着け落ち着けと彼女の肩を叩《たた》いた。

秀美は小刻みに震えている。

十分ほどして携帯電話が鳴った。信子は部屋の入口で固まっている。

ディスプレイには松沢宅の番号が表示されている。

「どうでした？」

私は性急に尋ねた。

「それが……」

相手の声は消え入りそうに細かった。

「どうだったんです？」

「それが、早退《はやび》けしたと」

「早退け？」

「一時間目の途中に電話があって」

「電話？」

「おうちの人が事故に遭ったから急いで帰ってくるようにと」

「事故？　誰が？」

「うちの者は誰も事故になんか遭っていません。富樫さんのほうは？」

「遭っているもんですか。それで、菜穂は？」

「うちには戻ってきていません」

「そんな……」

「すぐに警察に届けます」

松沢は震える声で言った。

「いや、警察はちょっと待ってください」

「でも……」

「警察はまずいんです。追って連絡しますから、このことはくれぐれも他言しないようお願いします」

私は電話を切った。

すると、まるでどこかで観察していたかのような絶妙なタイミングで電話が鳴った。ディスプレイには「非通知」と表示されている。

「どうだ、娘はいたか？」

先ほどの中年男だ。

「菜穂をどうした？」

私は立ちあがった。

「だから預かったと言っただろう」

「返せ。返してくれ」

「そのうちな」

「金か？　いくら欲しいんだ？」

「金！」

男は一言吐き捨てて、

「金金金金！　そうやって何事も金で解決しようとする姿勢。親がそういう人間だから、金のために平気で人を殺すような息子ができあがったんだよ」

私は言葉に詰まった。横から秀美が携帯電話を奪い取った。

「あなたは誰？　菜穂をどうしたの？　あの子は無事なの？　そこにいるのなら、声を聞かせて——、ああ、菜穂！　ママよ！　だいじょうぶ⁉　どこにいるの⁉」

「菜穂⁉」

私は携帯電話を奪い返した。

「パパ……。ママ……」

半泣きの声がした。

「菜穂、だいじょうぶだ。パパがついている。もうしばらくの辛抱だ」

「かわいいか？」

男に替わった。

「どうすればいい？　どうすれば菜穂を返してくれるんだ？」

「娘がかわいいか？」

「あたりまえだ」

「そう、誰もが自分の子供をかわいく思っている。子供は宝だ。おまえの息子はそれを盗んで壊した。がらくたでも扱うみたいに、何のためらいもなく。そんな非道が許されていいと思っているのか？」

「…………」

「おまえの息子は人じゃない、鬼だ。しかし生まれてきた時は人だったはずだ。生まれたての人間は誰でも無垢《むく》なものだ。無垢だった者を、いったい誰が鬼にした。言うまでもない、そう、おまえだ。おまえが鬼に育てあげたのだ。

おまえの鬼息子には近々裁判所の審判が下る。判決でなく審判だ。小学生のガキは刑事罰の対象外なんだってな。おいおい、そりゃないだろう。大人が誘拐殺人を四件もやらかしたら間違いなく死刑だぞ。なのにおまえの息子は、ガキだからという理由で施設送りにとどまる。少年院にさえ入れられない。児童自立支援施設という生ぬるい学校だ。しかもどんなに長くても二十歳までに出されるというじゃないか。おまえの息子は今いくつだ？　十二か？　たった八年でシャバに出てくるわけだ。たった？　ああ、たっただよ、たったの八年。四人の命の重さに較べれば、八年なんて短い短い。しかも懲役刑ではないので、重い労働を課せられもしない。甘いよな。甘すぎる。許せんよ。しかしそれ以上に許せないのが、富樫修、おまえだ。富樫秀美もだ。鬼を作り出したのはおまえたち夫婦なんだろうが。なのにおまえらは何の罪を受ける？　警察に捕まったか？　ノーだ。それどころか、出かける時には警察に保護されている。ふざけてる。なんで左うちわで生きているんだよ、おまえたちは」

「左うちわで生きているだなんて、断じてそんなことは——」

「うるさい！　じゃあ聞かせてみろ。鬼を作り出した責任をどう取るつもりなんだ？」

返答できない。

「ほらみろ。鬼息子が補導されてから今までにどれだけ時間があった。なのに何も考えてやしない。のうのうと暮らしている証拠だ」

「わかった。すまなかった。申し訳ない。わかったから、菜穂を返してくれ」

「菜穂を返して！」

横で秀美がわめく。

「いいかよく聞け。これは天誅《てんちゅう》だ」

「え？」

「江幡さんと馬場さんと赤羽さんと尾嵜さんは子供という宝物を失った。ところがおまえたちは何も失っていない。何の罪もない子供を失った苦しみがわかるか？　わからないだろうな。じゃあ、わからせてやる」

恐ろしい予感が脳裏を走り過ぎた。

「ママ、ママ……」

弱々しい声が聞こえた。

「菜穂！　菜穂！　おい、待て！　待ってくれ！」

私は叫んだ。

「菜穂！　菜穂！」

秀美も叫ぶ。

男は返事をよこさない。

一秒、二秒——。

電話の向こうで銃声が鳴り響いた。

＊

「だめだ……」

私はうめくようにつぶやき、頭髪を掻《か》きむしった。

「だめ？」

絵本を読んでいた娘がきょとんと顔をあげた。

「ううん、なんでもない。なんでもないよ」

私は菜穂を抱きしめる。

私は居間にいる。入間の自宅の居間だ。居間のソファーに腰かけている。

腕の中に菜穂がいる。髪が濡《ぬ》れている。風呂《ふろ》あがりだ。

秀美の姿はない。遠くで水の流れる音がする。まだ風呂のようだ。

雄介の姿もない。天井がギシギシ鳴っている。二階の部屋にいるのか。

時計の針は九時を回ったところだ。午後九時。七月十八日の午後九時。

私は今日もまた会社を休んだ。出勤するふりをして家を出、家族が全員外出したのを見計らって帰宅し、雄介の部屋に侵入し、引っかき回し、そして拳銃《けんじゅう》を発見した。コルト・ウッズマン――四男児の殺害に使われた拳銃だ。モデルガンではない。実弾も一緒にあった。

連続男児誘拐殺害事件への雄介の関与は決定的となった。万が一無関係だとしても、拳銃を所持しているのは由々しき問題である。

その後私は家を出て、車を運転しながら考えた。自分はこれからどう行動すればよいのか。雄介に面と向かい、拳銃について問い質《ただ》すのが親としての務めだろう。どこで手に入れたのか、何に使ったのか——。

しかし自分にその勇気があるか？　尋ねてしまったら、その答を受け入れなければならない。「うん、僕が殺した」と雄介の口から出てきたら、その時点で雄介による連続殺人が確定してしまう。一方、もし尋ねなかったら、これは何かの間違いだと現実逃避を続けることができる。ファミリーレストランや喫茶店で夕方まで考えた。帰宅する道々考えた。夕食中も入浴中も考え続けた。

夕食は雄介と一緒にとった。拳銃について質問することはできなかった。やはり自分には勇気がない。明日まで待っても、明後日になっても、問い質すことはできないだろうと思った。

しかし、私が雄介の部屋で何も見なかったことにしても、捜査の手はいずれ雄介に伸びると思われた。日本の警察は優秀だ。

雄介の行ないが白日の下にさらされたらどうなるか考えてみた。悪夢のような想像だった。菜穂がさらわれ、殺された——。

「痛いよぉ」

腕の中で菜穂が身もだえした。私は力を緩め、彼女を解放した。

「パパー、読んでー」

菜穂がギリシア神話の絵本を差し出してくる。私は菜穂を膝《ひざ》の上に載せた。

「『ミダス王がパンをにぎると、パンは金のかたまりになりました。赤いリンゴに手をふれると、金のリンゴにかわりました。ぶどうも、水も、金になりました。きゅうでんが金でうめつくされ、ミダス王はおおいによろこびました。でも、すぐになきたくなりました。金はうつくしいけれど、たべることができません。おなかがへってへって、たまりません。ミダス王はこまりはて、とうとうディオニソスのところにあやまりにいきました──』」

語って聞かせるうちに涙が湧いてきた。

菜穂が殺されてしまうなんて！　たちの悪い想像だ。そんな未来があってたまるか。

だが、先の想像が極端なものだとしても、雄介の補導によりわが家が崩壊してしまうことは間違いない。小学生による誘拐殺人を世間が放っておくわけがない。この家の前はマスコミと野次馬《やじうま》で埋めつくされる。一歩表に出ようものなら、厳しい質問と非難の言葉が四方八方から飛んでくる。申し訳ないと心から頭を下げたところで、誠意がないとなじられるに決まっている。取り越し苦労ではなく、投石という事態も充分考えられる。この家を捨て、どこかに落ち延びても、いったい何日平穏に暮らせることか。情報はかならずどこからか漏れ、人々に寄ってたかられる。私の精神はそれをはね返せるほど強靭《きょうじん》か？　精神的に耐えられても生活は立ちゆかない。警察や裁判所の調べは、ひと月、ふた月は続くだろう。当然、仕事どころではない。会社はそんな長期休暇を許してはくれない。馘《くび》だ。解雇されなくても、このたびはご迷惑をおかけしましたと自ら退くのが筋だろう。調べが終わり、働く時間ができたとしても、いったいどこが雇ってくれる？「あの殺人鬼の父親」という噂が再就職をじゃますることだろう。そして四遺族への補償は？　秀美と二人、不眠不休で一生働いたところでとても支払いきれない。冗談ではなく、体を切り刻んで金を工面するしかない。

住まいを転々とし、仕事はなく、いつしか貯金は底をつき、さてどうする。暗黒の未来だ。雄介の未来も暗い。雄介は十二歳、刑事未成年のため、いっさいの刑事罰を受けない。死刑や無期懲役に処されることはないということだ。親である私の立場からすれば、子供を失わずにすむのだから、涙が出るほどありがたい。だが、遺族や世間は納得するまい。最近のニュースを見ていると、殺人で家族を失った遺族の心情は「極刑」である。

児童自立支援施設から出てきたあとも不安だ。世に出てきた雄介をこの社会は受け入れてくれるだろうか。彼が心の底から深く反省していたとしても、過去を許してはくれまい。働き口はあるのか？　恋も許されないのではないか？　それはすなわち人生がないことに等しい。

そして一番の問題が菜穂だ。

私と秀美が苦しむのは、まだいい。雄介を「鬼」にしてしまったのは私たち親の育て方に問題があったからだろう。ある意味自業自得であり、責任を問われても仕方ない。

だが、菜穂には罪はない。なのに菜穂も非難の渦の中に巻き込まれる。外出はかなわない。転校を余儀なくされる。転校先でも「あの殺人鬼の妹」と陰口を叩かれるようになる。露骨ないじめを受けるかもしれない。幼い心に深い傷を負った彼女の将来はどうなってしまうのか。そして、逆恨みで殺されることがないと断言できるか？

「パパ、お風邪？」

菜穂が怪訝《けげん》な表情で振り返った。胸を痛めるあまり、私は鼻声になっていた。

「なんでもないよ、なんでもない」

洟《はな》をすすり、私はまた菜穂をきつく抱きしめる。

ひと月前のあの日、雄介の部屋を覗いてしまったことを恨めしく思う。雄介の部屋はパンドラの箱だった。世にも恐ろしい災いに満ちていた。

だが、今さら悔いても取り返しはつかない。それに、私がパンドラの箱を開けようが開けまいが、災いは世に出る運命にあったのだ。

このままいけば雄介は警察に捕まり、私たち家族は生き地獄に突き落とされる。遺族への謝罪のしようもない。苦しみに苦しんだあげく、死ぬしかないところまで追いつめられることだろう。

それならいっそ、苦しみを味わう前に死んでしまったほうがましだ。

II

1

楽しかったかと母親が尋ねると、まあまあという答が返ってきた。飯盒炊爨《はんごうすいさん》はうまくいったかと尋ねると、まあまあという答が返ってきた。よく眠れたかと尋ねても、まあまあという答しか返ってこなかった。

七月三十一日、雄介が林間学校から帰ってきた。私も定時で仕事を終え、まっすぐ帰宅した。家族四人で夕食の食卓を囲んだ。

秀美はしきりに雄介に話しかけていた。雄介は気のない返事ばかりしていた。高学年になってからはだいたいこんな調子だ。

私は夕刊を片手にビールをちびちびやっていた。妻と息子の盛りあがらないやりとりには口を挟まず、重要な提案を切り出すタイミングを計っていた。

雄介が茶碗《ちゃわん》を置き、秀美にお茶を要求したところで口を開いた。

「旅行に行こう」

ワンテンポ待ったが誰も応じなかったので、私は新聞を横に置いてもう一度言った。

「旅行に行こう。どうした、行きたくないのか?」

「いつ？」

秀美は腑《ふ》に落ちない様子だ。

「夏休み中にだよ。なんなら今週末でもいい」

「今年は旅行はしないと決めたじゃない。雄介の受験勉強があるから」

「うん。でも、気分転換は必要だろう。なあ、雄介？」

「どっちでも」

相変わらず素っ気ない。

「林間学校で気分転換してきたじゃない」

秀美は不満そうだ。

「俺も気分転換したいんだよ」

「塾もあるのよ」

「一日くらいいいじゃないか。一週間も旅行しようなんて言ってない」

実は雄介は塾など行っていないわけだが、私はとぼけて言った。

「でも、今からじゃ宿が取れないでしょう」

「どうにかなるさ。どこに行きたい？」

私は雄介に尋ねた。

「えー？　べつにぃ」

「どこでも好きなところに連れてってやるぞ」

「どこでもいいっす」

「ディズニーランド！」

菜穂が元気よく手を挙げた。

「まあそのくらいがちょうどいいかもね。泊まらなくてもいいし」

秀美がうなずいた。

「やだよ、ディズニーランドなんて。ガキと女の行くところだ」

雄介が吐き捨てた。

「ディズニーランド！」

「ディズニーランドはパス。行かない」

「ディズニーランド！　ディズニーランド！」

「菜穂、お箸《はし》でお茶碗を叩《たた》いたらだめでしょう」

「じゃあ、どこならいいんだ？」

私はあらためて雄介に尋ねた。

「うーん、めんどうだから、どっこも行かなくていいや」

「そうよ、話が急すぎるのよ。また今度にしましょう」

「行くー！　ディズニーランド行くー！」

「菜穂は連れてってくれるって」

雄介が妹の頭をなでる。

「雄介が行かないと意味がないんだ」

私は食いさがった。

「どして？」

「それは、その、雄介の気分転換だからだ」

「いいよ、気ぃつかわなくて。みんなが出かけて家には僕一人ということになったら、それはそれで気分転換になる」

「そんな醒《さ》めたこと言ってくれるなよ。家族揃って行って、一生の思い出を作ろう」

「一生の思い出？　何、それ、おおげさな」

雄介が噴き出した。

「一生のお願いだ。家族揃って旅行しよう」

「会社の宿題で、夏休みの思い出を絵に描かなければならないとか」

「まあそんなところだ」

「酔っぱらってる？」

秀美が顔を覗《のぞ》き込んでくるが、私は彼女を無視して雄介に尋ねる。

「行きたいところの一つや二つあるだろう？」

「うーん、そうねぇ……。あえて挙げれば、ディズニーシーかな」

「ディズニーシー？」

「ディズニーランドの仲間。ディズニーランドよりもアドベンチャーぽいから、あそこならそこそこ楽しめるかな」

「どこにあるんだ？」

「ディズニーランドの隣」

「よし、そこにしよう」

「まだできてないよ」

「え？」

「オープンは九月。四日だったっけ」

「残念でした。受験が終わってからね。開園当初は混雑するし、無事中学に合格したあかつきにゆっくりとね」

秀美が笑った。

「来年じゃだめなんだ」

私はうめくように言った。来月までも待てない。警察があとひと月待ってくれる保証はないのだ。

「あなた、わけわからないわ」

「なあ、今回はディズニーランドでもいいだろう？　スター・ツアーズやスペース・マウンテンはそう子供っぽくないだろう」

もう一度雄介を説得する。

「ディズニーランドはもう飽きたんだよ。でもディズニーシーには行ってみたいから、そのうち連れてってね。ディズニーランドのアトラクションにインディ・ジョーンズ・アドベンチャーというのがあって、でもこれ、東京ディズニーランドにはないの。カリフォルニアの本家ディズニーランドだけのアトラクション。そのインディ・ジョーンズ・アドベンチャーがディズニーシーにできるんだ。本家のとは内容が違うようだけど、でもかなり期待してる」

「よし。インディ・ジョーンズ・アドベンチャーに乗ろう」

私はぽんと手を打った。

「うん。楽しみに待ってる」

「今すぐ連れてってやる」

「はあ？」

「本家ディズニーランドでインディ・ジョーンズ・アドベンチャーだ」

秀美が目をぱちくりさせた。

「どうだ、行きたいだろう？　アメリカだぞ」

きょとんとしている雄介の肩を叩く。

「さ、今日はもうこのくらいで」

秀美が私の前のビール瓶を取りあげた。

「酔ってないぞ。行こう、ロサンゼルスへ。せっかくだからユニバーサル・スタジオにも行ってみるか。なあ？」

と菜穂の頭をなでる。

「ディズニーランド！」

「外国だなんて、バカ言わないで」

秀美が血相を変えた。

「ロサンゼルスなんてすぐそこじゃないか」

「一泊で行けるところじゃないでしょう」

「今まできちんと勉強してきたのだから、少々塾を休んだところでどうってことないだろう」

「この時期は飛行機もホテルも一番高いのよ」

「金のことは気にするな」

「気にするわよ。四人で外国に行って、いったいいくらかかると思うの」

「けちけちするな。最後の思い出作りなんだから」

「最後？」

「いや、つまり、小学校最後の思い出ということだ」

私はしどろもどろになりながらも、なんとか言葉をつないだ。

「雄介にはこれからお金がかかるのよ。塾の回数が増える、模試も増える。無事合格したら合格したで、入学金やら授業料やらがいっぱいかかる」

「金のことは気にするなって言ってるだろう」

「だからどうしてよ？　宝くじでも当たったの？」

「まあそんなところだ」

「じゃあ当たりくじを見せてよ」

「ケンカ？」

菜穂が肩をちぢこませて視線をおどおど動かした。

「まあまあ、お二人さん。今回は東京ディズニーランドということにいたしましょうや」

雄介がおどけた調子で割って入った。私は息子の両肩に手を置く。

「遠慮するな」

「遠慮じゃないよ。今はしっかり勉強する。アメリカには中学に合格したら連れてってよ。おいしいものは先に取っておく」

「先はないぞ」

「は？」

「いま行かなければ二度と行けないぞ」

「何、それ？　まるでこの世の終わりみたいな」

雄介は笑った。

笑い事ではない。この世はもうすぐ終わるのだ。

2

私は独りで準備を進め、早くもその週末に家族旅行を実現させた。本当に重要なことは誰にも相談せず実行するものだ。

行き先はディズニーランドである。カリフォルニア州アナハイムではなく、千葉県浦安市のディズニーランド。私としては、雄介が希望すれば本当にアメリカまで連れていくつもりでいたのだが。雄介も、四人も殺したくせに存外小心者だ。

典型的な都会の夏日だった。空は白く濁り、けれど日射しは容赦なく肌を焦がし、重ったるく湿った空気が全身にまとわりつく。外に立っているだけでみるみる体力が奪われていく。加えて、夏休みかつ週末である。どのアトラクションも一時間待ちはあたりまえで、ひどくストイックな宗教団体の修行に参加したような気分だった。同じ苦行なら滝の水を浴びたいものだ。だからディズニーランドなんて来るもんじゃないんだと、雄介はぶつくさ言いどおしだった。しかし実のところは悪い気分ではなかったようで、ハニーハントが終わったらホーンテッドマンション、次はピーターパン、シンデレラ城と、地図を片手にツアーを仕切っていた。

私も先のことは考えずに、今この時を楽しんだ。雄介と並んで鉱山列車に乗り込み、両手を挙げて岩山を下った。

エレクトリカルパレードが終わるまでおとぎの国を堪能《たんのう》したのち、ディズニーランドに近接するホテルで夕食をとった。帆立貝のテリーヌにはじまって、フォアグラのキッシュ、オマールのスープ、舌平目のムニエル、鴨肉のロースト――フランス料理のフルコースだ。雄介は目を丸くし、菜穂はおどおど周囲を見回し、秀美は喜ぶよりもまず、分不相応だと不満を漏らした。だが、皆が本当に驚くのはこれからだった。

この日は部屋を取ってあった。これまでディズニーランドには十回近く来ているが、いつも日帰りだった。わが家からディズニーランドまでは片道二時間かかるが、泊まらなければならないほど遠くもない。だから秀美は、今回も日帰りで充分だと主張した。私はそれには耳を貸さずホテルを予約した。家族には内緒で特別な部屋を取った。

オーシャンガーデンルームと命名された最上階のスイートルームである。

ベッドルームにはダブルベッドが二つありソファーセットがありクローゼットがありテレビがあり冷蔵庫がありで、ここだけでもデラックスなツインルームより豪華だったが、そのほかにリビングルームとダイニングルームがあった。いずれの部屋もクリーム色を基調とした南欧風の内装で、壁には爽《さわ》やかな水彩画がかけられ、室内のあちこちに観葉植物が立ち並び、天井ではシーリングファンがゆっくり回っている。バスルームは床も壁も浴槽も大理石造り、キッチンにはゼネラルエレクトリックの大型冷蔵庫と三口コンロが備えられ、ゲスト用のバスルームが別にある。さらにベランダはプライベートガーデンになっていて、ジャグジーにつかりながら東京湾の夜景を眺めることができた。

菜穂は奇声をあげて部屋から部屋へと駆け回り、雄介はベッドへのダイビングを繰り返した。秀美は驚きや怒りを通り越し、真っ青な顔で固まっていた。自分が発案した新商品がヒットして金一封が出たのだと私は説明した。

本当にボーナスが出たとして、たかが一泊に二十万円を費やせるだろうか。たぶん無理だ。私は貧乏性だ。しかし今の私は、この部屋が二百万でも泊まっただろう。金は生きているうちに使わないと意味がない。

3

「ディズニーランドにはじめて来た時のことを憶《おぼ》えているか?」

ソファーに深く腰かけ、左手にワイングラスを持つ。

「さあ」

雄介は気のない返事をしてストローに口をつけた。パイナップルにパパイヤにマンゴーにスターフルーツといった熱帯の果実が金魚鉢のようなグラスの周りを所狭しと飾っている、見るからに豪華そうなジュースなのだが、見るからに飲みにくそうでもある。

「たしか雄介は四つだった」

「そんなちっちゃい時の記憶なんてないよ」

「都合が悪いから忘れたんじゃないか？」

「都合悪いって、何が？」

「泣かれてなあ」

「そうそう、あっちに行って泣き、こっちに来ても泣きで、閉口したわ」

秀美の手にもワイングラスがある。中には、深いルビー色の液体が入っている。ただの赤ワインではない。その正体を教えたら彼女は気を失ってしまうだろう。ロマネ・コンティ——ワインの王様、車にたとえるならロールス・ロイス、しかもビンテージとされる一九八五年もので、市中で買っても一本五十万円はくだらない。それをルームサービスで届けさせたのだ。

「なんで泣かなきゃならないんだよ」

雄介は唇を尖《とが》らした。

「カントリーベアを怖がってね」

「はあ？」

「クマさんが揃って歌ったり踊ったりするのが怖かったみたい」

「なんだよ、それ」

「子供の感覚は大人の物差しではかりきれないものだ」

私はワイングラスをゆっくり回しながら口に近づけた。濃縮した果実の甘い香りが鼻腔《びこう》をくすぐる。それはあっという間に鼻の奥まで広がり、脳にまで染み入ってくるようだった。

「チキルームでも泣いたわ」

何も知らない秀美は一口ン万円の代物を無造作にあおった。

「適当なこと言うなよ」

「ホントよ。木が歌うのが怖いんだって」

「チッキチッキチッキチッキチッキチキッキルーム！」

菜穂がストローをタクトのように振り回す。

「カリブの海賊やシンデレラ城のミステリーツアーでも泣きっぱなしだった。じゃあ明るいところならいいだろうと表を歩いていると、ミッキーやドナルドに出くわすたびに、パパやママの陰に隠れてガタガタ震えるの」

「そこまで言ったらウソだってまるわかりじゃん」

「ホントだってば。ねえ、パパ？」

「ああ」

私はグラスに唇をつけ、赤く透明な液体をほんの少し口に含んだ。頰の裏側にとろりとした感触が走った。口の中全体に何ともいえない甘味が広がった。砂糖や生の果実の甘味とは絶対的に違う、透明感のある甘さだ。芳醇《ほうじゅん》な香りの中に、嫌みのない酸味と渋みが閉じこめられている。安酒にありがちなアルコールの棘《とげ》など微塵《みじん》も感じられない。

「ナイーブな子だったのよ。今の誰かさんとは大違い」

秀美はまた遠慮なくワインをごくごくやって、たった二口で飲み干してしまった。

「この歳で着ぐるみ相手に泣いてたら、チョー気持ち悪い。あー、このソファーさあ、ふかふかすぎて座り心地わりぃ」

雄介はふてくされた表情で腰を浮かし、グラスの縁のパインに齧《かじ》りついた。

四歳だった雄介はディズニーの愛らしいキャラクターに怯《おび》えていた。

十二歳になった雄介は拳銃《けんじゅう》で人を殺しておいて涼しい顔をしている。

どちらの雄介が本当の雄介なのか。いや、どちらも本物なのだ。八年の間に人が変わってしまった。いつ、何をきっかけに変わったのだろう。

「それよりも俺は、あの日ディズニーランドからの帰りに、犬のことで泣かれたことがひどく印象に残っている」

グラスを口から離し、宝石のように輝く液体を見つめた。

「犬？　吠《ほ》えられた？」

秀美が首をかしげた。

「違う。子犬が捨てられていただろう」

「ああ、アパートの近くの駐車場に」

段ボール箱の中に子犬がいた。白と黒、二匹の子犬が雨に打たれて鳴いていた。雄介はそれを連れて帰ると言った。しかし当時はアパート住まいで、動物を飼うことは許されなかった。

「そう説明しても、犬が風邪をひいちゃうといってワンワン泣く」

「そうそう。それで、連れて帰るのはどうにかあきらめさせたんだけど、すると翌日から、こっそり餌をやりにいくようになったのよね。自分のご飯を残して」

「ところが、じきに近所の誰かが保健所に知らせて、二匹の子犬は消えてしまった」

「そうそう。それでまた、どこに行ったのかってワンワン泣く。親切な人にもらわれていったと言っても泣きやまない」

「で、今日は戻ってくるんじゃないかと、暇さえあれば駐車場に行ってじっと待っている。雨の日も風の日も。まるで上野博士を待ち続けたハチ公のように」

「あのう、盛りあがっている最中に失礼ですが――」

雄介が言った。

「捨て犬の件は四歳の時ではないと思います。なぜなら僕の記憶に残っているからです。小学校に入学した直後の出来事です。歳をとると記憶がごっちゃになるようですね。以上」

「あら、小学校に入ってたっけ。結構大きくなっても泣き虫だったのね」

「大きいって、一年生はまだガキもガキだ」

「菜穂は泣かないよ」

菜穂が屈託なく笑った。

「そうよねー、菜穂は泣き虫さんじゃないよねー」

秀美は菜穂を抱きしめ、頬に頬をこすりつけた。酔いが回ってきたらしい。

六歳だった雄介は小さな命を愛していた。

十二歳になった雄介は小さな命を平気で踏みにじっている。

雄介はどこで道をあやまってしまったのだろうか。親の育て方に問題があったのだろうか。

私たちは雄介を幼稚園のころから一人で寝かせ、勉強部屋を与えてからはそこに自分で掃除機をかけさせ、まだ中学にもあがっていない今のうちから、高校を卒業したら一人暮らしをしなさいと勧めていた。自立心を養わせようとしたことが災いし、自分のことしか考えない人間になってしまったのだろうか。

それとも——万引きで補導された際、もっと厳しくあたるべきだったのだろうか。雄介は交番で涙を流し、震えており、充分懲りている様子だった。だから家に連れ帰ってからはあらためて説教しなかったし、体罰も与えなかった。しかしあの時、非行の芽を根っこから摘んでおくべきだったのかもしれない。

あるいは——西武ライオンズの清原にあこがれてプロ野球選手になりたいと言い出した時、おまえみたいな下手くそがプロになれるわけないだろうと笑い飛ばしてしまったことが心に傷を負わせ、破壊的な行為に走らせているのだろうか。

いや、考えるまい。今さら検証しても無意味だ。彼が殺してしまった四人は帰ってこない。残された家族や友人の悲しみも癒されはしない。いま私が親としてなすべきことは、子にこれ以上の悲劇を繰り返させないことだ。

「あのさあ、昔話なんてシンキクサイからやめようよ。せっかくこんなゴージャスな部屋にいるんだから、からっと明るい話題を出してちょーよ。もっと前向きなやつを」

雄介が顔をしかめた。

「しあわせは思い出の中にしか存在しないんだよ」

私は無表情でつぶやいた。そう、前を向いたら暗黒の未来しか見えない。

思い出の中に戻っていって、そこからもう一度やり直せば、希望に満ちた未来が見えるかも

――いや、やめよう。不可能なことにあこがれてもはじまらない。

「ちょっとぉ、その言い方はあまりに年寄りじみてるわ。子供の成長を確かめるのが親の喜びだ、くらいにしといてよ」

秀美が笑った。

秀美、君はわかっていない。親が喜びを感じられるのは、子供がまっすぐ成長した場合だけだ。曲がり、枝分かれし、からみ合い、まるでジャングルの植物のように複雑奇怪に大きくなってしまったら、圧倒的な絶望感に襲われるのだ。

子犬が帰ってくるのを待ち続けた雄介はとうとう体調を崩した。鼻声になり、くしゃみが出るようになり、それでも私たちに隠れて子犬を待ち続けた。その結果、高い熱が出て、町医者に処方してもらった風邪薬も効かず、大学病院に連れていったところ肺炎と診断された。

そのとき私は思った。もしもこの子に万が一のことがあったら、自分はもう生きていけないと。

だが、いま私は思う。あのとき雄介が命を落としていたら、今日の絶望的な状況は発生しえなかったのにと。

「犬ほしー」

菜穂が手を挙げた。

「ママは嫌だなあ、世話するの大変だもん」

「菜穂が世話する」

「毎日散歩に連れていかなきゃだめなのよ。雨の日も」

「だいじょぶ」

「じゃあパパに訊《き》いてごらん」

「パパー、犬ほしー」

「ああ、いいとも」

抱きついてきた菜穂を受け止め、不意に涙がこぼれそうになった。今この時が止まってしまえばいいと思った。

「でもまあ、こうやって家族揃って旅行ができて、うちはしあわせよねえ」

アルコールも手伝ってか、秀美は心から幸福そうな表情をしている。

「しあわせってなーに？」

菜穂が首を左右にかしげた。

「みんな元気で、仲がいいこと」

「菜穂は元気だよ」

「そうねー。またどこかに行こうねー」

秀美は菜穂を抱きしめる。

「うん！　ディズニーランド！」

「ねえ、中学に合格したら本当にディズニーランドに連れてってくれるの？」

雄介が言った。ああと私はうなずいた。

「ここじゃなくて、アメリカのディズニーランドだよ。カリフォルニアの。フロリダでも可だけど」

「ああ。ディズニー・ワールドでもユーロ・ディズニーでも、どこでも連れてってやる。もちろんディズニーシーもな」

しかしその時が来ないことは私がよく知っている。この家族は今日を限りにこの世から消滅するのだ。

4

ハンティングワールドの旅行鞄《かばん》を開けた。洗面道具があり、折り畳みの傘があり、子供たちの着替えがあり、秀美の下着があり、一番底にモスグリーンのポロシャツがある。ポロシャツを鞄から取り出し、ベッドの上に広げる。中にタオルの包みがある。タオルを開くと新聞紙の包みがある。新聞紙の包みを開くとナイフがある。刃渡り二十センチのコンバットナイフ。

ナイフを取りあげ、握る。革のハンドルが掌《てのひら》に吸いつく。ずしりとした感触が手首に伝わってくる。果物ナイフとはまったく違う手応《てごた》えだ。握っただけで、ただならぬ危険を感じる。自然と鼓動が激しくなる。

背後でかすかな音がする。三つの寝息が重なって聞こえる。私はナイフを握ったまま振り返った。

秀美がソファーに体を投げ出している。その横には菜穂が丸まっている。向かいでは雄介が椅子からずり落ちそうになっている。

私はゆっくりとソファーに近づいていった。秀美の前で足を止め、腰を落とす。鼓動が一段と激しくなる。痛いほどだ。

目を閉じ、大きく息を吸った。ゆっくりと吐き出し、また大きく吸った。鼓動が血管を伝って体内を上昇し、耳の奥でドクンドクンと重低音で鳴り響く。

深呼吸を繰り返しても鼓動はおさまらない。だが、いつまでも待ってはいられない。覚悟を決めて目を開ける。

右腕を前方に差し出していく。ゆっくり、ゆっくり――。

腕の先には小麦色の肌がある。今日一日でずいぶん焼けたものだ。わずかに汗ばみ、つやつやと輝いている。

ナイフはやがて首筋に到達した。鈍色《にびいろ》のエッジが皮膚に密着する。秀美はぴくりとも動かない。目を閉じ、規則正しく呼吸を繰り返している。睡眠薬が充分効いている。

あとは右腕を軽く引くだけでよい。新品の四四〇ステンレス鋼だ、すうっと引いてやれば、それで終わる。

私は右腕に力を入れた。しかし腕は動かなかった。さらに力を入れた。力を入れれば入れるほど筋肉が硬直し、一ミリとして動かなかった。

私は後方に倒れ込んだ。すると不思議なことに、腕の自由が回復した。はあはあと肩で息をしながらナイフを放し、バスローブの袖《そで》で掌をぬぐった。ぬぐってもぬぐっても、汗はあとからあとから湧いてくる。

どれほどの間床の上で脱力していただろうか。私は今一度ナイフを握った。体を起こし、横に移動する。

秀美の隣では菜穂が眠っている。横向きになり、手足を縮め、背中を丸め、まるで胎児のようだ。

菜穂は左胸を上にして眠っている。私は右腕を伸ばし、菜穂の左胸にナイフの切っ先を当てた。菜穂はTシャツ一枚きりしか着ていない。この右手にぐっと力を込めれば、ナイフは難なくシャツを破り、柔らかな皮膚を貫いていくことだろう。睡眠薬はよく効いている。苦しまずに逝かせてやれる。

しかし私は右手を押し出すことができなかった。また筋肉が硬直してしまったのだ。何度試みてもTシャツより先に踏み込むことができない。

私は大きく息を吐き出し、後方に下がった。右手の自由が回復した。ナイフを床に置き、ぐっしょり湿った掌をバスローブの裾《すそ》にこすりつけた。そしてふと思う。ナイフだからだめなのかもしれない。

私はバスローブの腰紐《こしひも》を抜いた。菜穂に覆いかぶさり、両腕を首に伸ばす。すーすーとかわいらしい寝息が聞こえる。菜穂の表情は安らかそのものだ。ほほえんでいるようにも見える。私はかぶりを振った。

菜穂から体を離し、振り返る。雄介がいる。ソファーからずり落ちそうな体勢で眠っている。

やはり最初にやるべきはこっちだ。

立ちあがり、雄介の方に寄っていく。一歩、二歩と近づき、バスローブの腰紐をしごく。首を手前に起こす。

雄介の体が椅子から滑り落ちた。うーんとうめくような声がした。しかしそれだけだ。雄介は目を開かない。

一昨日、会社の近くの心療内科を訪ねた。会社の経営状態が思わしくなく、明日にでもリストラされるのではないかと、毎晩毎晩眠れないのです——そう訴えて睡眠薬を手に入れた。それを家族の飲み物に混ぜておいた。

私は床に落ちた雄介の体に覆いかぶさった。バスローブの腰紐をしごく。頭を持ちあげ、首の裏側に紐を通す。喉仏《のどぼとけ》のところで紐を交差させる。

喉仏といっても、今はまだほとんど隆起していない。

まだ喉仏も膨らんでいない子供の命を奪ってしまおうというのか。

しかし、そんな子供が、もっと幼い命を奪ってしまったのだ。

私は躊躇《ちゅうちょ》を振り切り、紐の両端を強く握った。ぐいと引っ張ると、浅黒い首の皮膚がわずかにゆがんだ。ここでギアをもう一段上げれば目的は達せられる。

が、そこまでだった。私はついに渾身《こんしん》の力を込めることができず、紐から手を放し、雄介から離れた。

唸《うな》るような吠えるような、意味不明の言葉を発しながら頭髪を掻《か》きむしった。ふらふらと立ちあがり、ロマネ・コンティの瓶をつかんでベランダに出る。

中天に月が出ていた。空気が濁っているからなのか、なんとなく黄みがかっていた。星の輝きも、水面に浮かぶ埃《ほこり》のようで力ない。それでいて空全体が薄明るいのは、海岸沿いの建物から明かりが漏れているからなのか。

蔓草《つるくさ》模様をあしらったベンチに腰かけ、ロマネ・コンティを瓶からあおった。生ぬるくなった液体が唇からこぼれ、顎《あご》から首、首から胸へと伝い落ちた。

殺さなければならない。雄介を、秀美を、菜穂を、そして私自身を。私たち家族は死ななければならないのだ。

雄介が補導されるのは時間の問題だ。私が知らぬふりを通したところで、警察の手はかならず雄介まで伸びる。そのとき私たち家族はどうなる？

晒《さら》し者だ。糾弾され、後ろ指を指される。安眠を奪われ、外出もかなわない。住みかをなくし、仕事をなくし、友をなくす。安息の地を求めても、好奇の目が追いかけてくる。何年経っても何十年が過ぎても、世間は私たちを放っておきやしない。

雄介自身の前途も茨《いばら》の道だ。少年であるという理由により刑事罰を受けずにすみ、しかも十四歳未満という理由で少年院にさえも入れられなかったとなれば、多くの人々の反感を買う。心から罪を反省していたとしても、世間はそうやすやすと許してはくれまい。学校や企業は、雄介の現在と過去を切り離して扱ってくれるのか？　友人や恋人としてつきあってくれる者はいるのか？　加害者はいつまで経っても加害者扱いされるのが世の常だ。そうするうちに、一度は更生した心がまたすさんでしまうかもしれない。

損害賠償の問題もある。いったい一人あたり何億円支払わなければならないのか。雄介が百歳まで働いても追いつかない。私が手助けしてもとうてい無理だ。

雄介の補導は、すなわち私たち家族にとって地獄の扉が開くことである。ひとたび地獄に落とされてしまったら、二度とこの世には戻ってこられない。

結局、私たち家族は死ぬしかないところまで追い込まれる。

ならば今のうちに、雄介の行為が発覚する以前に死んでしまったほうがましなのではないか。そうすれば世間からの非難や中傷に苦しめられることもない。なにより、秀美や菜穂に真実を見せずにすむ。このおぞましい真実を知らないままこの世を離れられることは至上のしあわせである。

雄介の処分もある。彼は刑事責任能力を問える年齢に達していないため、警察に捕まっても刑事罰を受けない。世間はそれを不満に思う。しかし補導される以前の今であれば、私が彼を殺すことができる。わが手で死刑と同等の罰を与えるのだ。生きていても罪は償えないのだから、命を捧《ささ》げてそれで許してもらおう。それが、不肖の子を作り出してしまった親としてできるせめてものことだ。

私はそう考え、切れ味鋭そうなナイフを購入した。苦しみを与えまいと睡眠薬も用意した。家族としての最後の思い出を作ってやり、今までになく贅沢《ぜいたく》な体験もさせてやった。

最後の晩餐《ばんさん》は終わった。三人ともぐっすり眠っている。さあ、あとは死なせてやるだけだ。そして私自身もあの世に旅立とう。

だが、殺せなかった。ナイフを押し出そうとすると体が動かなくなった。

睡眠薬が充分効いている。首をかっ切ろうが、胸を刺そうが、苦痛を覚えることはないはずだ。それに、いま死なせてやることが彼らのためであるのだ。そう、私は愛をもって命を絶ってやるのだ。

だが、そう言い聞かせても最後の一線が越えられない。私は何に躊躇《ちゅうちょ》しているのだろう。

私はかぶりを振りながらロマネ・コンティをラッパ飲みした。最後の一滴まで飲み干すとタバコをくわえた。根元まで喫《す》いきると、次の一本をくわえた。一箱が空になってしまうまで喫い続けた。

空には黄色い月が出ている。少し西に傾いた。眼下には暗い海が広がっている。ところどころで赤や白の光が明滅している。潮の香りはなく、巨大な人工池のようだ。生ぬるい風が、時折頬をなでていく。

今日は中止しよう。

不意にそう思った。

なにも他人の家で派手《はで》に心中することもあるまい。ホテルに迷惑がかかる。父母に損害賠償が請求されるかもしれない。そう、今日は中止だ。死ぬのは帰宅してからにしよう。思い出深いわが家で死ぬのが一番だ。

私はタバコのパッケージを握り潰《つぶ》し、ベンチを立った。問題を先送りしただけなのだが、とりあえず胸のつかえが降りた。

その気持ちは数秒で暗転した。

室内に戻ったとたん、異様な臭いが鼻をついた。原因は一目瞭然《りょうぜん》だった。

秀美が血にまみれて倒れていた。

5

バスローブがぐっしょり朱に染まっている。床にも血だまりができている。

「お、おい？　秀美？」

声をかけ、体を揺さぶるが、反応はない。首筋がぱっくりと割れ、黄色い脂肪や赤い肉が露出している。

思わず顔を背けた。するともう一つの異様な光景が目に飛び込んできた。

菜穂も血まみれだった。上半身が真っ赤だ。Tシャツの左胸の部分が縦横に裂けている。

ハッとして振り返った。雄介は？

雄介は床に仰向《あおむ》けに倒れていた。血まみれではなかった。しかし顔の様子が尋常でなかった。紫色をしていた。パンパンに腫《は》れていた。鼻から出血していた。口元を吐瀉物《としゃぶつ》が汚していた。

両目をこぼれんばかりに見開いていた。首にはバスローブの腰紐が巻きついている。

「雄介？」

声をかけ、頬をはたいたが、反応はなかった。心臓に手を当ててみたが、鼓動は感じられなかった。

私は驚き、恐怖に震えた。しかしそれ以上に混乱した。

私が殺したのか？

いや、殺そうとはしたが、できなかったではないか。秀美の首筋にナイフを当て、菜穂の心臓にナイフを立て、雄介の首に紐を巻きつけた。しかしどうしてもその先に踏み込むことができなかった。

私はあらためて秀美を見た。血まみれだった。首筋が深く裂けている。

菜穂を見た。血まみれだった。左胸に十字の傷がある。

雄介を見た。顔が醜くゆがんでいた。首に紐が巻きついている。

三人とも間違いなく死んでいる。しかし私は殺していない。

どうして三人は死んでいる？　実は私が殺したのか？

6

「あなたがベランダに出たのは何時ですか？」

七三分けの男が言った。

「一時……、いや、二時だったか……。すみません、はっきり憶《おぼ》えていません。午前零時を過ぎていたのは間違いないのですが……」

私は頭を左右に振った。

「その時、ご家族のみなさんはどうしていらっしゃいました？」

「寝ていました」

「ベッドルームで？」

「リビングルームのソファーでです」

「倒れていたあそこですか？」

「はい」

「横になってくつろいでいたのですか？」

「いや、眠っていました」

「どうしてベッドでなくソファーで眠っていたのです？」

「ええと、それはですね、ディズニーランドで一日遊んで疲れていたのでしょう、ソファーでくつろいでいるうちに三人とも眠ってしまって。朝も早かったですしね。六時に家を出てきましたから。今のようなシーズンは、早く来ないと入場制限されて園内に入れてもらえないことがあるので。ええと、それで、ぐっすり眠っていたようなので、そっとしておきました。夏なので、ソファーで寝ても風邪はひかないかと」

　私は早口で言葉を連ね、額の汗をぬぐった。

　七三分けの男は山瀬という。千葉県警浦安警察署の刑事だ。私はパシフィックホテル東京ベイの従業員休憩室で事情聴取を受けている。警察はホテルの人間が呼んだ。よく憶えていないのだが、私が電話でフロントに助けを求めたらしい。

「あなたはベランダで何を？」

「夜風にあたりたくて……」

「ベランダから部屋に戻って、ご家族が倒れているのを発見したのですね？」

「はい」

「それは何時のことです？」

「ええと……」

「警察への通報は三時二十四分にされていますが」

「じゃあ、三時くらいでしょうか。いや、でも、はっきり憶えていません。すみません」

「一時か二時ごろにベランダに出たあと、三時ごろにご家族が倒れているのを発見するまでの間、室内には一度も戻らなかったのですか？」

「はい」

「ベランダから室内を覗《のぞ》いたことは？」

「ありません。カーテンも閉まっていましたし」

「人影も見ていない」

「はい」

「音はどうです。室内から物音が聞こえてきませんでした？」

私は額に手を当て、少し考えて、いいえと首を振った。

「あなたがベランダに出ていた間、部屋に通じるドアは開いていましたか？」

「いいえ。閉まっていました」

「誰かがベランダに出てきたということは？」

「ありません」

「出てくる気配もありませんでした？　ドアが開いてすぐに閉まるというようなことも」

「なかったと思います」

「では、ご家族が倒れているのを発見した時、部屋の入口のドアは開いていましたか？」

「ええと……、どうだったっけ……。すみません、憶えていません」

「ベランダに出る前、ご家族とくつろいでいらっしゃる時はどうです。入口のドアは開いていましたか？」

「たぶん開いてなかったと思いますが……」

「まあそう考えるのが妥当でしょう。このホテルのドアは、開け放しておくと自動的に閉まるようになっています」

山瀬は手帳を見返す。

「あのう、家内と子供は？」

私はおそるおそる尋ねた。

「残念ですが。お三方とも即死でした」

心臓がズキリとした。

「ところで富樫さん、タカバシシゲルという方をご存じですか？」

山瀬は感情のない調子で言った。

「いいえ」

「タカバシジュンコさんは？」

「いいえ」

「タカバシショウタ」

「いいえ。どこのどなたです？」

「一一〇六号室の宿泊客です」

「このホテルの？」

「そうです。家族三人で泊まっていました」

「あのう、どうして私にお客さんのことを？」

「タカバさんの一家は部屋で殺されていました」

「え？」

「隣室の宿泊客から、悲鳴が聞こえたという電話がフロントに入り、ホテルの客室係が合鍵《あいかぎ》を使って一一〇六号室に入ってみたところ、三人が倒れていました。三人とも刃物のようなもので刺されて即死でした」

私は絶句した。

「同じホテル内での事件です。発生時刻は近く、殺害方法も同じ。同一犯によるものである可能性がきわめて高い。そこで、二家族に共通した人間による犯行という線も考えられるわけですが」

「あ」

「心あたりがあります？」

「あ、いえ、何でもありません」

心あたりがあった。タカバ——鷹羽——そのような人物の名刺が雄介の机の引き出しにあった。殺されたのは名刺の人物なのか？　何者？　雄介とどうつながっている？　同じホテルに宿泊していたのは偶然なのか？

「最近、トラブルを抱えていませんでしたか？」

動揺は悟られなかったようで、山瀬は質問を変えた。

「私が、ですか？」

「またはご家族が」

「いいえ」

「金銭的なトラブル、人間関係の軋轢《あつれき》、仕事上の対立」

「まったく心あたりがありません。あのう、これは強盗によるものではないのですか？」

先ほど警察にうながされて調べたところ、ズボンの後ろポケットに入れておいたはずの財布がなくなっていた。秀美のバッグの中にも財布が見あたらなかった。

「見た目で決めつけるのは早計です」

「一一〇六号室のほうはどうだったのですか？」

「あちらも財布が見あたりませんでした。タカバさんのことが気にかかりますか？」

山瀬は探るような目をよこす。

「それは、その、同じ被害者として……」

私は言葉尻《じり》を濁して顔を伏せた。

「そうですか。あと、つかぬことを伺いますが、今日はまたどうしてスイートルームなどに泊まられたのです？　一泊二十万円の部屋だそうじゃないですか。家族旅行にしては桁《けた》外れな贅《ぜい》沢《たく》ですよね」

「それは、その、前々から、一度はスイートルームというところに泊まってみたいと思っていて、家族でそう話していて、たまたま家計に余裕があったので、思い切って……」

背中から汗が噴き出す。そんなことがあるはずはないのだが、すべてを見通されているような気にさせられる。

「せっかくの夜が大変なことになりましたね。心からお悔やみ申しあげます」

山瀬は神妙そうに頭を下げ、ひとまずこれで終わりにしますと手帳を閉じた。

「あのう、家内と子供はどこに？」

私は尋ねた。

「現在、千葉中央大学の医学部付属病院です。司法解剖が済みしだいお返しします。ご自宅のほうにお届けしてよろしいですか？」

物のような言い方である。

「よろしくお願いします。それで、これから私はどうすれば？　家に帰っていいのでしょうか？」

「結構です。本日の午後にあらためて事情聴取に伺いますので、それまでお休みください」

「わかりました。よろしくお願いします」

何をお願いしているのかわからなかったが、ぺこぺこ頭を下げ、席を立った。

「富樫さん」

部屋を出ていこうとすると背後から声がかかった。

「はい？」

「紐《ひも》はどうされました？」

「あ」

私はバスローブ姿だった。動転していて着替えるどころではなかった。腰紐も、あの時、抜き取ったままだった。

「それは、そのう、めんどうなので使いませんでした。ほら、この紐もありますし」

バスローブの胸の部分には短い紐が縫いつけられていて、左右のそれを結んでおけば、とりあえず前がはだけることはない。

「なるほど、そうですか」

山瀬はあっさり引き下がった。私のだらしのない格好を見て、ちょっと訊《き》いてみたくなっただけなのだろうか。

胸騒ぎがする。

私が雄介の首に巻きつけた腰紐が、そのまま凶器として使われた——おそらくそうなのだ。だから何だというのだ。私が殺したわけではない。だが、この妙な胸騒ぎは何なのだろう。

そしてもう一つハッとさせられた。

「妻と娘は何で刺されたのですか？」

私は部屋の中に戻って山瀬に尋ねた。

「今は鋭利な刃物としかいえません。凶器はまだ見つかっていません」

私が用意し、私が部屋に放っておいたナイフが凶器として使われたのではないか。きっとそうだ。死体を発見した際、ソファー周りに見あたらなかった。犯人が持ち去ったのだ。

「一一〇六号室の事件の凶器は見つかっていますか？」

「いいえ」

「うちも、あちらも、同じ刃物で刺されたのですか？」

「その可能性は多分にあります」

私は小さく唸《うな》った。

「心あたりでもあるのですか？」

「いえ、何も」

だから何だというのだ。仮に凶器があのナイフだとしても、使ったのは私ではない。

そう言い聞かせても胸騒ぎがおさまらない。

7

葬儀は自宅近くの斎場で行なった。

誰かが葬儀屋を呼び、棺桶《かんおけ》のランクを決め、遺影用の顔写真を選び、通夜の酒肴《しゅこう》を用意した。私は人に言われたとおりの場所に座り、言われたとおりの動作を繰り返した。

誰に声をかけた憶《おぼ》えもないのに、ものすごい数の弔問客が集まった。初対面の親戚《しんせき》、雄介と菜穂のクラスメイト、秀美のパート仲間、ハマナカ食品の取引先の人間、市議会議員――。まるで一流企業の社長の葬儀のように盛大であった。

葬儀のあと、私や秀美の親兄弟が、あと片づけを手伝うと申し出てきたが、独りにしておいてくれとすべて断わった。

事件が事件だけにマスコミの騒ぎようも尋常ではなかったが、電話線を抜き、雨戸を閉ざし、雑音をシャットアウトした。新聞やテレビもいっさい見なかった。

泣くでもなく、遺品を整理するでもなく、私は毎日をぼんやりと過ごした。

悲しくないわけではなかった。出棺の際には号泣した。嘘の涙ではない。愛する家族をすべて失い、本当に悲しかった。心にぽっかり穴が空くということはこういうことかと実感し、空いた穴の大きさに気がおかしくなりそうだった。

　家族の死は私の望みであったはずだ。雄介の行為が発覚する前に死んでしまうことが家族にとっての一番のしあわせだと考えていた。ならば、そのしあわせが現実のものとなった今、私は大いに喜ばなければならないのではないか。

　なのに、ああよかったという気分にはなれない。むしろ悲しく、やりきれない。気持ちが矛盾している。どちらが本当の私なのか。

　矛盾した気持ちはほかにも多くある。

　たとえば、私は家族を殺そうと計画し、しかしギリギリのところで二の足を踏んでいた。そんな時、誰かが家族を殺した。殺してくれた。私が殺す手間を省いてくれたのだ。したがって私は犯人に感謝すべきなのではないか。ところがそんな気には少しもなれない。どちらかというと犯人に憤りを感じている。

　またたとえば、家族を殺したあと、私もあとを追うつもりでいた。私は家族を殺せなかったが、誰かが代わりに殺してくれた。ならば、あとは私自身が死ぬだけである。しかし私は今もまだ生きている。家族の死体を発見したあの場では、激しく動転し、自殺どころではなかったのかもしれない。けれどあれからどれだけ時間が経った。それでもまだ生きているということは、実は私は死ぬ気などないのではないか？　ところが心のある部分には、どうしてベランダまで出てきて私も殺していかなかったのかと、犯人を恨めしく思う気持ちが存在している。

　何が本音で何が建前なのかさっぱりわからない。追究すると頭が変になりそうなので、私はあえて何も考えないよう心がけていた。

しかし人間の頭の構造は複雑である。ぼんやりしているつもりでも、その合間合間に、ふと閃《ひらめ》いてしまうことがある。

ある日私は、自分に死ぬ気はないのだと悟った。なぜなら私はひとつの恐れを抱いている。ナイフと腰紐だ。

そのことでずっと胸騒ぎが続いている。私が用意したナイフはおそらく、犯人に拾われ、凶器として使われている。ところが私はナイフのことを警察に黙っている。ナイフを部屋に持ち込み、家族が寝ているそばに放置しておいたと、どうして言わない。腰紐についても、自分がバスローブから抜いて息子の首に巻いたのだと、どうして申告しない。

理由は明らかだ。私に疑いの目が向けられるのではないかと恐れている。犯人扱いされなかったとしても、ナイフを放置し、紐を首に巻くという不用意な行動を責められはしないかと恐れている。

生への執着があるからこそ、そのような恐れを抱くのだ。死ぬ気があるのなら、いらぬ心配をする前にさっさと首を吊《つ》ってしまえばいい。

さらにある日、恐ろしくも絶妙な閃きを得た。

雄介は死んだ。今ここでコルト・ウッズマンを処分してしまえば、雄介の行為は闇の中に葬り去ってしまえるのではないか。夜光塗料も名刺も破れたタイヤとチューブも捨ててしまう。

雄介が行なったことが発覚しなければ、その余波が私に及ぶことはない。親としての責任は問われず、遺族への謝罪と損害賠償に頭を悩ますこともない。この家を追われることもなく、仕事も続けられる。

人でなしだ。こういう親だからこそ子供が人殺しに育ったのだと、私ははっきりと認識した。

8

事件から十日が経った八月十五日のことである。

遅くに目覚めてコーヒーを飲んでいると警察の訪問を受けた。

事件以来、一日に一度は事情聴取を受けていたので、警察の訪問自体は珍しいことではなかった。ただこの日は、最初からいつもとは様子が違った。いつもは、山瀬と、その同僚の高橋という刑事がコンビを組んで訪ねてきていたのだが、この日は高橋がおらず、その代わりに岸と藤田という二人が顔を出した。

おかしなのは、二人の肩書きに埼玉県警とあったことだ。だが、名刺を受け取った私は、千葉から日参するのは面倒なので地元の警察にバトンタッチするのだろう、くらいにしか考えず、三人を居間に通した。

事情聴取の内容はいつも同じだった。ベランダには何時から何時までいたのか、人影を見ていないか、不審な物音を聞いていないか、家族の誰かが恨みを買っていたということはないか――飽きもせず、繰り返し尋ねてくる。この日も同じで、そして質問はドアのことになった。

「ご家族とくつろいでいらした時、部屋の入口のドアは開いていましたか?」

「確認はしていませんが、たぶん閉まっていたはずです」

「ご家族が倒れているのを発見した時、部屋の入口のドアは開いていましたか?」

「それも憶えていません」

いつもなら山瀬はここで、そうですかと引きさがり、一二〇六号室の宿泊客は知り合いではないのかと尋ねてくる。

「おかしいですねえ、憶えていないはずはないんですがねえ」

このように食いさがってくることはかつてなかった。

「そう言われても……」

私は本当に思い出せないのだ。

「あなたはドアの状態を自分の目と手で確認したはずですよ」

「え?」

「ご家族が倒れているのを発見したあなたはフロントに電話しました」

「ええ」

「するとホテルの客室係が部屋にやってきた。警察を呼ぶ前に事実を確認しようとしたのです」

「ええ、来ました」

「客室係は、入口のドアは閉まっていたと証言しています」

「ああそうなんですか」

客室係の証言があるのに、どうして何度も戸締まりについて質問してくるのだろう。

「ドアが閉まっていたので、客室係はノックしてあなたを呼んだ。あなたはノックに応じてドアを開けた。違いますか？」

「細かいことはよく憶えていません」

「ドアを開ける際、あなたはまごついていたと客室係は証言しています。最初、チェーンをかけたまま開けてしまい、いったんドアを閉め、チェーンをはずしてから再度開けた。そうですね？」

「ええと……」

まったく記憶に残っていない。

「客室係のこの証言は実に重要な意味を持っています。あなたのご家族を殺害した犯人は、どこから部屋を出たのでしょう」

「どこからって、ドアから」

「廊下に？」

「ええ」

「廊下に出たあと、どうやって鍵《かぎ》をかけたのですか？」

「どうやってって、廊下に出てドアを閉めれば自動的にロックされますけど」

「チェーンは？」

「あ」

「廊下に出たあとチェーンをかけることはできません。しかし現実にはチェーンがかかっていた。となると、犯人は廊下には出ていないということになる。では廊下以外のどこに出ていけるか。一ヵ所だけあります。ベランダです。ベランダに出たあと、ロープを使って下の部屋に逃げるか、あるいは仕切り板を乗り越えて隣室のベランダに侵入する。ところがベランダには、富樫さん、あなたがいた。そしてあなたは、誰も出てきていないと主張している。廊下には出ていない、ベランダにも出ていない。出口はその二ヵ所以外にはない。おかしいですね。犯人はどこに消えたのでしょう」

「自作自演だと!?」

私は血相を変えて立ちあがった。山瀬はイエスともノーとも答えず、

「おかしな点はもう一つあります。犯人はどうやって部屋に入ってきたのでしょう。考えられるのは二つです。合鍵またはピッキングによる侵入、もしくはノックしてドアを開けさせせ──

──」

「私が犯人だとおっしゃるのですか?」

私は山瀬をさえぎった。救いを求めるよう、ずっと黙っているだけの埼玉県警の二人に目を送る。二人とも無表情でこちらを見据えている。恐ろしくなり、私から視線をはずした。

「富樫さんが犯人? そう聞こえました? 私は、犯人がどこに消えたのか不思議だと言ったまでですが」

「私は違う。何もしていません」

「座ったらいかがです」

藤田が抑揚のない声で言った。私は立ったまま抗弁する。

「ホテルマンが勘違いしているのではないのですか。本当はチェーンはかかっていなかった」

「客室係は間違いないと言っています」

と山瀬。

「言ってるだけなのでしょう。証拠はない」

「ええ、証拠はありません」

「じゃあ――」

「ですから、別角度から話をしようとしていたのです。まあ座ってください」

「私は何もしていません」

私は腰を降ろした。

「犯人はどうやって部屋に入ってきたのでしょう。考えられるのは二つです。合鍵またはピッキングによる侵入、もしくはノックしてドアを開けさせ押し入った。これはいいですね？」

「ええ」

「しかしパシフィックホテル東京ベイの場合、合鍵による侵入はほぼ不可能だとわかりました。まず、ホテルが所持している合鍵ですが、これはダイヤル式の鍵のかかったロッカーに厳重に保管されており、番号は客室担当の幹部しか知りません」

「過去の宿泊客は？　自分が泊まった部屋の鍵を外に持ち出し、合鍵を作らせたのかもしれません」

「それはありえません。なぜならパシフィックホテル東京ベイの客室に採用されている鍵は構造が特殊で、そこらの金物屋で合鍵を作ることができないのです。防犯性を考慮してのことだそうです。複製を作る場合はメーカーに直接依頼する必要があり、しかもメーカー発行のライセンスを提示しなければならず、ライセンスは支配人室の金庫の中に保管されています。つまり、事実上合鍵は作れません」

「ピッキングは？」

「それもありません。防犯性の高い鍵なのです。シリンダー内部のピン配列が複雑で、パターンは実に一千億通りもあるそうです。それに、ピッキングを行なうとシリンダー内部に不自然な傷が付きます。あの部屋の鍵の内部に不審な傷跡は認められませんでした。

合鍵とピッキングはだめ。すると、ノックしてドアを開けさせたと考えるしかないわけですが、あなたはノックに応じていませんよね？」

「あたりまえでしょう。ベランダにいましたから」

「あなたでないとしたら、ご家族の誰かが応じたことになります」

「ええ」

「しかしあなたはたしか、ベランダに出ていく際、三人とも眠っていた、とおっしゃっている」

「それは、ノックの音に目が覚め――」

そこまで言って、私はハッと口をつぐんだ。

「秀美さん、雄介君、菜穂ちゃん、三人の体内からフルニトラゼパムが検出されています。睡眠薬です。ノックの音程度で目覚めるような軽いものではありません。つまり、部屋の中からドアを開けられる者は一人としていないのです。合鍵とピッキングはだめ、中の人間に開けさせるのもだめ、犯人はいったいどうやって室内に入ることができたのでしょう」

私はぶるぶる首を振った。

「富樫さん」

「あ、はい」

「あなたは八月二日に東京都板橋区の長谷川メンタルクリニックに行き、医師に不眠を訴え、フルニトラゼパム一ミリグラム錠を二週間分処方してもらっていますね？」

全身がカッと熱くなった。生唾《なまつば》が次々と湧いてくる。

山瀬は黙っている。こちらの出方を待っている。うまく切り抜けなければと思うのだが、気が焦るばかりで何も考えられない。

がたりと音がした。埼玉県警の岸がこちらを見おろしている。

「トイレを貸してください」

岸はロボットのような調子で言った。

「あ、はい。出て左です」

ワンクッション入ったことで頭が少し落ち着いた。

「家内も子供たちも遊び疲れて、疲れすぎて神経がピリピリして眠れそうにないというもので、私の薬を、その、渡しました」

そう答え、上目づかいに山瀬を見る。

「富樫さん」

「はい？」

「八月三日、あなたは上野に行っていますね？」

「え？」

「アメ横の市村商店で買物をした。米軍関係のミリタリーグッズを扱っている店です。あなたはそこでコンバットナイフを買い求めた。アメリカ海兵隊で使われているスペシャルU・S・M・Cというモデルです」

ふたたび頭の中が真っ白になった。

「そして三日前のこと、パシフィックホテル東京ベイの十メートル沖合の海中から、刃渡り二十センチのスペシャルU・S・M・Cが発見されました。刃には複数の血痕《けつこん》が付着しており、鑑定の結果、富樫秀美さんと菜穂ちゃん、ならびに一一〇六号室の三人の血液型と一致しました」

「違う、違うんです」

頭を抱え、激しく振る。得体の知れない恐怖を感じた。目に見えない大きな力が働いている。

「聞いてください」

私は顔をあげた。

「どうぞ」

「おっしゃるとおりです。私はアメ横でナイフを購入しました。ですが誤解しないでください。護身用に買ったのです。この春、近所の男の子がさらわれ、殺されました。一連の男児誘拐殺害事件の最初の事件です。事件後、この界隈《かいわい》には多くの人がやってくるようになりました。被害者のお宅や事件現場を見物するためです。中には、バイクや車で走り回ったり、家屋を傷つけたり、住民にちょっかいを出したりする者もいました。今もそうです。夜道を歩くのは大人でも怖いものがあります。それで、護身用にとナイフを。事件当日もバッグに入れて持ち歩いていました。それを犯人に使われたのです」

目を血走らせ、身振り手振りをまじえて訴える。ああ自分はやはり死ぬ気がないのだと実感する。

「なるほど。しかし今の話が事実として――」

「本当です！」

「犯人の侵入経路をどう設明します？　犯人が鍵を開けることも、中の人間に開けさせることも不可能なのですよ」

「それは……」

たしかにこのままでは私しか犯人になりえない。しかし、嘘で嘘を塗り固めている私ではあるが、殺人を犯していないことだけは本当である。捜査に決定的な見落としがあるとしか思えない。

それとも――実は私が殺したのか？

私の記憶には、秀美の首筋にナイフを当てたが掻《か》き切ることができなかった、と残っている。しかし実はザックリやったのではないのか？　菜穂の心臓もえぐり、雄介の首も絞めた。そうして殺しておきながら、罪の意識を感じたくないがために、殺害の場面だけを記憶の中から消去してしまった。

「まあいいでしょう。次がつかえているので、私の話はこのへんにしておきます」

山瀬が席を横にずれた。

「古い話になりますが――」

藤田が私の正面に移った。

「今年の春のことです。三月二十六日の月曜日、あなたは会社を休んでいますね？」

「三月二十六日？」

尋ね返してから、ハッとした。

「江幡真吾君が誘拐された日です。欠勤しましたね？」

「え？　休んだ？　ええと、いえ、休んでないと思いますが」

雄介を疑いはじめてからはちょくちょく欠勤したが、三月当時は有休も取らずに働いていたはずだ。

「いいえ、休んでいます。ハマナカ食品の総務部でタイムカードを確認しました」

「え？」

「半年近く前のことなので忘れてしまいましたか？　ではもう少し新しいことを。四月二十五日の水曜日も欠勤しましたね？」

「四月二十五——。どういうことです？」

四月二十五日は馬場雅也が誘拐された日である。

「憶《おぼ》えていませんか？　では五月二十三日の水曜日はどうです？　休みましたね？」

五月二十三日には赤羽聡が誘拐された。

「ちょ、ちょっと、待ってください。じゃあ次は、六月二十日も休んだかとおっしゃるので？」

六月二十日、尾嵜豪太の誘拐が発生。

「さすが察しがいいですね。正確には、六月二十日の水曜日に半休を取りましたね、ですが。午後休を」

「取っていません。五月二十三日も四月二十五日も休んでいません」

「嘘はいけませんね。勤め先の記録に残っているのですよ」

「嘘だなんて……」

私は目を閉じ、額に手を当てた。頭がかーっと熱くなっていて記憶を探るどころではない。

「さて富樫さん、三月二十六日、四月二十五日、五月二十三日、六月二十日、これらの日に会社を休んで何をしていたか教えてください」

鳥肌が立った。

「おや、もうお忘れで？　あなたにとって人命はそれほど軽いということですか」

「ど、どういうことです？　私が、私が、その、あの、誘拐犯だと？」

「違いますか？」

「ち、ちが、違います。ど、ど、どうして私……」

口が回らない。目の奥が熱い。

得体の知れない恐怖。目に見えない大きな力が働いている。

「思い出させてあげましょう」

背後から声がした。振り向いた次の瞬間、手足の先からすぅーと血が退《ひ》いた。

岸が立っていた。彼は手にバッグを提げていた。ハンティングワールドの――私の旅行鞄《かばん》だ。

「これは何です？」

岸はバッグの中に手を突っ込み、円筒形の小さな容器を取り出した。夜光塗料の缶だ。

「これは？」

次に、紙片を取り出した。名刺だ。岸はそれをポーカーの札を配るように一枚一枚床に並べていく。江幡孝明、馬場明史、赤羽万里子、尾嵜毅彦、そして鷹羽茂。

「これでも思い出せませんか？」

そしてコルト・ウッズマンと弾丸の詰まった箱を私に突きつける。

なんということだ。処分してしまおうと、雄介の部屋から持ち出してまとめておいたものを発見されてしまった。

「令状なしに家捜しして違法だと？　訴えますか？」

岸は不敵に笑って、

「黙っているということは、四件の誘拐殺人を認めたと解釈してよろしいのですね？」

違う、と言おうとするが声が出ない。

「富樫さん、あなたは嘘をついた」

山瀬が立ちあがり、岸のそばに寄っていった。

「一一〇六号室の宿泊客は見ず知らずの人間だと言っていた。ほう、見ず知らずですか」

と鷹羽茂の名刺を拾いあげる。

声が出ない。狂ったように首を横に振る。

「山さん、こういうものも見つけましたよ」

と岸がズボンのポケットから取り出したのは黒革の札入れだった。留め金のデザインを一目見て、その正体がわかった。私のだ。パシフィックホテル東京ベイのスイートルームから犯人が持ち去ったはずの札入れ。

岸は続いて札入れをもう一つ取り出した。ルイ・ヴィトンのモノグラム——秀美のだ。これも事件後消えていたものだ。

財布はもう一つあった。茶革の二つ折りタイプ。見憶えのないものだ。だが岸に中身を見せられ、私の背中は粟《あわ》立った。中に免許証が入っていた。名前は鷹羽茂となっていた。

眩暈《めまい》がした。高熱に冒されたように、体ががたがた震えだした。

「あなたは自分の家族と鷹羽さん一家を強盗による犯行に見せかけて殺害した」

藤田が朗々とした声で言った。

「殺害の真の目的は何なのです？」

と岸。

「一連の誘拐殺害事件との関連は？」

山瀬。

「陰謀だ」

やっと声が出た。

「これは誰かの陰謀です」

立ちあがり、三人に順に目を送る。

「陰謀？　映画のようなことを言いますね」

藤田が鼻で笑った。

「本当です。誰かが私をはめようとしている。とにかく話を聞いてください」

「どうぞ」

「財布に関しては狐につままれた思いです。いったいうちのどこにあったのです?」

「おやおや、芝居がかったことを」

「本当です。私と家内の財布は本当にホテルの部屋でなくなったのです。鷹羽さんの財布は今はじめて見ました。私は一一〇六号室を訪ねてもいません。ずっと自分の部屋のベランダにいました」

「しかし、現にこの家の中から財布が出てきた。真犯人がこの家に侵入し、財布を置いていったわけですか」

「そうとしか言いようがありません」

「笑い話にもなりませんな」

「だから、何かの陰謀だと言っているのです」

「陰謀、ね」

「それから、拳銃《けんじゅう》と名刺と夜光塗料については憶えがあります。私が旅行鞄の中に入れました。しかし私のものではない。使ったのは私ではありません」

「わけがわかりませんな」

山瀬が笑った。

「聞いてください。拳銃と名刺と夜光塗料は息子が持っていたのです」

「雄介君が?」

「そうです。雄介が自分の部屋に隠し持っていました」

「また、わけのわからないことを。言い訳にもなっていませんよ」

「本当です！」

「あなたが言うことが正しければ、雄介君が四人の男の子を殺したことになる。小学六年生が？　とても信じられませんな」

「私も信じられません。ですが、いろいろ調べた結果、わかったのです。一連の誘拐殺人は雄介が行なったのです」

私は瞬《まばた》きもせずに山瀬を見つめた。

その時だった。

ガチャリと音がして、玄関に通じるドアがゆっくりとこちら側に開いた。

「やっぱり自分が一番かわいいんだ」

その声に私は戦慄《せんりつ》した。

ジーンズが見えた。Tシャツが見えた。華奢《きゃしゃ》な体の人間がドアの陰から現われた。

「雄介？」

私は目を剝《む》き、そのまま凍りついた。そう、その顔はどう見ても死んだはずの雄介だった。

「この前はずいぶんなことをしてくれたね。チョー苦しかったよ」

雄介は首筋をなでながら、何やら細長いものをこちらに放った。バスローブの腰紐が私の足下に音もなく落ちた。

*

身もだえしながら溜《た》め息をついたら、隣でがさごそ音がした。

「どうしたの？」

かすれたような声がした。

「いや、何でもない。ちょっと寝つけないだけだ」

「ウイスキー持ってこようか？」

「いや、だいじょうぶだ」

「そう。じゃあ、おやすみ」

秀美はすぐに寝息をたてはじめた。

私は腹這《はらば》いになって顔をあげた。目覚まし時計は二時を指していた。七月十九日の午前二時。疲れているのか、秀美は軽い鼾《いびき》をかきはじめた。その向こうから、別のかわいらしい寝息が聞こえてくる。菜穂は今日も寂しがって、母親の布団にもぐり込んでいた。

数時間前、私は思った。

私がだんまりを決め込んだとしても、早晩雄介は警察に捕まり、私たち家族は生き地獄に突き落とされる。遺族への謝罪のしようもない。苦しみに苦しんだあげく、死ぬしかないところまで追いつめられることだろう。それならいっそ苦しみを味わう前に死んでしまったほうがましだ。

そう思った私は早速、布団の中で一家心中を計画した。

だが私は家族を殺すことができなかった。彼らの命を絶ってしまうことが忍びなかったわけではない。自分の手を血で染めたくなかったのだ。だから自分で殺すことを躊躇《ちゅうちょ》しておきながら、誰かに殺させている。私は臆病《おくびょう》で卑怯《ひきょう》な男だ。

おまけに、せっかく誰かが家族を殺してくれたというのに、自分の命を絶つことができなかった。想像の中ですら自殺できない人間が、どうして現実に自殺できよう。私は死にたくないのだ。まだこの世に未練を持っている。

結局、一家心中を企てたところで未遂に終わってしまうことだろう。

それに、もし一家心中したとしたら、残された人々に多大な迷惑がかかる。私と秀美の親兄弟だ。死体の後片づけもそうだが、私たちの死後、雄介の残忍な行ないが発覚した時、彼らが私たち夫婦になり代わってマスコミの取材攻勢を受け、世間の非難を浴びるはめになる。先立つだけでも不孝だというのに、それ以上のストレスを与えようというのか。

では、一族もろとも心中してしまうか。とうてい無理な話だ。

一家心中する前に、雄介の秘密が決して表に出ないよう隠蔽《いんぺい》工作をしておけば親兄弟に迷惑はかからないけれど、そうやすやすと隠蔽できるのであれば、一家心中する必要もない。

結局、私は死ねない。

死ねないのなら生きるしかない。

しかし、生きるということは地獄の中に身を落とすことである。

ならば、男らしく腹をくくるか。地獄へ落ちるその日をびくびく待つのではなく、こちらから地獄の門を叩《たた》く。雄介と話し合い、一緒に警察に出頭するのだ。

わが子を人を殺すような人間に育ててしまった私は親として失格だ。しかし今ここで、人命の尊さを説き、戒め、人として正しい道に戻してやることが、親としての最低の務めではなかろうか。わが子の犯罪を知りつつ、警察が気づかないこともあるかもしれないと知らぬふりをとおすことは、人の命を奪ったわが子以上に罪深い。

父親の資格があるかどうか、私は神様に試されている。

III

1

七月二十二日、夏休み最初の日曜日。

昼食を兼ねた遅い朝食のあと、秀美が菜穂を連れて所沢のデパートに買物に出かけた。それと入れ替わるように雄介が外から戻ってきた。朝早くから進学塾の夏期講習を受けにいっていたのだ。もちろん、実は塾は通っているふりだけなので、ゲームセンターかどこかで時間を潰《つぶ》していたのだろう。

帰宅してきた雄介は、デイパックを背負ったまま作り置きのサンドイッチを牛乳で流し込み、口をもぐもぐさせながら二階にあがっていった。私にただいまと言うこともなければ、母と妹はどこに出かけたのかと尋ねることもなかった。

私は台所に立ち、薬缶《やかん》をコンロにかけた。白磁のティーポットにダージリンの茶葉を入れ、ポットと揃いのティーカップをテーブルに並べ、湯が沸く間に服を着替えた。

ティーポットに熱湯を注ぐと、熟したブドウのような香りが漂い昇ってきた。ポットにキルティングのティーコージーをかぶせ、砂時計を倒す。赤い砂が落ちきったら、二つのカップに注ぎ分ける。白い器に、透き通るようなオレンジ色が映える。

「雄介」

最後の一滴まで注ぎきると、私は二階に向かって声をかけた。

「あー？」

大儀そうな声が返ってきた。

「お茶飲むか？」

返事はなく、階段を駆け降りてくる音がした。

居間に入ってきた雄介は、食卓の上のティーカップを覗《のぞ》き込み、顔をしかめた。

「薄いよ。葉っぱケチったでしょ」

「これはそういう上品な紅茶なんだ」

「あ、そう」

砂糖を二杯ぶち込み、ミルクをカップの縁までなみなみと注ぎ、上品な紅茶をだいなしにしてしまうと、雄介はソーサーを手に取ってテーブルを離れた。居間を出ていこうとする。

「下で飲んでいけよ」

「ここで？」

「いいだろう」

「まあいいけど」

雄介は部屋の中に戻ってきてソファーに腰を降ろした。

「勉強中だったのか？」

私もティーカップを持ってソファーに移動する。

「まあね」

「はかどっているか？」

「まあまあ」

雄介はテレビを点《つ》けた。

「アイスのほうがよかったか？」

「アイス？」

「アイスティー」

「べつに、どっちでも」

雄介は紅茶をすすりながらリモコン片手にザッピングする。のど自慢、囲碁、トーク、バラエティ、海外ドラマ――。

「なあ」

私はぼそっと声をかけた。

「え？」

雄介はテレビに向いたまま応《こた》えた。

「いや、なんでもない」

私は首を左右に振った。雄介はリモコンを置いた。テレビの画面には、泣き顔で丼飯を掻《か》き込んでいる女性タレントが映し出されている。

「ねえ」

テレビから目を離さず、雄介が言った。

「な、なんだ」

私はびくりと居住まいを正した。

「なんでお客さん用のを使ってるの？」

雄介はティーカップの縁を指先で弾《はじ》いた。普段は、紅茶もコーヒーもココアも牛乳もスープも、同じマグカップで飲ませている。

「お母さんは惜しがって食器棚の奥にしまってるけど、道具というものは使ってやってはじめてその価値を発揮する」

「いえてる。お客さんにいいもの使わせて自分たちがボロいので我慢するなんて馬鹿げてる」

「なあ雄介」

「ん？」

「あー、いや、なんでもない」

私はまた口を濁してタバコをくわえた。

テレビの音が消えた。

「ごち」

雄介が腰をあげた。

「もう飲んだのか？」

私も立ちあがった。

「あれ？　今から仕事に出かけるの？」

雄介が不思議そうな顔をした。

「いや、そういうわけじゃないんだが」

私は頭を掻いた。私はスーツを着込んでいた。一番気持ちが引き締まる服装なので、これを選んだ。

「ふーん、じゃあ」

雄介がソファーを離れた。ダイニングテーブルの横も通り過ぎた。ドアのノブを回した。私はみたび声をかけた。

「雄介」

「ん？」

「一つ謝らなければならないことがある」

「え？」

ノブに手をかけたまま雄介が振り返った。目が合った。私はさっと顔をそむけた。

「謝るって、何を？」

雄介が近づいてくる。

「ねえ、何なの？」

いらついたように言う。すぐ近くで足音が止まった。私は覚悟を決め、足下に向かって言った。

「その、お父さん、ええと、部屋に入った。雄介の部屋に」

「は？」

「雄介の部屋に勝手に入った」

「え？」

「勝手に入って、その、机の引き出しを開けた。中を覗いた」

反応がなかった。おそるおそる顔をあげる。雄介の口は半開きで、目は宙を泳いでいた。

私は言った。

「一番下の引き出しも」

反応はない。

「二重底になっていて、ピストルが隠されていた」

小さな喉仏《のどぼとけ》が上下に動いた。

「一番上の引き出しには名刺があった。真吾君のお父さんの名刺が。馬場さん、赤羽さん、尾嵜さんという人の名刺もあった。整理棚も覗いた。クッキーの缶を開けた。夜光塗料が入っていた」

雄介はゆるくかぶりを振った。

「部屋に勝手に入って持ち物を調べたことは謝る。しかし説明してほしい。なぜ子供のおまえがピストルを持っている。いや、日本では大人でもピストルを持つことは禁じられているのだよ」

雄介は答えない。

ひと呼吸、ふた呼吸待った。

雄介は唇を嚙《か》んだままだ。

「訊《き》きたいことはほかにもある。大谷進学会をやめているね？」

雄介の頰がぴくりと動いた。

「退会届を偽造した。パソコンで文章を打ち、玄関に置いてあるはんこを勝手に捺《お》した。夏期講習を申し込んでもいない。今朝出かけたのも演技だ。ハンバーガーでも食べながら時間を潰していたのか？」

雄介は目を伏せた。

「それから、ずいぶん前になるが、自転車がパンクしたことがあったね。タイヤが切り裂かれたような感じの、ひどいパンクだ。あのとき雄介は、駅前の駐輪場に置いている間にホームレスにいたずらされたと説明した。しかし本当は畑でパンクしたのだろう？　真吾君の遺体が見つかった、あの小屋のところで」

雄介は答えない。

ひと呼吸、ふた呼吸待った。

雄介は答えない。それでも私は待った。

やがて雄介は口を開いた。

「おもちゃのピストルだと言っても納得しないよね」

はにかむような表情だった。私は黙ってかぶりを振った。雄介は笑みをおさめた。

「つまり――」

雄介は何かを切り出そうとして顔を伏せた。十秒ほど間を置いてから、うつむいたまま続けた。

「つまりお父さんは、僕が真吾君を殺したと」

今度は私が躊躇《ちゅうちょ》する番だった。

「お父さんは、真吾君やほかの男の子を僕が殺したというんだ。あのピストルで」

雄介は顔をあげ、潤んだ瞳をこちらに向けた。

「そうだ」

私は目をそらさず、きっぱり答えた。

「僕は何もしていないよ」

雄介はそう言ったのち、少し間を置いて、

「――と言ったところで信じてはくれないんだろうね」

溜《た》め息をつきながら首をすくめた。

「説明がないことには納得のしようがない」

「説明したくないと言ったら？」

「説明できないのだと解釈する」

「もし説明しなかったら警察に連れてく？」

一瞬返答に窮したが、私は言う。

「連れていく。ピストルは持っているだけで犯罪だ」

「警察、か」

雄介は額に手を当て、溜め息をついた。

「警察には絶対に届ける。ただ、ピストルを持っていることに誰もが納得のいく説明がつくのなら、おまえは何のとがめも受けないだろう」

「納得するとは思えないよなあ」

「それは聞いてみないことにはわからないだろう」

「でも、話して、それで納得されなかったら、立ち直れないよなあ」

「ごちゃごちゃ言ってないで、とにかく話してみなさい。まあ座って」

私はソファーの背を叩《たた》いた。雄介は首を左右に振った。立ったまま溜め息を繰り返す。やがて上目づかいにつぶやいた。

「何かあったら守ってくれる?」

「何か?」

「僕を守ってくれるの?」

「ああ、守ってやるとも」

「本当に?」

「あたりまえだ。子供を守るのが親の務めだ」

私は雄介の両肩に手をかけ、腰をかがめ、彼の顔を正面から見つめた。雄介は小さくうなずいた。

「えっとー、まず、塾はやめた。偽の退会届を出しました。でも、そうするしかなかったんだ」

「そうするしかないとは?」

「どうしてもお金が必要だった」

「欲しいものがあったのか?」

「違う。氏原は知ってるよね？」

「ああ、クラスメイトの」

「かんべんしてよ。あいつのことをクラスメイトなんて言わないで」

雄介は心底嫌そうに顔をしかめた。

「でも同じクラスの子じゃないか」

「まあそうだけどさ」

「氏原君がどうした？」

「君づけしなくていいよ」

「おい、もしかして、氏原君に金を要求されたのか？」

「だからぁ、君づけしないでってば。そう、氏原にカツアゲされた」

氏原北斗の父親は地元の暴力団の幹部で、息子のほうも体が大きく、粗暴で、教師ももてあましているという話である。

「最初は小遣いやお年玉の残りを渡していたんだけどすぐに間に合わなくなって、お父さんやお母さんの財布から失敬するのにも限界があって、しようがないから塾のお金をちょろまかすことにした」

「どうして雄介が目をつけられたんだ？」

「とくに理由はないよ。あいつは誰彼かまわず喧嘩《けんか》をふっかけて金や持ち物を巻きあげる。でもまあ、あえて理由を挙げれば、モチをかばったことかな。うちのクラスの望月というのが氏原にずっといじめられててさ、先生もビビって注意しなくてさ、見かねてちょっと口出ししたんだ。学級委員長としては黙って見過ごすわけにはいかないじゃん、やっぱり。それからかな、金よこせって脅されるようになったのは」

「嫌だとは言わなかったのか？」

「バタフライナイフとか突きつけられるんだよ。中学生の兄貴を連れてくることもある。これがまたチョー悪い中坊でさ。それに、妹がどうなってもいいのかって脅してくるし」

「菜穂を？」

「あいつならマジ何かしかねない」

「先生に言えばよかったのに」

「だからあ、河村先生はビビりで全然ダメなんだって」

「お父さんに話してくれればよかったのに」

そう言ってから、はたして自分は力になれただろうかと思った。ヤクザの親とどう話をつけるというのだ。校区の巡回活動に参加しようとしない氏原晋策に対して一言言ってやることもできないのに。

「もういいよ。とにかく抵抗できなかったんだ」

と雄介はくるりと背を向け、唐突に短パンの後ろを下げた。左右の腿《もも》の裏が赤黒くなっていた。臀部《でんぶ》にも拳大《こぶしだい》の痣《あざ》ができていた。

「彼にやられたのか？」

「そう。親父に教わったのか、目立たないところを傷つけるんだよ。いやらしいったらありゃしない。今は夏休みだから、これ以上傷が増える心配はないけどね」

「しかし夏休みが明けたらまた脅される」

「うん。だから僕は何としてでも私立中学に行かなければならない。氏原は受験なんてかったるいことするわけがないから公立に行く。学校が別になれば、もうちょっかいは出されない。だからさ、卒業までの我慢と言い聞かせて、お父さんやお母さんには悪いけど、塾のお金を使わせてもらってた」

最後に、ごめんなさいと小さく言い、雄介はズボンを戻した。

「一つ訊いていいか？」

「何？」

「雄介の部屋にはおもちゃがたくさんあった。あれ、小遣いやお年玉で買ったのか？」

「小遣いで買えるわけがないと。つまり氏原に金を脅し取られていたというのは作り話だと」

「そういうわけじゃないが……」

半分はそう疑っていた。

「いいよ、作り話だと思っても」

雄介は笑って、

「あれは氏原のお下がり。あいつは僕から巻きあげた金でいろいろ買って、それに飽きたらこっちに押しつけてくるの。お下がりだから、どれもショボイものだよ。M3カードはクズばかりだし。でもって、もし僕が先生にチクったら、富樫君から金を預かって代わりに買ってやったと言い訳するつもりなんだ。ほんっと、考えてることがヤクザだよ。プチヤクザ」

「ピストルは？　ピストルも氏原君からもらったのか？」

「ううん。あれは盗んできた」

「どこから？」

「氏原のところ」

「親父さんのものなのか？」

「もともとはそうなんだと思う。でも氏原の部屋に置いてあった。あいつんちにはピストルなんていくらでも転がってるんだろうから、その中の一丁を失敬したんじゃないの」

「夜光塗料と名刺も氏原君のものなのか？」

「そう。あのさ、この話はかなりわけありで、今ここで話しても信じてもらえないと思う」

「信じる。だから話しなさい」

しかし雄介は首を左右に振って、

「証人を立てるから少し待って。会社休める時ある？」

「雄介のためならいつでも休む」

「サンキュ。来週中にどうにかするから、それまでは警察には行かないでもらえる？」

「ああ、行かない」

「お母さんにもまだ内緒にしておいて」

「わかった」

「それと、最初の約束もかならず守ってね」

私は首をかしげた。

「何かあったら僕を守って」

「ああ、守る。絶対に守ってやる」

雄介の肩を引き寄せ、力強く抱きしめる。

2

翌週の水曜日、私は会社を休んだ。雄介との約束があるので、妻には内緒である。出勤するふりをして家を出たあと、ファミリーレストランをはしごして時間を潰し、塾に行くふりをして家を出てきた雄介と九時に西久保公園で落ち合った。

「少し距離を置いてついてきて」

そう言って雄介が自転車を向けた先は、校区のはずれにある氏原の家だった。

日本風の邸宅だ。白木の門には屋根がついていて、白壁の塀の向こうには丸く剪定《せんてい》された松の枝が見え隠れしている。家屋は横に長い木造の平屋で、豪壮な鬼瓦《おにがわら》と白壁に金で描かれた家紋が目を惹《ひ》く。門の横に設置された監視カメラと塀の上に張りめぐらされた鉄条網が、一般人の住まいでないことを物語っている。

屋敷の隣の草ぼうぼうのスペースには黒塗りの車が二台停まっていた。組の関係者の車だろうか。

雄介は氏原邸の前をゆっくり走り抜け、屋敷が見えなくなったところで自転車を停めた。

「駐車場に小屋が建っていたでしょう」

「ああ、プレハブの」

「あそこ、氏原が使ってるんだよね。屋敷の中にも自分の部屋があるので、あいつはあの小屋のことをイキがって別荘とか呼んでいる」

雄介はふたたび自転車を漕《こ》ぎ出した。

十分ほど走り、目的地に到着した。柊《ひいらぎ》の生け垣を持った分譲地の一角で、その家の表札には望月とあった。

「氏原君にいじめられているクラスメイトの？」

私は自転車のスタンドを立てながら雄介にささやいた。雄介は黙ってうなずき、インターホンを鳴らし、富樫だけどと名乗った。しばらくして玄関のドアが開いた。

「こんにちは」

涼しげな声で挨拶《あいさつ》され、私はまごついた。中から出てきた子は背中まで髪を伸ばしていた。スカートを穿《は》いていた。てっきり男の子だと思っていた私は照れ笑いするしかなかった。

「望月成美《もちづきなるみ》と申します。富樫君にはいつもお世話になっています」

彼女は両手をスカートの前にくっつけて丁寧に頭を下げた。

「こちらこそ、うちの雄介がお世話になっています」

私もかしこまって応じた。

「いいえ、あたしは富樫君に何もしてあげてません。あんなに勉強を教えてもらってるのに」

「勉強？」

「はい。塾の日にはいつも」

「塾の日に？」

私はきょとんと雄介を見つめた。雄介はさっとあらぬ方に目をやって、

「だからさあ、塾やめたじゃない。でも行ったふりしないとならないじゃん。といって、公園で時間潰すのは大変だし、ゲーセンだとお金かかるし六時以降は小学生ダメだし、だからモチに勉強教えてやろうかなって」

「あたし、六年生になってからは学校にほとんど行ってないんです。不登校というやつです」

成美がうつむきがちに言った。

「ほら、氏原にちょっかい出されるから」

「それで、勉強が遅れるといけないからって、富樫君が月水金に教えにきてくれているんです。夏休みに入ってからは、週五日、午前中に」

「モチも私立に行かなきゃならないんだよ。公立だと氏原と一緒になっちゃうから。でも学校行ってなくて勉強遅れたら私立に入れないじゃん。だからさ」

「ホント、富樫君にはお世話になっています」

成美は雄介のことをまぶしそうに見つめ、それからあらためて私に向かって頭を下げた。

「こっちも人に教えることで勉強になるしさ。実は塾には行ってないのだから、そのくらいのことしとかないと受からない。まあ、そんなことどうでもいいじゃん。ねえ、このままずっと玄関先で話すつもり？　あがらせてよ」

雄介は照れ隠しするように言って、ドアの隙間に体を滑り込ませた。

3

「あたしが悪いんです」

麦茶を運んできて席に着くと、成美は苦しげにつぶやいた。

私と雄介は玄関脇の小さな部屋に通されていた。ケヤキの丸テーブルにベルベット張りのソファー、飾り暖炉の上にはオルゴールやアンティークドールが並べられ、ガラス戸のはまった本棚には隙間なく洋書が収まっている。なかなか趣味のいい応接間だ。望月成美は一人っ子で、両親は共働きということだった。

「あたしのせいで大変なことになってしまった」

成美はもう一度苦しげにつぶやいた。

「今さらそーゆーこと言ってもはじまらないだろう」

雄介は仏頂面で麦茶を一気にあおった。

「あたし、たまには学校に行くんです。調子のいい時に。月に一、二度くらいかな」

成美は雄介のコップを取りあげ、ガラスのポットから麦茶を注いだ。

「事件が起きたのも、そうして登校した時でした。六月のはじめでした。あたし、その日、学校にこれを持っていきました」

成美は首筋に指を持っていき、ネックレスの銀の鎖をつまみあげた。指も、首筋も、透き通るように白い。毎日家にこもっているからなのだろうか。

「本当は学校にこんなもの持っていってはいけないのですけど、お友達に見せたくて。パパが外国のおみやげに買ってきてくれたものなんです。先生に見られたら没収されるので、もちろん首につけておくわけにはいきません。鞄《かばん》の中に入れておいて、昼休みに見せびらかそうと考えていました。ところが給食が終わって鞄を開けてみると、ネックレスがケースごとなくなっていたんです」

「氏原のしわざ」

雄介が顔をしかめた。

「氏原君が鞄をいじっているところを見たわけじゃないけど、でもほかにそんなことする子いないから」

「モチが泣いてるもんで、どうしたのかと尋ねたら、ネックレスがなくなったと。で、僕が氏原に言ってやったんだ、ネックレスを返せって。するとあいつは、証拠を見せろと言いやがる。僕は、持ち物検査をさせろと言った。そしたら、もし検査して出てこなかったらどうする、賠償金として百万円もらうぞなんて言いやがる。それでいったん引きさがったんだけど、モチは納得できっこないじゃん」

「石がついていないからそんなに高いものじゃないとは思うんですけど、誕生日プレゼントにもらったものだし、あきらめられませんでした。といって、泣いて訴えても氏原君には通用しません。河村先生もあてになりません。相談したところで、ネックレスを学校に持ってくるおまえが悪いと言われるのが落ちです。そう困りはてていたら、富樫君が、僕が取り戻してやるって」

盗難事件の翌日、雄介は体育の授業を休んだ。そして教室に残って氏原の持ち物を引っかき回した。脱ぎ捨てられた着衣を調べ、ズボンのポケットに入っていたキーホルダーを抜き取り、学校を抜け出し、DIYショップまで走って合鍵《あいかぎ》を作り、授業時間が終わるまでに教室に戻ってキーホルダーをポケットに返しておいた。キーホルダーには鍵が三つついていたが、三つとも合鍵を作ったという。

「要するに、泥棒をしようと。合鍵を使って氏原の家に忍び込み、ネックレスを取り戻そうと思った。言っとくけど、これは僕の独断でやった。盗み返してきてやると、前もってモチに漏らしてはいないし、取り返してくれとモチに頼まれたことも、もちろんない」

相手を思いやるような言い方が私には非常に意外だった。家の中で雄介がそのような言い方をしているのを聞いた憶《おぼ》えがない。

「問題は、ネックレスがどこに置いてあるかだった。もし屋敷のほうの部屋に置いてあったら取り戻すのは無理だね。あっちの庭には犬が放し飼いになっているし、たとえ吠《ほ》えられずに家の中に入り込めたとしても間取りがわからない。あちこち部屋を覗《のぞ》いているうちに見つかったらアウトだ。指詰めものだね。だから忍び込めるのは別荘だけ。でも、そっちにネックレスが置いてあるという保証はない。しかしまあ、迷っていてもネックレスは戻ってこないから、とにかくやってみることにしたんだ」

六月十一日の晩、雄介は二階のベランダから自宅を抜け出し、強い雨の中を氏原の家に向かった。時刻は午前二時を回っていた。別荘も屋敷のほうも明かりが消えていた。雄介は三本の合鍵を代わる代わる試して別荘の入口のドアを開けた。そして懐中電灯の明かりを頼りに家捜しを行なった。室内は足の踏み場がないほど散らかっていた。マンガやカードやゲームソフトや怪獣の人形が、スナック菓子の空き袋に混じって床に層をなしていた。まるでおもちゃ屋の倉庫が地震に遭ったような状態だった。すべて、クラスメイトから取りあげたり、脅し取った金で買ったりしたものである。

「気分はインディ・ジョーンズ。遺跡の発掘でもするように地層を掻き分けて、やっとこモチのネックレスを見つけた。ケースの中にポテチの食べかすがこぼれててね、ひどいもんさ」

「それで持ち帰ったということか」

私は成美の胸元を指さした。

「うん。でも、ネックレスだけを盗んでいったらモチが怪しまれるでしょ。部屋はゴミ箱状態なのだから、ネックレスが一つ消えたところで気づかれやしないという考え方もあるけれど、そこはほら、犯罪者のサガってやつ？　こっちの正体が見破られないような工作をしておいたほうがいいような気がしてさあ。机や棚の中も引っかき回し、ネックレス以外のものもいくつか盗み出し、空き巣狙いの被害に遭ったような感じにしておいたほうがいいかなって。室内を荒らしたら、何者かが侵入したと氏原は気づくよね。でもあいつの家はヤクザじゃん。なるべく警察とかかわりを持ちたくないと思ってる。こそ泥程度で警察は呼ばないだろうから、僕の身も安全だと考えた。で、机の引き出しを抜き取って、棚の上をぐちゃぐちゃに乱して、段ボール箱の中身をひっくり返して、そうして手ごろなものを何点かデイパックに詰めて持ち帰ったんだけど、その中に例のピストルがあったと」

「またどうしてピストルなんて物騒なものを持ち帰ったりしたんだ」

「見つけたその時には本物のピストルだとは思いもしなかった。モデルガンだと信じていた。おかしいと感じるようになったのは、うちに帰ってから。ピストルは紙の手提げ袋の中にあって、それごと持ち帰ったんだけど、袋の中にはほかに、弾が詰まった箱と革の手袋と夜光塗料と名刺が入っていて、それらを見ているうちに大変な想像をしてしまった」

「氏原君が誘拐殺人の犯人だと？」

「そう。一番気になったのが名刺。江幡という人の名刺があるけど、これって真吾君のお父さんじゃないのかって気になりだして、インターネットで調べてみたら、まさにそのとおり。さらに調べてみたら、ほかの名刺も、誘拐されて殺された子のお父さんやお母さんのものじゃない。それにプラスして夜光塗料でしょ。箱の弾は減ってるし、手袋からは火薬の臭いがする。ピストルは本物で、真吾君たちはこれで撃たれたんじゃないかってドキドキしてきた。ドキドキするうちに別のことも閃《ひらめ》いた。名刺は親父の店から取ってきたんじゃないだろうか。金を借りる時に客が置いていったものじゃないのかなあ」

氏原北斗の父親、氏原晋策は組から闇金融の経営をまかされている。

「氏原は客の名刺を何十枚と持ち出してきて、その中からターゲットにできそうな人物を選んだんだよ、きっと」

「真吾君のお父さんをはじめとして、被害に遭った子の親御さんはみな、氏原さんのところで金を借りていたと？」

「そゆこと。そんな想像をしていると、また別のことが閃いた。お父さん、この間、自転車のパンクのことを追及してきたよね。駅前でホームレスにいたずらされたというのは嘘で、実は真吾君の遺体が見つかった畑でパンクしたのではないかって」

「ああ」

「そう、駅前でパンクしたというのは嘘。あれは氏原のせいだったんだ。本当のことを言ったら、てめえチクりやがったなとボコられるからホームレスのせいにしておいた」

「もっとわかるように説明してくれ」

「あの日は学年の修了式だった。僕はうちで昼ご飯を食べたあと、自転車で駅の方に遊びにいこうとした。そしたら運悪く氏原と出くわして、チャリを貸せと言われた。例によってナイフなんかちらつかせてくるから逆らえなくて、僕はしぶしぶ従った。あいつはさ、よくそうやって自転車を巻きあげてるんだよね。気に入った自転車だから自分の所有物にしてしまおうというんじゃなくって、ちょっとそこまで乗るためにね。コンビニとかラーメン屋とか子分の家とかまで漕いでいって乗り捨てる。だから、氏原に自転車を持っていかれたあと僕は、あちこち歩いて自転車を探したの。そして二時間くらいしてやっと見つけた。地蔵塚の横の草むらに横倒しになっていたんだ」

「地蔵塚……」

その脇の細い道をまっすぐ進んでいくと、江幡真吾が殺害された上高田の休耕地に行き着く。

「真吾君の事件がニュースになった時には、驚いたり悲しんだりするばっかりで、事件と僕の自転車を結びつけて考えるようなことはしなかった。でも氏原を疑いだしてみると、自転車が乗り捨てられていた場所がすごくひっかかる。真吾君が発見された場所がすぐそこじゃない」

氏原北斗は雄介の自転車で上高田の休耕地に行き、江幡真吾を殺害。引き揚げようとした際にタイヤを傷つけてしまい、乗っているうちにパンクに気づき、足手まといになるから地蔵塚に放置していった。

「そこまで気づいて、どうして警察に届けなかった。いや、お父さんやお母さんに言わなかった」

私は責めるように言った。

「だってさあ、言ったら、盗みに入ったことがバレちゃうじゃない」

雄介は唇を尖《とが》らせて、

「ピストルを別荘に戻して、何も見なかったことにしてしまおうかとも思った。でも、一度見てしまったものは忘れられっこないし、もう一度別荘に忍び込むなんて恐ろしくてできない。だってさ、泥棒が入ったとはっきりわかるように荒らしてきたんだよ。氏原はピストルが盗まれたと気づいたに決まってる。すると当然、警戒を厳しくするだろう。今度はそう簡単に別荘に侵入できないよ。もし見つかったらどうなる？　指詰めじゃすまないよ。コンクリ詰めで東京湾だ。で、どうしていいかわからなくて、とりあえず、ピストルとか夜光塗料とかヤバそうなものを、自分の部屋のあちこちにばらして隠しておいた。洗濯物を持ってきたり布団を干しにきたりと、お母さんがよく勝手に入ってくるからね。そうしておいて、モチにだけは本当のことを打ち明けた」

「そしたらあたし、余計なことを言ってしまったんです」

成美が背中を丸めた。

「たしかに氏原君は乱暴な人です。他人の物やお金を平気で取りあげもします。でも、誘拐をするような人ではないような気がしました。お金が欲しいのなら、いつもそうしているように、ナイフで脅してお金を持ってこさせればいい。どうして誘拐なんてめんどうなことをしなければならないのでしょう。それに、誘拐してお金をうまく奪えなかったからといって、人質の子を殺すかなあって。氏原君はそこまで残酷じゃないと思いました」

「でも、ピストルや名刺を持っていたことといい、僕の自転車の件といい、状況は氏原が犯人であることを示している」

「それであたし、氏原君が本当に犯人かどうか確かめてみてはと言ったんです」

本人に直接問い質《ただ》そうとでもいうのか。

「お父さん、今、すっごく単純なことを想像したでしょ」

雄介は笑いながら一枚の紙をテーブルの上に広げた。私は狼狽《ろうばい》を隠すように紙を覗き込んだ。

氏原北斗殿

貴殿が拳銃《けんじゅう》を使って何を行なったか、当方はお見通しである。

証拠の品も、すでに当方の手中にある。

ひとつ紳士的な取引をしようじゃないか。

本日午後六時、入間市駅南口バスロータリーの三美神像前に来い。

かならず貴殿一人で来ること。

取り巻きを連れてきたり時間に遅れたりしたら警察に駆け込むから、そのつもりで。

「こういう脅迫状を送りつけたの。そして僕は指定の時刻の少し前からバスロータリーを見張ることにした。空中歩道の柱の陰からね。氏原が現われたらヤツはクロ、現われなかったらシロとなる」

「それで？　氏原君は来たのか？」

「来た来た。一人で来て、一時間くらい待ち続けた。あっち見たりこっち見たり像の周りを歩き回ったり。あんなにおどおどした氏原を見るのははじめてだった。氏原は間違いなくクロだね。真っ黒け」

「そこまで確認しておいて黙っていたのは、やっぱり氏原君のところに盗みに入ったことを知られたくなかったからか」

「うん、まあ」

雄介は曖昧《あいまい》な返事をして成美にちらと目をやった。私は麦茶を口に運び、グラスを置いてから、おもむろに切り出した。

「盗みに入ったことは、たしかに法に触れる。その前に合鍵を作ったことも。ネックレスを取り戻したいのなら、たとえ頼りにならないと思っても、まずは先生や親に相談すべきだった。しかしもう済んだこと、今さら言ってもはじまらない。はじまらないが、問題は残る。盗みは犯罪だ。法律を犯し、それが公に知れたら、罪の重さに応じた罰を受けることになる。刑務所に入ったり罰金を払ったりしなければならない。子供の場合は少年院や児童自立支援施設に送られる。本来はね。ところが今回は事情が異なっている。もし雄介が自らの悪い行ないを明かし、氏原君のところから盗み出したピストルや名刺を警察に提出すれば、連続誘拐殺人事件が一気に解決に向かうのだ。つまり雄介の悪い行ないが、もっと大きな悪事の告発につながる。盗みそれ自体は決して誉められたことではないけれど、結果として社会の役に立つ。だからおそらく、いや絶対に、警察も大目に見てくれる。補導されて施設に送られるような処分は受けずにすむ」

子供たちを安心させようと、慎重に言葉を選びながら話した。

「そうかもしれないけど……」

しかし雄介の表情はどこかすぐれなかった。

「学校のことが心配なのか? 内申書に悪いふうに書かれ、受験に不利に働くのではないかと。社会のためになったのであれば、学校も悪いようにはしないはずだよ」

「そういう心配がないわけじゃないけど、警察に届けるのをビビってる一番の理由は——」

雄介はまた成美をちらと見て、

「フッー、誘拐殺人を四度もやったら死刑だよね」

「そうだな。精神鑑定の結果、犯行時に責任能力がなかったと認められないかぎりは」

「でも氏原は、精神異常でないのに死刑にならない。なぜならあいつは子供だから。少年法で守られている」

「ああ」

「氏原はたぶん、いやゼッタイ、十八歳に満たない自分は何をしても死刑にはならない、十四歳にも満たないのでほかの刑罰も受けずにすむし少年院にさえ送られない、と頭に置いたうえで悪事を繰り返しているのだと思う」

「それはどうかわからないが……。刑事罰は受けないけれど、施設には送られるぞ」

「児童自立支援施設は義務教育期間中の者が対象なんでしょう。てことは、今すぐそこに送られたとしても、四年も経たないうちに出てこられるってことじゃん。その後、少年院や刑務所に移されるということもないらしいし」

「児童自立支援施設の入所期間は二十歳まで延長可能だ」

「たいして変わらないよ。つまり氏原は、連続誘拐殺人の犯人として捕まっても、近い将来シャバに舞い戻ってくる」

「子供の場合、犯した罪に対して罰を与えるというのではなく、間違った心を正すことに処分の目的がある。社会に適応できる人間へと育て直し、社会に戻す」

するとと雄介は、はんと吐き捨てて、

「笑っちゃうね。氏原のココロが施設で矯正されるもんか。次からはヘマして捕まらないようにしなければ、なーんて、とんでもない反省しかしないよ」

「そんなひどいことを言うもんじゃない。それに児童自立支援施設には、何十人何百人と立ち直らせてきた立派な先生もいる」

「お父さんは氏原を知らないからそんなのんきなことが言えるんだ」

「残念ですが、あたしも富樫君と同じ意見です」

成美が苦しげに言った。

「氏原は心をあらためない。といって、矯正されたとみなされるまで施設に延々と収容され続けるということもない。すると氏原は、ワルのままシャバに出てくることになる。お父さんがいくら否定しても、僕はそう確信する」

「あたしもそう思います」

「問題はシャバに出てきたあとだ。氏原はどうするか？　僕がヤツなら、真っ先に富樫雄介を殺すね。富樫のせいで警察に捕まってしまった、富樫のせいで、おもしろおかしく生きられたはずの何年かを狭苦しい建物の中で過ごすはめになったんだ。富樫は許せないよ。放っておくはずがない。施設に入っている間、富樫にどう復讐《ふくしゅう》してやろうかと、そればかり考えているさ。シャバに出る日を待ちきれず、施設を脱走して殺しにくるかもしれない。そうさ、十四歳になる前に殺してしまえば、その罪も問われずに済む。僕だけでなく、モチも何されるかわからない」

雄介は言葉を止めた。はあはあと荒い呼吸を繰り返し、怯《おび》えるような目で私を見据える。そしてぽつりと言った。

「だから最初に言ったんだ、僕のことを守ってくれるかって」

この目で行状を確かめてはいないけれど、話を聞くかぎりにおいては、氏原北斗は手のつけようのない不良少年である。雄介を殺さないまでも、何らかの報復はありうるように思える。しかも父親は暴力団関係者である。偏見かもしれないが、息子の報復をあおり、協力するとも考えられる。

「もちろん守ってやるとも。理不尽な逆恨みは絶対に許さない」

私は笑顔で雄介の肩を二度三度叩《たた》いた。

そう見得を切ったものの、実際にはどう守ればよいのか。

報復が予想されるので警戒してほしいと警察に頼むか。しかし警察という組織は、発生した犯罪の捜査に手一杯で、犯罪の予防には腰が重いのではないか。こちらがＶＩＰであれば話は別だが。といって私費でガードマンを雇うのも無理。

氏原の屋敷に乗り込み、うちの子に手出しをするなと父親と直談判《じかだんぱん》する——映画の世界の話だ。いったいどういう台詞《せりふ》を吐けばヤクザを説き伏せられるのか。わが子のためであれ、自分の命を危うくするような行動はとれそうにない。想像するだけで肝が冷える。

住民運動はどうだろう。氏原北斗の補導を機に、地域から暴力を排除する運動を起こす。全国的に注目されるような、マスコミの取材を受けるような、大々的な運動だ。すると氏原も雄介に手を出しにくくなるのではないだろうか。

そうやって思いつきを重ねている最中だった。思考回路の片隅に、まったく別の信号が入り込んできた。ふとした疑問だ。

「警察に届けるにあたっては望月さんのご両親とも話し合う必要もあるし、今日のところはこれで失礼しよう」

私は蒼《あお》ざめた顔で雄介をうながした。

4

自転車を漕いでいると、雄介が前に回り込んできて、こちらを振り返り振り返り言った。

「顔、怖いけど」

「どうしたの？」

ひとたび湧き起こった疑問は夏の雷雲のようにみるみる膨らんでいき、今では頭全体を占拠してしまっている。抑えつけることなどとうてい不可能だった。

西久保公園にさしかかったところで自転車を停めた。ブレーキの音に気づいたのか、先を走っていた雄介も自転車を停めた。私は道端の自動販売機にコインを入れた。

「何がいい？」

戻ってきた息子に尋ねる。彼は黙ってコーラのボタンを押した。私はあらためてコインを入れ、ウーロン茶を買い求めた。

自転車を公園の入口に移動させる。スタンドを立て、冷たい缶を片手に園内に入っていく。

「ねえ、どうしたの？」

雄介が不安そうについてくる。

「ひと休みしていこう」

「うちに帰ったほうが涼しいと思うけど」

息子の言葉を無視して藤棚の下のベンチに腰かける。雄介もベンチの端に腰を降ろした。

ちょうど昼時だからなのか、二週間連続の真夏日を嫌ってのことなのか、園内に人の姿はない。公園に面した道の人通りも絶えている。バーナーのような陽射しを受け、アスファルトからゆらゆらと陽炎《かげろう》が立ち昇っている。

缶のタブを開け、ウーロン茶に口をつける。一気に半分ほど空けてしまってから、遠くに向かってつぶやいた。

「話を作ったな」

「は？」

「脅され、やむなく塾をやめた。ガールフレンドのネックレスを取り戻すために泥棒に入った。そこで誘拐殺人事件の証拠物件を手に入れた。なるほど、よく考えついたものだ。あやうく騙《だま》されるところだった」

「ちょ、ちょっとぉ。どういうこと？」

「とぼけるな」

短く、厳しく言い、雄介のほうに首を向けた。

「望月さんという第三者を話に加わらせたことで信憑性《しんぴょうせい》が増したわけだが、しょせん苦し紛れの言い訳にすぎない」

雄介は小刻みにかぶりを振る。私は彼から視線をはずしてタバコをくわえた。ふたたび遠くに向かってしゃべりはじめる。

「氏原君の別荘に盗みに入ったのは十一日の晩だという。お父さんが雄介の部屋で名刺を見つけたのは六月十三日。前々日持ち帰った名刺を発見したわけだ。これはいい。問題は二十日のことだ。六月二十日に何が起きた?」

　雄介は答えない。

「六月二十日、尾嵜豪太君がさらわれ、殺された。凶器は前三回の事件と同じ。おや?　なんか変だね。凶器のピストルは雄介が持ち帰ったのではなかったかな、九日前に。十一日以降、ピストルは雄介の部屋にあったのだ。なのにどうして氏原君がそのピストルを使って尾嵜豪太君を殺せる。殺せるはずがない」

　反応はない。

「氏原君の父親はああいう人だ。家に転がっているピストルは一丁や二丁ではあるまい。コルト・ウッズマンももう一丁あり、氏原君はそれで尾嵜豪太君を殺したのだろうか。いいや、そういうことは絶対にありえない。銃にはライフルマークというものがある。人間でいえば指紋に相当するもので、同じ型の銃でもライフルマークは個体ごとに違っている。そして警察の調べによると、尾嵜豪太君の殺害に使われたピストルのライフルマークは前三回の事件で使われたピストルのそれと完全に一致している。

　つまり氏原君を犯人とするには無理がある。言い換えるなら、氏原君が犯人であるように語られている雄介の話が間違っているとなる」

　相変わらず反応がない。

「どうして話をでっちあげたりした?」

　答は返ってこない。しかし私は、今度は先を急がずに待った。短くなったタバコを足下に捨て、ウーロン茶を口に含む。

セミが鳴いている。左から、右から、鳴き声がシャワーのように降り注いでくる。ジージーと聞こえるのでアブラゼミか。

やがて小さな笑い声が聞こえた。

「どうして？　どうしてもくそも、もし僕が話をでっちあげたのだとしたら、理由は一つしかないじゃん」

「それはつまり……、認めるのだな？」

「認める？　何を？」

言葉に笑いが混じっている。

「自分が誘拐殺人事件の犯人であると」

私はズボンの腿《もも》を強く握りしめた。

「やっぱり僕を疑ってるんだ」

「他人に罪をなすりつけるような嘘をついたのだから、そうとしか考えられない」

「あのね、さっき僕はこう言ったの。『もし僕が話をでっちあげたのだとしたら』――仮定形ね。そうさ、もし氏原の話が創作であるのなら、それは当然自分を守るための行為であり、つまりこの僕が殺人犯ということになる。でもね、お父さん、僕は話をでっちあげたりしてませんん」

「これ以上嘘を重ねるのはやめてくれ」

「僕が嘘をついていると、心からそう思ってるの？」

「思いたくない。思いたくないが、嘘をついているとしか考えられない」

私は頭を抱えた。目の奥が熱くなった。

「もう一度言います。僕は話をでっちあげたりしていません。話を作っているのはお父さんのほうだ」

「え？」

私は頭を抱えたまま横を向いた。目が合った瞬間、雄介がニッと歯を覗《のぞ》かせた。背筋がぞくっとした。

「もし僕が嘘をついているとしたら、その嘘はお父さんがつかせているんだよ」

雄介は立ちあがり、コーラのアルミ缶をくしゃっと握り潰《つぶ》した。

「嘘をつかせる？」

まったく理解がいかず、私はぼんやり訊《き》き返した。

「まだわからないの？」

「わからない」

「ここにいる僕はお父さんの中に存在しているということ」

雄介は下手から空き缶を放った。缶はスローモーションで緩やかな弧を描き、ごみ箱の中に吸い込まれていく。

蟬が鳴いている。左から、右から、鳴き声がシャワーのように降り注いでくる。耳の手前で、奥で、ジージーという音が幾重にも重なってこだまする。

空の真ん中で太陽が輝いている。目を開けられないほど、白く、強く輝いている。七月の凶悪な太陽だ。なのに私は額にも背中にも汗ひとつかいていないようだった。

世界に現実の手ざわりがない。

雄介は私に向き直り、にこやかに言った。

「今ここにいる僕、今そこにいるお父さんは、現実の僕やお父さんではないということさ。現実のお父さんが見ている幻の中に存在している」

＊

「だいじょうぶですか？」

声の方に顔を向けると、男の顔がアップで迫ってきた。左隣に座っている初老の紳士が私のことを心配そうに覗き込んできている。

私はしばらくぼんやりしていたが、やがて曖昧《あいまい》な笑顔を作り、紳士に向かってぺこぺこ頭を下げ、あわてて手元の夕刊紙に目を落とした。

左隣の紳士はまだ私のことを気にしているようだ。右隣の若者も、携帯電話をいじりながら、ちらちらとこちらを窺《うかが》っている。立って新聞雑誌を広げている人たちも、時折紙面から目を離し、私の方に視線を投げかけてくる。

私は身を縮めて腕時計に目をやった。午後七時五十分。あとどれだけ恥ずかしい思いを続けなければならないのか。電車は今どのあたりを走っているのだろうか。

七月十九日午後七時五十分、私は一日の仕事を終え、帰宅の途上にある。

また未来を思い描いていた。ここが満員電車の中であることなど忘れ、自分だけの世界に入り込んでいた。おそらく、想像とシンクロして、現実にもわめいたり叫んだりしたのだ。乗客がみな、私を変な目で見ているのはそのせいだ。

嫌な想像だった。雄介が誘拐殺人を犯したというのは取り越し苦労にすぎなかった——自分としては精一杯いいように想像してみたつもりだ。けれど最後に破綻《はたん》した。雄介を無実とすることはできなかった。

目を閉じ、もう一度考えてみる。

雄介のクラスメイトに氏原北斗という子がいる。父親が暴力団員であるせいか、本人も粗暴で、教師も扱いに困っている。これは事実だ。

雄介は氏原からいじめを受けていた。金品を脅し取られてもいた。これは想像にすぎないが、ありそうな話である。

恐喝に応じるため、やむなく塾の受講料をちょろまかした。ないとはいいきれない。

ここから話の道筋を変えてみる。

氏原の要求はエスカレートしていく。塾の受講料だけではまかないきれない。苦肉の策として、雄介は身代金目的の誘拐を企てた——。

「だめだ……」

また声に出してしまい、あわてて口に手を当てた。

たとえ暴力で脅されていたとしても、誘拐に手を染めるなど、絶対に許されない。しかもそのあと人質を殺してもいるのだ。

結局、どれだけ都合のいい前提条件を用意しても、救われない結末しか描けない。

それはつまり、現実においても、雄介をシロとするには無理があるということなのだろう。

それとも、「超」がつくほどご都合主義の設定で想像をはじめたにもかかわらず絶望的な結末になってしまったのは、私が雄介を信じていないあらわれなのだろうか。信じていないから、雄介が犯人であるという結末に無意識のうちに導いてしまった。強く信じていれば、ディテールの矛盾などおかまいなしに、ハッピーな結末を思い描こうとするのではなかろうか。

たぶん、どちらも正しい。私は雄介を信じていないし、事実として雄介は誘拐殺人犯なのだ。父親の威厳をもって息子と真正面から向き合おうと、私は昨晩たしかに思った。真正面から挑むことを前提として、頭の中で予行演習を行なってみた。しかしこんな腰砕けの想像しかできないのでは、現実に雄介と相対することなどできそうにない。

状況的にも物的にも、雄介が犯人である可能性が限りなく高いと、私は思っている。数々の証拠を見せつけられてもなお「うちの子にかぎって」と盲目的に構えていられる親でもない。そうであるなら、私がいま頭をめぐらせるべきは、殺人犯としての息子に投げかける言葉であるはずだ。

なぜ人を殺してはいけないのか、なぜ潔く警察に出頭しなければならないのか、補導された先には何が待っているのか、重い罪をどう償っていけばよいのか、苦しみをどう乗り越えていけばよいのか——。

なのに肝腎《かんじん》な場面の予習を置き去りにして、実は雄介は無実だったというお気楽なストーリーの想像に走った。なぜか？

答は明らかだ。言葉を持ち合わせていないのだ。いったい何と言って諭せば、雄介は己の犯した罪の深さに気づき、心を改めてくれるのだろう。語りかけるべき言葉がまるで浮かばない。だからその場面をシミュレートしようにもできない。

私は見栄《みえ》っぱりなのだ。汚れた息子をそのまま警察に預けるのをよしとしていない。警察に連れていく前にわが子の心を洗い清め、少しでも「いい子」に見えるよう修正しておきたいと思っている。私の力量では不可能だというのに。

電車の速度が徐々に落ちる。窓の外を見慣れた夜景が流れる。もう間もなく入間市駅だ。

電車を降り、自転車で帰宅したら、自宅の前にパトカーが停まっている——そうでない保証はどこにもない。雄介はいつ補導されてもおかしくないのだ。事態は切迫している。

私はその時を指をくわえて待つつもりなのか。

雄介に面と向かう勇気がないのなら、それは仕方ない。

雄介に面と向かう勇気がないのなら、何かほかの行動を起こさなければならないのではないか。

どんな行動を？

Ⅳ

1

七月二十七日金曜日。

今日も朝から晴れ。ただし昼時に突然空が真っ暗になり、雷をともなった土砂降りの雨になった。夕立にしては気が早い。ヒートアイランド現象によって大気が不安定になっているのだと、会社の誰かが聞きかじりの知識を披露していた。

昼休みが終わると、滝のような雨の中、会社のライトバンを運転して朝霞《あさか》工場に行った。新しいラインを小一時間ほど視察したのち、そのラインからあがったソースカツ丼弁当を試食して、細かな修正点を二つ三つ指示すると、今度は八月一日にと約して帰路についた。

不思議なもので、私はいつもと変わらず仕事をしている。頭の中は雄介のことでいっぱいだ。この先の展開を考えると、心臓が痛くなり、食事は喉《のど》を通らず、夜も眠れない。けれど、思い悩むあまり会社を休んでしまうということはない。仕事の効率が落ちているということもない。頭のどこかでスイッチが切り替わっているのだろうか。

なさけないことに、雄介のことについてはまだ決断をくだせずにいる。拳銃《けんじゅう》の発見から十日が経とうとしている。今日あたり会社に警察から電話が入るのではないか、帰宅したら家の前にパトカーが停まっているのではないかと、身の縮む思いで毎日を送っている。早く行動を起こさなければならない。しかしそうとわかっていても、何をしていいのかわからない。気持ちは空回りするばかりだ。

その一方で、このまま放っておいても何も起こらないのではないかという考えが芽生えはじめた。日本の警察は世界一優秀であるという文句は昔からよく聞くけれど、昨今、未解決の凶悪事件が非常に多いような気がする。加えて毎日のように警察の不祥事が明るみに出ており、警察官の志気も下がっているように感じられる。連続男児誘拐殺害事件も迷宮入りしてしまうのではないだろうか。

しかし、雄介が人を殺したのは(九十九パーセント)事実である。誰も気づいていないからといって見過ごせる問題ではなかろう。いっこうにバレないことに気をよくして、雄介はさらに罪を重ねるかもしれない。親としては、いや、人として、何か行動を起こさなければならないと強く思う。とはいえどう行動すればいいのかわからない。気ばかり焦り、堂々めぐりの渦の中でもがいていると、気が変になりそうになる。もしかすると、本当に狂ってしまわないように、本能による安全装置が働き、仕事に打ち込むようスイッチが切り替わっているのかもしれない。

朝霞工場をあとにするころには雨はすっかりあがり、真夏の太陽が戻ってきていた。雨で洗われたからだろう、空は水彩絵の具を流したように青く澄みきっていた。ただ、さわやかなのは見た目だけで、大量の雨と強烈な陽射しのせいで、蒸し暑さは尋常でなかった。

三時前に板橋の本社に帰ってきた。まっすぐ自分のデスクに戻り、ネクタイを緩め、首筋の汗をハンカチでぬぐっていると、ぺたぺたとサンダルを鳴らして高沢紀子が近づいてきた。

「お疲れさまでした」

花模様のグラスが机の上に置かれた。私は礼を言い、冷えた麦茶を一気に飲み干した。

「だいじょうぶそうですね」

高沢は空いたグラスに手を伸ばしながら窓の外に目を向けた。

「何が？」

「歓送迎会ですよ。あのまま雨だったら、ビアガーデンじゃとてもできなかった」

「今日だったっけ？」

「そうですよ。やだなあ、係長が決めたんじゃないですか」

高沢は笑いながら立ち去っていく。私は溜《た》め息をつき、顔全体をハンカチでぬぐった。椅子に座り直し、ネクタイを締め直していると、パソコンのディスプレイにメモが貼り付けてあるのに気づいた。


鳥海食品の件、八月九日ということで調整中。Ｎ１５Ｈ１

一目見て、西の筆跡だとわかった。用件にも納得がいった。が、理解できない文字列が含まれていた。「Ｎ１５Ｈ１」だ。メモをした日時かと思ったが、アルファベットが混じっているのでそれはない。

私は西の席に目をやった。空っぽだった。フロアーを見回すが彼の姿はない。

「ちょっと」

給湯室から戻ってきた高沢に声をかけた。

「これ、何のことだかわかる？」

メモ用紙を剝《は》がし、「N15H1」の部分を指でなぞってみせた。

「暗証番号？」

高沢は首をかしげた。なるほど、そういうふうにも見える。「N15H1」は私への伝言ではなく、西個人の覚え書きで、それを書きつけておいた紙にうっかり私への伝言を記してしまったのか。

「西もダメだなあ。パスワードはもっと慎重に扱わないと」

私は笑った。笑いながら、心の片隅を小さな棘《とげ》が刺激するのを感じた。しかしその棘の正体を見極める前に高沢が言った。

「暗証番号というか、何かの予約番号かもしれませんね。暗証番号ほど機密性がないので気軽に書き留めた」

「なるほど。高沢君、なかなかいい勘してるじゃない。予約番号か。まあ、その手のものだろうね。ありがとう。ああそれから、これ——」

私はズボンのポケットから財布を取り出し、一万円札を三枚高沢に差し出した。

「何ですか？」

「二次会の足しにしてくれ」

「係長は行かれないのですか？」

「ああ。二次会も出られないから、今のうちに渡しておくよ」

「二次会も?」

「ああ。ちょっと都合が悪くて。私のぶんまで盛りあがってくれ」

と三万円を握らせる。高沢はしばし、金を収めようかどうしようか迷っていたが、やがて表情を曇らせて、

「あのう、お体の具合が悪いのですか?」

と小声で言った。

「体? いや、別に」

「このごろよく休まれてますよね」

「何ともないよ」

私は笑顔を作り、両腕を曲げ伸ばししてみせた。

「ご家族の方の具合が?」

「家族もどうもないって。君が気にすることではない」

ついきつい調子で言ってしまい、しまったと思ったが、私はそのまま高沢に背を向け、書類に目を落とした。ぺたぺたというサンダルの音が遠ざかっていく。

仕事はなんとかできているが、飲んで騒ぐ気には、さすがになれない。家で晩酌する気にもなれないのだ。急に酒をやめると妻に心配されたり不審に思われたりするだろうから、無理して飲んではいるけれど。

高沢が去ったのち、そういえば先ほど何かが心に刺さったが、と思った。しかし棘の正体は

わからず、何を話している時にチクリときたのかさえ思い出せなかった。

五時近くになって西が戻ってきた。

「城西さんの納品は来月の三日でオッケーです」

西は私にそう声をかけながら自分のデスクに着いた。

「三日というと来週の――」

「金曜ですね」

「一週間後か。それなら余裕で間に合うな。ご苦労さま。ところで、これは何?」

私は例のメモ用紙を顔の横でひらひらさせた。

「何って、新しいドレッシングの試食会ですけど。たぶん八月九日でオッケーです」

「そうでなくて、これ」

と「N15H1」の部分を指先でつついた。

「わかりませんでした?」

西はにやにやした。

「わからない」

「雄介君のところではやってないのかなあ」

西はコピー用紙の束で顔をあおぎながら私の方に寄ってきた。

「雄介?」

「それ、署名です。智行が使っているのをまねたんですよ。友達の間でずいぶんはやっているらしくてね」

「署名?」

「僕の名前ですよ。西」

「はあ?」

「1がI、5がSを表わすんです。つまり、N、I、S、H、Iで、西」

「1がI?」

「形ですよ、形。1とIって形が似てるじゃないですか。5とSも」

西は私の机の上のボールペンを取りあげ、例のメモ用紙の裏になにやら書きつけはじめた。

1	2	3	4	5	6	7	8	9	0
←	←	←	←	←	←	←	←	←	←
I	Z	E	A	S	G	T	B	q	O

「こういうふうに対応しているんです。ね、みんな似てるでしょう? 3とEは鏡像ですね。なんかね、インターネットで見つけてきたらしくて、ハッカーというかオタクというか、そういう連中がよく使っているんですって。暗号と呼ぶほど大げさなものではないのですが……、そうそう、ほら、少し前に、女子高校生の間ではやってたじゃないですか。『チョーMM』とか『MK5』とか。『チョーマジムカつく』、『マジキレ五分前』のことですね。それと同じで、仲間内の共通言語といったところじゃないですかね。しかしまあ世の中には妙なことを考え出す連中が——」

西はなおしゃべり続ける。しかし私の耳には届かない。そうか、これが先ほど心を刺激したのだ。

全身が熱い。今すぐ会社を飛び出したい。家に飛んで帰り、雄介のパソコンの前に座りたい。

2

階段の昇り口で足を止めた。

居間から菜穂の声が漏れてくる。友達と電話でしゃべっているようだ。その合間合間にカチャカチャと耳ざわりな音がする。秀美は台所で洗い物をしている。

風呂《ふろ》場からはシャワーの音が聞こえる。雄介はたった今入ったところだ。

私は階段に足を載せた。息を殺し、四つん這《ば》いになって、一定のリズムで昇っていく。もう何度となく経験していることなので、見つかりやしないかと緊張することはない。しかし私の胸は激しく脈打っている。別の種類の緊張と、そして興奮に包まれている。

雄介の部屋に侵入すると、はやる気持ちを抑えつけ、パソコンの前を素通りして勉強机の前まで行った。

椅子の上にデイパックが置いてあった。ファスナーを開けると見憶《みおぼ》えのある手帳が入っていた。焦げ茶の革の表紙に中世風の飾り文字が金で箔押《はくお》しされている。M３のシステム手帳だ。

手帳を開き、三月二十六日のページを探した。あった。「３８４７４５H１N６０」とだけ記されている。

三月二十六日のページを開いたまま手帳を机の上に置き、ズボンのポケットからメモ用紙を取り出す。西の伝言が記されたメモだ。裏には暗号の法則性が記されている。手帳の三月二十六日の欄とメモ用紙を交互に見較べ、そして私は唇を嚙《か》んだ。

西がいうところの法則に従えば、「3847 45H1N60」は「EBATASHINGO」となる。すなわち、「江幡真吾」。そして三月二十六日は江幡真吾の誘拐が発生した日である。

私は生唾《なまつば》を嚥《の》みくだしながらM3手帳をめくった。四月二十五日の欄には「8484M45 4Y4」とある。メモと照らし合わせる。「BABAMASAYA」となる。四月二十五日には馬場雅也がさらわれた。

手帳をさらにめくる。五月二十三日の欄には「4K484N354705H1」とある。メモを見るまでもなく「AKABANESATOSHI」と読めるとわかった。五月二十三日には赤羽聡の事件が発生している。

六月二十日の欄にある「024K160 74」は「OZAKIGOTA」と変換される。同日、尾嵜豪太の事件が発生している。

つまり――。

雄介の手帳には、誘拐殺害事件が発生したその日の欄に、誘拐殺害事件の被害者の男児の名前が記されていたのだ。四件ともに。しかも暗号めいた記述で。

これは何を意味するのか。雄介の事件への関与はもはや動かしがたい。いや、すでに拳銃《けんじゅう》を発見している今となっては、さして驚くべきことではない。

驚くべきことではないが、今回の発見が秘密の解明に新しい道を拓《ひら》いてくれるかもしれない。

この暗号を応用することでパソコンのパスワードを破れるような予感がする。

推理はすでに固まっている。だが、今この場で確かめるのはあまりに危険だ。雄介が風呂に入って十分が経過した。暑い時期でもあるし、長風呂はしないだろう。

システム手帳をデイパックに戻し、ひとまず撤退する。

3

翌二十八日の土曜日。

朝食後、雄介は架空の夏期講習を受けにいき、少し遅れて秀美がパートに出ていった。

菜穂は自分の部屋で夏休みの宿題をやっていた。隣に陣取られたのでは雄介の部屋に侵入できない。そういらいらしていると、近所の友達から電話があり、菜穂は甘えた表情で、遊びにいってもいいかと伺いをたててきた。拒む理由は何もない。

玄関のドアが元気よく閉まると私は、一段飛ばしで階段を昇り、雄介の部屋に飛び込んだ。

パソコンの電源ボタンを押す。起動音が鳴り響き、ハードディスクの読み込みがはじまる。真っ暗だった画面が徐々に明るくなってくる。

ハードディスクのアクセス音がやんだ。画面の中央にパスワードの入力を要求するダイアログが現われた。

私はキーボードに指を伸ばし、7、0、6、4、5、H――とキーを叩《たた》いていった。パスワードは雄介の名前だ。「TOGASHIYUSUKE」を暗号化した「70645H1YU5

UK3」。
U、K、3とキーを叩いたのち、マウスのカーソルをOKのボタンに合わせ、クリックした。
その瞬間、思わず目を閉じた。もしこの推理がはずれていたら、もはや打つ手はない。

一秒、二秒。警告音は鳴らない。

目を開けるとダイアログは消えていた。ふたたびハードディスクがカリカリと音を立て、読み込みを行なっている。ついにパスワードを破ったのだ。

ディスプレイにはやがてパソコンのデスクトップ画面が表示された。

壁紙はデジタルカメラで撮影した江幡真吾の死体写真——という恐ろしい想像が現実にならずに少しだけほっとした。M3のキャラクターをあしらった壁紙を背景に、ディスクやフォルダやごみ箱のアイコンが右端に等間隔で並んでいる。私が会社で使っているパソコンよりもずいぶん整然としている。

私はディスクのアイコンを開き、中身を検《あらた》めた。画像ファイルが出てくるたびに、男児の死体写真ではないかと心臓が痛くなったが、さいわいそのようなものは一つもなかった。

ディスクの階層を深く掘り進んでいくと、「大谷進学会」と名づけられたフォルダがあった。中にはファイルが二つ入っていた。一つは「退会届」という名前がつけられていて、開いてみると、大谷進学会の事務員に見せられた偽の退会届であった。もう一つのファイルは「領収証」となっていて、受講料の偽領収証のテンプレートである。朱色の角印まで再現されているという、かなり手の込んだ偽物だ。

階層をさらに掘り進んでいくと、「Project—X」というフォルダがあった。中にはファイルが一つだけ入っていた。名称は「日記みたいなもの」。

私はファイル「日記みたいなもの」のアイコンにカーソルを合わせ、マウスのボタンをダブルクリックした。

4

一月二十六日
今日は真吾の家でとんでもないものを見つけた。

例によって援助してもらおうと、ババアの留守を見計らって真吾んちに行ったのさ。二人でテレビゲームをやって、真吾が熱中しはじめたところで仕事にとりかかった。寝室のレターケースには十五万円あった。給料日の直後だからこんなにあるんだろうね。うはー、ぜーんぶ欲しい。けど全部チョーダイしたらさすがにマズいだろうから、千円札三枚でガマンしておいた(泣)。

ここまでは予定どおり。とんでもないものは天井裏にあったのさ。ワタクシも自分ちの天井裏にヤバめのものを隠しているから、真吾の家のそこにもオイシイものがあるんじゃないかと考えて覗《のぞ》いてみたところ——ビンゴ!

なんと、ピストルがあった。

最初はモデルガンかと思った。でも、銃口が塞《ふさ》がれてないんだよ。奥まで穴が空いている。それに、弾も一緒にあった。箱にいっぱい、五十発くらいかな。だいたい、モデルガンだったら天井裏に隠す必要がないんでないかい？　たぶん、いやゼッタイ、本物のピストルだ。本物のピストル！　うはー、チョー欲しー！　でもこれ、持ち出したらヤバいだろうなあ。

それにしても、どうして真吾んちにピストルが？　宝山物産の袋に入っていたのでオヤジのだと思うんだけど、ヤクザにでも知り合いがいるのかね。

二月二日

真吾の家で千円援助してもらう。

ピストルもいただきました。

真吾パパはそのうち紛失に気づくだろうけど、警察には届けないはずだ。届けられるもんか。だってピストルは持ってるだけで違法じゃん。「ピストルが盗まれました」と警察に届けたら、逆に捕まっちゃう。だから真吾のオヤジは泣き寝入りするしかない。つまりワタクシが盗んだとはバレない。

それにしても真吾パパはどうやってピストルを手に入れたのだろうか。あのオヤジはたしか外国との取引をする部署で働いているというから、その関係で手に入れたのかなあ。不思議ではある。

二月三日

夜中に家を抜け出した。二階のベランダからスルスルーッとね。

歩いて西大通りのガソリンスタンドまで行った。スタンドは閉まっていた。少し先で道路を掘り返していた。工事のオッサンたちに見つからないよう注意して、スタンドの外にある便所に入った。

足下にコーラの缶を置き、見おろすような感じでピストルを構えた。さすがに緊張して、何度も何度も構えを解いた。

ピストルは両手で支え、足を踏ん張って、一、二の三で引き金を引いた。パーンとものすごい音がした。赤い火花が飛んだ。

やっぱり本物!?

体が後ろに吹っ飛ばされるかとビクビクしてたけど、たいしたことなかった。手首が押されるような感じがしたくらいだ。でも偽物なんかじゃない。足下を見ると、コーラの缶が破裂している。中身がシュワシュワとこぼれ出ている。

すげー、本物じゃん! そう思うと、興奮したのか、怖くなったのか、体がブルッた。

しばらく壁にもたれかかっていて、ふるえがおさまってから便所を出て、オッサンたちに気をつけて家に帰った。工事の音がうるさくて、ピストルの音は聞かれなかったはず。もちろん、コーラの缶と弾と空薬莢《からやっきょう》は回収しておいた。

二月十日

三丁目のネコ屋敷でマタタビを使って一匹捕まえた。麻袋に入れてゴルフ練習場裏の竹林に持っていこうとしたら、途中でギャーギャー暴れ出して手に負えなくなったので、道に叩きつけてやった。一発でぐったり動かなくなった。口の中に銃口をねじ込んで引き金を引いた。弾は頭を貫通したけど、頭が吹っ飛ぶまではいかなかった。あんまり威力のないピストルなんだね。
でも、撃つと耳鳴りがすごい。さすが本物。耳栓したほうがいいな。
ネコの死体は竹林に埋めた。穴は五十センチくらい掘ったので見つかることはないと思う。

二月十七日
ネコ撃ち。
動いてるのに命中させるのはムズいね。リッグス刑事はすごいや。

二月二十五日
ネコ撃ちも飽きてきた。なんか物足りない。撃つならやっぱ人間でしょう。ヒトを撃ってみてー！　激しくそう思う。

二月二十八日
三時間目の算数の時間にナイスなことを思いついたョ。
どうしてもヒトを撃ってみたいから、そのへんのガキを捕まえようかと考えていたんだけど、うん？　ちょっと待てよ、撃っちゃう前に、『殺されたくなかったら金持ってこい』と親を脅してはどうだろう。誘拐ね、誘拐。真吾んちでチマチマ援助してもらってもラチ明かないから、ここらで一丁、まとめて稼ぐのもいいんでないの。金を受け取ったら、ガキはもう用なしだから、ドキュンとやってサヨウナラ。ヒトは撃てる、金も稼げる、一石二鳥じゃん。

思わず「イエス!」と声をあげてしまい、インチキ教師河村に睨《にら》まれた。ひゅー、あぶねぇあぶねぇ。

三月四日

計画は着々と進行している。今日はバイパスのところのホームセンターで夜光塗料を仕入れてきた。万引きしたのは金をケチったからじゃない。夜光塗料なんてめったに売れるものではないと思う。そんなものを買ったら店員の記憶に残りやすいと思う。だからレジを通さずにゲットすることにした。こうしておけば、あとあと警察がホームセンターで聞き込みをしたところでワタクシには行き当たらないと。ケッコー細かいところまで気をつかっているのでございます。

三月十日

駅前のバスロータリーに行って、ごみ箱に「カ」と書いてきた。一度に「カネハココニ」と書いてしまいたいのはやまやまだけど、ごみ箱の前に長いことといると怪しまれるから。だから、ごみを捨てるふりをして、一文字だけ、さささっと。それでもひやひやだったっす。

三月十五日
で、誰を標的にするかということですが。
ここはやっぱり敬意を表して（？）真吾クンに尊い犠牲になってもらいましょうか。いや、探すまでもなく、寝てことで真吾んちに遊びにいってオヤジの名刺を探した。名刺には一枚入っていることはすでに承知していた。レ室のレターケースの三番目の引き出しに一枚入っていることはすでに承知していた。レターケースはいつも覗いてるからね。名刺にはEメールのアドレスもバッチリ記されていた。よしよし。ついでだから千円ほど援助してもらったョ。
夕方、駅まで行って、ごみ箱に「ハ」を書き加えてきた。

三月二十日
ごみ箱に「ニ」を書き加え、これで下ごしらえは終了かな。
あとは実行するだけだけど、その場面を想像すると、さすがにドキドキする。血が騒ぐというか、体中が熱くなるというか。冷静にならんといかんぞ。

三月二十六日
興奮してマス。
やっちゃった。

やったぜ!

真吾を撃ちました。

三月二十八日
一昨日のことを振り返ろう。

二十六日は修了式だった。うちに帰って昼メシを食ってから自転車で家を出た。中古ゲームの出物でもあったら買おうかと、駅の方に向かっていた。そしたら真吾と出くわした。

決行の日はまだ決めてなかったんだよね。春休み中のどこかでやるかって程度で。でも真吾の姿を見て、今日やっちゃおうという気になった。

遊ぼうぜと誘いかけると、真吾は最初しぶった。西久保公園で友達と待ち合わせているらしい。でも、魔獣ストラッターのカードをあげると言ったらイチコロだった。レア中のレアなM3カードだからね、これでコロッとこないわけないよね。

「魔獣ストラッターのカードはとても珍しい。渡すところを人に見られたら取られてしまうかもしれない。だから秘密の場所に行こう」

上高田の小屋にはそう言って連れていった。連れていったといっても、実際は真吾一人で行かせた。だって、一緒に歩いているところを見られたら、あとで言い訳できない。あの小屋には以前、探検ごっことかいって二、三度連れてってやったことがあったので、真吾は一人でも行けるはずだった。鍵《かぎ》もかかっていないしね。でもって、ワタクシはいったん帰宅し、射撃セットをデイパックに詰めて小屋に向かった。

そうそう。別れ際、真吾は、待ち合わせに遅れると友達に電話しようとしたんだけど、それは止めた。こっちの名前を出されたのでは一巻の終わりだもんね。道々電話されても困るので、PHSは預かっておくことにした。

地蔵塚のあたりから周囲に気を配り、誰も見ていないことを確かめながら農道に自転車を入れた。だだっ広い畑は荒れ放題で、オッサンが働いていることもなかった。

小屋に入ると、真吾はすでに到着していて、早くカードをちょうだいとむしゃぶりついてきた。来る途中に誰かに声をかけられなかったかと尋ねると、誰にも会わなかった、早くカードをちょうだいちょうだいと繰り返す。

バーカ。そのブッヨクが命取りなんだよ。

で、ドキュンとやったわけだけど。

肝腎のそのシーンがどうしても思い出せない。興奮しすぎてわれを忘れてしまったのだろうね。なさけなー。

気がついたら、真吾は足下に倒れていた。目の玉をひん剝《む》いて、スタジャンの胸がぐっしょり湿っていた。しばらく待ったけれど起きあがらなかった。真吾真吾と声をかけても、肩を揺さぶっても、返事はないし動きもしなかった。

ぶるった。興奮なのか、恐怖なのか、理由はわからないけど、とにかく背中がぞくぞくっとした。こんな感覚、ネコを撃った時にはなかった。

念願叶《かな》ってヒトを撃ったわけだけど、その瞬間を楽しめなかったのはなんとも無念。

けれど終わってしまったことをくよくよしてもはじまらない。計画にはまだ次の段階があるのだ。第二部は誘拐。

人質を先に殺しておいて身代金を要求するなんて、われながらヒキョーだと思う。人質に食事を与えながら何ヵ月も交渉を続ける中南米のゲリラのほうが、よっぽど人道的でフェアだ。でもまあ、こっちの本来の目的はヒトを撃つことであって、身代金はおまけでしかない。要求が通らなくても文句は言いませんよ。金も手に入れられたらラッキー——そのくらいね。

真吾パパへの脅迫メールは小屋の中から送った。さっき取りあげておいた真吾のPHSでね。送信を終えたらケータイの電源は切っておいた。電源の入ったケータイは常に局に向かって電波を飛ばしていて、局の側からはそのケータイが今どこにあるのかわかるのだという。すると、ケータイに電源を入れたままだと、真吾の死体は簡単に発見されてしまうことになる。遅かれ早かれ死体は見つかるわけだけど、発見は遅いほうがこっちにとって有利になるんじゃないかな。死亡推定時刻に幅ができたり、目撃証言が曖《あい》昧《まい》になったり。

ケッコー冷静でしょ。ところが、やっぱりどこか地に足が着いていなかったんだな。小屋を出て自転車に乗ったらバランスを崩してしまい、壁にぶつかった。パンクしたと気づいたのは地蔵塚を過ぎてから。タイヤの横がスパッと切れていた。

でも、怪我の功名ってやつ？　パンクしてタイヤを見たから大変なことに気づいた。タイヤが泥だらけなんだよね。つーことは、小屋の周りにタイヤの跡がついてるってことじゃん。それはあまりにヤバすぎ。てことで小屋まで戻り、木ぎれを使って、地面についたタイヤや靴の跡を踏みならした。間一髪セーフ。

自転車を押して帰宅したあとは、ちょくちょく外に出て、真吾の家を観察した。警察を呼んだかどうか探るためにね。

その合間に、自転車を自転車屋に持っていこうとしたんだけど、やっぱりよすことにした。よく聞くじゃない。轢《ひ》き逃げした車が、修理に出したことで足がつくって。パンクの件は表沙汰《おもてざた》にしないほうがいい。タイヤとチューブを買ってきて自分で直そう。

真吾の家を観察していると、でっかいトラックが配達にやってきて、でっかい段ボール箱を運び入れた。なーんか、わざとらしい。この時点で身代金の奪取はあきらめた。ちょっとの身代金しか要求しなかったら警察は呼ばれないと思ったのに——。警察とまともにやりあっても勝ち目はないよね。でもいちおう最後まで見届けることにした。

七時四十分に家を出た。名目は、今日が期限のレンタルビデオの返却。自分の自転車はパンクしちまったので、うちのおかんのママチャリで駅までひとっ走りして、空中歩道の上からロータリーの様子を窺《うかが》った。

そもそもの作戦はこうだった。

夜の早い時間、ゴミ太郎はロータリーのベンチにいる。バス待ちのサラリーマンが捨てていく新聞雑誌を狙ってるんだね。あと、食べ残しのハンバーガーとかも。ゴミ太郎が毎晩そうしていることは、塾の帰りにいつも見ていてよくわかっていた。ゴミ太郎は目をらんらんと輝かせて新しく捨てられるごみを待ちかまえている。そんな折、ごみ箱にビニール包みを捨てたらどうなる？　やつは絶対に手を出すね。で、包みを開く。中身は札束だ。やつは警察に届ける？　届けっこないさ。やつは牛丼食う金にも困っている。この札束は神様からの贈り物とばかりに懐に入れちゃうね。ワタクシはそれを奪おうと。

包みを直接自分で回収せず、ゴミ太郎に拾わせるのは、警察対策。もし真吾んちが警察に届けてて、ロータリーの周りが警官で固められていたら、包みを拾いあげた段階で御用になっちゃう。だから、とりあえず第三者に拾わせることにした。ゴミ太郎が捕まってしまったら、その時は身代金はあきらめるしかない。でもゴミ太郎の身に何も起きないようであれば、警察は介入していないということになるから、その後隙を見てゴミ太郎から金を奪う。フツーの大人が相手だったら無理だけど、ゴミ太郎からだったら盗むチャンスはいくらでもあると思う。段ボールハウスには鍵はかからないんだしさ。

でも作戦は失敗に終わった。包みを拾いあげたとたん、ゴミ太郎は取り押さえられてしまった。あんなにたくさんの警官がロータリーを包囲していたなんて、ふー、あぶねえあぶねえ。

ん？　まるまる失敗とゆーわけでもないか。ゴミ太郎に拾わせたことでこっちは命拾いしたのだからね。

しっかし、真吾のパパとママはどういうつもりなんだろうね。たったの二百万なんだから、警察なんて呼ばずに素直に支払えばいいじゃん。一人息子がかわいくないのかねー、まったく。

なにはともあれ、今までの人生の中で一番長い一日デシタ。

三月三十日
真吾の通夜が東大通りのセレモニーセンターで行なわれた。母親と妹と三人で行った。

三月三十一日
真吾の葬式に行ってきた。

四月七日
こうして日記を書いているということは、ワタクシは警察に捕まっていないということである。
二度ほど、うちにオマワリがやってきて、真吾のことをあれこれ尋ねられた。けれど、二十六日には見かけていないと言ったら、それっきり。
警察の捜査は甘い！　甘すぎる！　そんなことで市民の安全が守れるのかぁぁぁ！
ま、ワタクシと真吾は兄弟のように仲良くしていたように見えているから、誰も怪しまないっしょ。

四月八日
もう一度やらなきゃね。

真吾を撃った時には頭に血が昇っちゃって、どんな感触だったか憶《おぼ》えてない。金ももうけそこねたし。

四月十一日

まるひろの辺をぶらついていたら、馬場拓海に声をかけられた。まだ飯能から一進会に通ってきているらしい。たいした塾じゃないのに、ご苦労なこってす。

馬場に、土曜日に遊びにこないかと誘われた。んー、イマイチ気が乗らないなあ、何と言って断わろうか、いや待てよ、やつには弟がいたな。ということで、遊びにいくことに決定。

四月十四日

馬場拓海の家に遊びにいった。弟の雅也も加えてゲームして、M3の最強キャラについて語り合った。おやつに出てきたムースはイケてた。カフェオレはインスタントなので×。

雅也は二年生だった。手ごろだね。PHSも持っているようだし、次のターゲットはこいつで決まりかな。

しっかし、真吾といい雅也といい、最近のガキはケータイなんぞ持っててゼータクだよなあ。ワタクシがケータイ買ってもらったのは五年生の時だよ。ま、ガキがケータイ持っててくれるおかげで安全に脅迫メールを送れるのだから、文句は言うまい。

トイレに行くふりをして、馬場家の中を拝見させてもらった。パパの書斎なんぞがありまして、そこの机の引き出しの中から名刺をゲット。居間のレターケースの中には貯金通帳がありまして、残高をチェックさせていただきました。ついでに千円札二枚も。どこのお宅も現金の管理がずさんですなあ。

四月二十日
本日、大谷進学会をやめました。これで少しはゼータクできそう。

四月二十一日
飯能でロケハン。馬場家から歩いていけるところに古タイヤの墓場があった。人は来なさそうでいい感じ。

四月二十五日
放課後、第二弾を決行した。
最初、自分のケータイから馬場雅也を呼び出しそうになって、あわてて切った。電話をかけたら、電話会社のコンピューターに番号が記録されるんじゃないの？　警察に調べられたら一発アウトじゃん。
てことで、雅也のケータイには公衆電話から電話した。あとで公衆電話の場所を特定されてもいいように、うちの近所からはかけず、飯能駅の公衆電話を使った。電話したあとは、自分のケータイのメモリーの中に入れておいた雅也の番号を消去しておいた。

これでぬかりない？

雅也は家にいた。ママは仕事で、兄貴はまだ学校だって。よし、ひとりぼっちなら決行だ。

グルダリウス三世のカード（金バージョン）をあげると言ってタイヤ墓場に呼び出した。もちろん二つ返事でオーケイだった。誰と会うとか、どこに行くとか、そういうメモを家に残すなと注意することも忘れなかったよ。

今回は撃った時のことをはっきり憶えている。積み重ねられたタイヤの中に雅也を入らせて、上から撃ったんだよね。あいつの首が変な角度で曲がって、体がタイヤの塔の底に沈んでいった。それがスローモーションみたいに見えた。映画のようなことがナマで起きて、それはもうものすごい迫力。体全体が熱くなった。

それから雅也のケータイでパパにメールを送り（送信後は当然、電源オフね）、馬場家の様子を観察した。するとガス屋や水漏れ工事屋の車が次々とやってくるじゃない。こりゃ警察だな、ということで、身代金の奪取は今回も中止。

消化不良だね。リベンジせねば。

五月三日
真吾パパが死んだ。自宅で首を吊《つ》ったらしい。
遺書はなく、テレビでは、最愛の息子が殺されたことで生きる望みをなくしてなんとかかんとかと言っている。

あーあ、なんにもわかってないんだから。あのオヤジは罪の重さに耐えかねて自殺したんだよ。

息子がピストルで殺されたと知らされた時、オヤジは何を思っただろう。自分はピストルを隠し持っていた、ところがそれはいつの間にか紛失し、そして息子が射殺された——凶器は自分のピストルであるとピンときたはずだ。

しかしオヤジはその事実を警察に告げることができなかった。言えば、犯人逮捕の大きな手がかりとなることは間違いない。家の中に隠していたものを盗める人間はかなり限られるからね。しかし警察に言えば、自分が銃刀法違反で捕まってしまう。幼い子を失った悲劇の主人公として同情を集めていたのが、一転、前代未聞の愚かな親だと白い目で見られる。

言うべきか言わざるべきか。オヤジは大いに悩んだ。そう苦しんでいるうちに第二の誘拐殺人が発生した。またも凶器はピストルで、どうやら真吾の時に使われたものと同じらしい。

オヤジの頭の中は真っ白だ。自分のピストルが、自分の息子ばかりか、よそ様の子の命まで奪ってしまった。こうなったら警察に告白するしかない。いやしかし、こうなってしまったらますます言えない。出来心でピストルを密輸しなければと後悔するが、今さら過去には戻れない。

オヤジは悩み、苦しみ、どうしようもなくなって首をくくった。

哀れでもあり、卑怯《ひきょう》でもある。

五月十九日

ザイオンに行ったら、たまに見かけるライオンズ帽のガキがいた。一、二年くらいの男で、ケータイを首にぶらさげている。いつもは二、三人で来ているのだけれど、この日は連れがいなかった。

なんとなくビビッとくるものがあったので、ザイオンを出たあと声をかけ、ビルの階段に座り込んでM3カードの話をした。

ガキ（名前は赤羽聡といい、一年生だった）はM3の話ができるのが嬉《うれ》しくてたまらないらしく、そのうちデイパックを開けて、今日買ったカードを見せびらかしはじめた。ろくなカードはなかったけど、「すげー」を連発してやった。ついでに缶ジュースを二本おごってやった。一時間も話し込んだら、聡の心はすっかりこっちのものになったね。父親がいないこと、一人っ子であること、安全のためにケータイを持たされていること、などなど、プライバシーをぺらぺら明かしてくれた。ケータイの番号も聞き出せた。けど、こっちの番号は教えない。これ、原則。

とりあえず今日はここまでかなと思っていたら、ジュースの飲み過ぎか、聡が腹が痛いと言い出した。ワタクシは親切にもトイレを探すのを手伝ってやり、なおかつ用足しのじゃまになるだろうからとデイパックを預かってやった。

デイパックの中にはM3の財布が入っていた。開くと、ママの名刺が入っていた。聡がこの財布を落としたり事故で病院に運び込まれたりした時を考えて持たせてあるのだろう。いいママだ。その愛情が命取りになるとも知らずにねぇ。メールアドレスの入ったその名刺は、当然ワタクシのポケットに。

財布には五百円玉と百円玉も入っていたけれど、それには手をつけなかった。残り少ない命、思い残しがないよう好きなものを買ってちょうだいな。

五月二十三日

第三弾決行。

呼び出しは16号沿いのショッピングセンターの公衆電話から行なった。赤羽聡は一人で家にいた。M3カードを餌にして、難なく呼び出し成功。入れ食いだね。

今回のテーマは連射。石膏《せっこう》ボードを背に、腕を横に広げて立たせた。聡はこのピストルをおもちゃだと思ったらしく（そりゃ、そうだよね）、ビビりもせず、素直にハリツケの格好になった。そして西武線が通過するのに合わせて、カートリッジが空になるまで撃ち続けた。

ところがカッコ悪いことに、当たったのは半分もなかった。映画みたくうまくいかないのね。十二発撃っても聡はまだ動いていて、尻餅《しりもち》をつき、石膏ボードに背中をもたせかけた状態で、口をあうあうさせ、涙目で見つめてくる。ワタクシはカートリッジに弾を詰め直し、聡の胸に銃口をきちんと当てて引き金を引いてあげました。聡はビクッと体を痙攣《けいれん》させて、それきり動かなくなった。白いポロシャツだったので、胸にバラの花びらを散らしたようだったよ。

　聡のケータイでママにメールを打つ際、ちょっと迷った。今回は事前に貯金通帳を見ていないので、赤羽家がどの程度の金をすぐに用意できるかわからない。で、今までの半分の百万円としておいた。百万だったら、貯金がゼロでもサラ金で用意できそうじゃない？

　今回の作戦は、陸橋の上から草むらに包みを落とさせ、しばらく様子を見たあと、野球のボールを草むらに投げ込んで、ボールはどこにいったかな、あらこの包みはなんだろな、と拾いあげるというものだった。もし警察官が登場したら、交番に届けようとしていたんですと言い訳する。

　ところが実際には、現金の包みには近づくこともできなかった。だってさ、脅迫メールを打つ前と打ったあとで、通行人の数が全然違うんだよ。車がたまに通るだけの田舎道だったのに、ひっきりなしに人が行き来するようになった。しかも、聡ママは包みの落とし方が下手で、草むらからはずしちゃったんだよね。包みは道に剝《む》き出し。なのに通行人はみんなそれを無視して通り過ぎるんだよ。おめーらみんな警察官じゃ！

　どうしてどこの親も、律儀に警察に届けるんだろ。たったの百万円じゃないか。スパッと払って子供を取り戻そうというふうには思わないのかね。

　ちくしょう。こうなったら成功するまで意地でもやってやる。

六月三日

ネットオークションで落札されたM3カードの引き渡しのため、所沢へ。
五万四千円でお買いあげ。ありがとやんした。さすが大人、太っ腹、と言いたいところだけど、このカード、偽造ものなんだよね、うぷぷ。
そうとは知らず、尾嵜のオッサン、ニコニコ顔で、ありがとうありがとうとワタクシの手を握りっぱなし。ついでに家に招待されちゃったよ。

六月九日
尾嵜毅彦宅訪問。
なんだよ、M3カードは子供のために落札したんじゃなかったのかよ。尾嵜のオッサン自身がコレクターだったとは、驚きというか、あきれたというか。オッサンには豪太という一年生の息子がいて、そいつもM3ファンなわけだけど、オッサンときたら、自分のコレクションは息子にもさわらせないんだよ。一番びっくりしたのは、息子がカードファイルの表紙にアイスクリームを垂らした時。グーパンチで殴りやがった。あぶねーよ、このオッサン。
オッサンの自慢話はつきることがなく、貯金通帳をチェックする暇がなかった。

六月十二日
真鍋のところに遊びにいって閃《ひらめ》いた。
あいつの家、表札代わりに親父さんの名刺をドアに貼ってあるんだよね。それを見てピンときて、帰りがけ、マンションの一階にある集合郵便受けをチェックしてみた。名刺を表札代わりに使っている家が二、三軒あった。なるほど、こういうところから名刺をゲットするという手もありなんだね。

六月十六日

真鍋のマンションに鷹羽という家がある。郵便受けの名刺によると、ご主人の茂さんは所沢にある高槻精工所に勤めている。会社からメールアドレスも与えられている。そしてワタクシの調査によると、鷹羽家には子供が一人いる。翔太という小学三年の男の子だ。母親はフルタイムで働いていて、翔太はケータイを持っている。ケータイの番号もわかった。

鷹羽翔太もターゲット候補だな。ただ、ひいらぎ台小学校というのがね。ひいらぎ台小学校から二人目の犠牲者が出たら、警察はこの近辺の捜査を強化するだろうから。

六月二十日

ふう。ようやく身代金の奪取に成功したョ。

導入部分はいつもどおり。所沢駅の公衆電話から尾嵜豪太に電話して、M3カードで釣り出した。オヤジも持っていないプ・チシュー三姉妹の初刷りだから、欲しくないわけがないよね。

ドキュンとやったあと（たいして胸ときめかなかったのは慣れてしまったから？）、

豪太のケータイで尾嵜のオッサンにメールを打った。要求額は六十万円。すげーディスカウントしたぞ。これで警察を呼ばれたら、一万円の要求でも警察を呼ばれてしまう気がする。

メールを送信し、ケータイの電源を切ると、東村山駅に移動した。ゲーセンに入り、入口のガラス越しに向かいの立ち食いそば屋の様子を窺《うかが》った。

五時半になり、ワンピースを着た女の人が一人で立ち食いそば屋に入った。豪太ママだ。家に遊びにいったとき会っているから顔はわかる。豪太ママはカウンターの下の物置きに小さな紙袋を置き、そばを二、三口すすってから店を出ていった。紙袋は置きっぱなしだ。

五時五十分ごろ、背の低いオッサンがそば屋に入った。注文のそばを待っている間に紙袋の存在に気づき、手に取って中を覗《のぞ》き込んだ。とたんに落ち着きがなくなった。猛烈なスピードで箸《はし》を動かすと、紙袋を服の中に突っ込んで店を出た。

紙袋の中には十万円が入っているはずだ。この十万円は偵察部隊ってとこかな。どこかの誰かさんに拾わせ、ネコババさせ、そいつが警察に捕まるかどうか拝見しようって算段。もし捕まってしまったら作戦は中止で、捕まらなかったら続行。

ワタクシはゲーセンを出てオッサンのあとを追った。オッサンは、しきりに振り返りながら駅の方に歩いていき、誰に呼び止められることもなく、改札の向こうに消えた。よっしゃー、警察は呼ばれてないぞ。オッサン、ありがとね。十万円は好きに使ってくれや。

ワタクシはジョイフルマート東村山店に移動した。北階段を昇り、二階の物陰から上の踊り場を覗いてみると、豪太ママがベンチにぽつんと座っていた。ワタクシはエスカレーターで五階まで昇り、おもちゃ売り場をぶらぶらして六時半になるのを待った。

六時三十三分、北階段を五階から降りていった。三階の物陰から下の踊り場を窺う。ベンチには誰もいない。ゆっくりと階段を降り、踊り場に到達。椅子から少し離れたところでしゃがみ込み、スニーカーの紐《ひも》を締め直すふりをして椅子の下に目をやった。紙袋があった。

やったー！ と思うのと同時に、猛烈にドキドキしてきた。いったん立ちあがり、階段の上と下を見た。人の気配はない。よっしゃー！ と思うのだけど、いっそう心臓がドキドキする。獲物はすぐそこにあって、九十九パーセント手に入れたも同然なのに、なぜか逃げ出したい気分。実際、階段を二階まで降りちゃったんだよね。でもここで帰ったら一生後悔すると気合いを入れ直し、もう一度階段を昇っていった。

椅子に近づくと、ズボンのポケットに手を突っ込んで、さっき上のおもちゃ売り場で買ったガシャポンの丸い容器を取り出して、手が滑ったようなふりをして床に放った。見事、容器は椅子の下に転がっていった。階段の上と下に注意しながら腰をかがめ、四つん這《ば》いになり、「あれー、どこ行った？」なんて間抜けなセリフを口にしながら椅子の下を覗く。紙袋を手前に滑らせ、椅子の下から完全に出す。誰かがやってくるような気配はない。ガシャポンの容器に手を伸ばし、そして立ちあがりざま紙袋を拾いあげた。ゆっくりと階段を降りる。二階に達した。誰も寄ってこない。そのまま階段を使って一階まで降りる。ゆっくり、ゆっくり、出口を目指し、外に出たら駅までダッシュ。

いやあ、はじめてヒトを撃った時よりドキドキしたかもー。

警察にナイショにしてくれた尾嵜のオッサンとママに感謝感謝。

七月二十六日
五十万円ゲットは嬉しいんだけど、たった五十万円かぁという気持ちもある。そもそも身代金の奪取はおまけだったわけなんだけど、成功したらやっぱ欲が出てくるよなあ。
やるか、鷹羽翔太。

5

目は見えているのか。息はあるのか。心臓は動いているのか。

私はディスプレイの前で固まってしまった。まったくフリーズしたパソコンのようだった。

どこまで読んだのだろう。最後まで読み通すことができたのか。

最悪だ。自ら望んで覗いたのだから、自己責任ではある。とはいえ最悪の結果を突きつけられてしまった。

引き出しから拳銃《けんじゅう》が見つかっても、まだ一分の逃げ道はあった。この拳銃はどこかで拾ってきたのだと。精巧に作られたモデルガンなのだと。しかし犯行日記が出てきたことで行く手は完全になくなり、退路も塞《ふさ》がれた。雄介が誘拐殺人犯であると、ここに確定した。

それだけでも最悪なのに、輪をかけて犯罪の質《たち》が悪い。動機といい、手口といい、犯行時の心情といい、大人でも、このような凶悪な犯罪を犯す者はいないだろう。雄介は人の心が欠落している。私がそういう子を生み出し、育ててあげてしまったのだ。

どれほどの間凍りついていただろうか。私はハッとしてパソコンの画面に注目した。

やるか、鷹羽翔太。

一昨日付けの記述だ。日記はここで終わっている。雄介はまた新たに誘拐殺人を行なおうとしているのだ。いつ予定している？　日記を読み返すが、具体的な日付は見あたらない。

私は頭を掻《か》きむしりながら室内を見渡した。と、見慣れた焦げ茶色の表紙が目にとまった。勉強机の上にM3のシステム手帳が置いてあった。私は手帳をひっつかみ、急いでページをめくった。

目当ての文字列は八月一日の欄に記されていた。「74K4845H074」。すなわち「TAKABASHOTA」である。八月一日、雄介は鷹羽翔太という男の子を呼び出して殺すつもりでいるのだ。

壁のカレンダーを見る。八月一日は来週の水曜日だ。今日は土曜日だから、四日後である。まだ間に合う。雄介にこれ以上罪を重ねさせないことが親としての最低限の務めだ。五人目の犠牲者は絶対に出してはならない。

私は手帳を閉じ、机の上に置いた。パソコンの前に戻り、「日記みたいなもの」を閉じ、パソコンのシステムを終了させた。

雄介にどう話せばよいのか。言葉が浮かばない。しかし躊躇《ちゅうちょ》はもう許されない。幼い命がかかっている。ここで雄介を止めなければ、鷹羽翔太のあとも、さらに一人、また一人と殺しかねない。いや、きっと殺す。

私は部屋のドアを開けた。

心臓が止まりそうになった。

廊下に何かがいた。その影に驚き、反射的に一歩退いた。

「何かご用ですか？」

雄介だった。

6

「やっとたどりついたみたいだね」

雄介はニッと白い歯をこぼした。

「塾は……、もう終わったのか？」

私はかろうじて言葉を発した。

「塾に行ってないと知ってるくせに」

雄介はますます嬉《うれ》しそうな顔をする。私はなぜか恥ずかしさに襲われ、さっと顔を伏せた。

「化かし合いはやめようよ、お互い」

雄介は私の横をすり抜けて部屋の中に入った。私は廊下の方を向いたまま言う。

「見ていたのか？　その、お父さんがこの部屋にいたのを、ずっと」

「べつに、ずっと見張ってたわけじゃないよ。でも、今日は会社が休みだから、きっとまた引っかき回しにくるだろうなとは思ってた」

「また……」

「そう、また。ちょくちょく覗いてたでしょ」

「気づいていたのか」

「最初におかしいと思ったのは六月のいつだったっけ。風呂《ふろ》からあがってここに戻ってきたら、部屋の明かりが消えてたんだよね。すぐにあがるからいいだろうって、電灯をつけっぱなしで下に降りていったはずなのに。で、部屋の中をよく見たところ、ビミョーな違和感があった。机の感じが変だった。とくに一番上の引き出しの中。ぐちゃぐちゃなのはいつものことだけど、そのぐちゃぐちゃさかげんがいつもとはビミョーに違っていた。誰かが引っかき回したと思った。そのとき菜穂はもう寝ていたから、お父さんかお母さんだ。じゃあどっちだろうと考えていると、これまたビミョーなことに気づいた。臭いがしたんだよ。タバコの臭いがビミョーに」

「ああ」

「それから気をつけるようにした。部屋の中の物の配置をよく憶《おぼ》えておくとか、出かける前に侵入監視装置をセットしておくとか」

「侵入監視装置？」

「映画とかでよくあるじゃん、ドアの板と横の柱をつなぐように髪の毛を貼りつけておくの。そうすると、もしドアを開けたら髪の毛が剝《は》がれ落ちるから、侵入者があったかどうか一発でわかる。僕の計算では、これが九回目の侵入なんだけど、そんなもんでしょう？」

「気づいていたのに、どうして何も言わなかった」

私はうめくように言った。

「何を言えっていうの？　プライバシーの侵害はするな？」

雄介はふんと鼻を鳴らし、そして笑いを含んだ声で続けた。

「気づいていたのに、どうして何も言わなかった――それはこっちの台詞《せりふ》だよ。何度も忍び込んで、いろんなものを見つけて、なのにどうして何も言わなかったの？」

私は即答できなかった。

「机の一番下の引き出しも覗いたんでしょ？　底の底を」

「ああ」

「今日はパソコンを調べたんだよね？」

「ああ」

「じゃあ、何か言いたいことがあるでしょう」

言葉が出てこない。

「どうしたの？　何も言わないの？」

雄介はますますあおる。

顔がカッと熱くなった。人前であがってしまったような感覚だ。手足も小刻みに震えている。

私は息を大きく吸い込んだ。二度、三度と深呼吸を繰り返すと、頭が少し冷えた。

ゆっくりと振り返る。雄介が立っている。両腰に手を当て、挑発的に首を突き出している。

さあ、何か言うのだ。父親として言ってやるのだ。

私は唇を舐《な》め、開き、腹の底から声を絞り出した。

「雄介、おまえは――

＊

何と言えばよい？

七月二十日の午前一時。

私は自宅の寝室にいる。隣の布団では秀美が眠っている。彼女は今日も軽い鼾《いびき》をかいている。その向こうでは菜穂が小さな寝息を立てている。

私は音を立てないように寝返りを打った。寝返りを打ち、寝返りを打ち、寝返りを打ち、そしてとうとう布団を這《は》い出した。

洗面所で水を飲むと、寝室には戻らず居間に行った。エアコンのスイッチを入れ、ソファーに腰を降ろし、タバコをくわえる。

テーブルの上に白い厚手の紙が重ねて置いてある。通信簿だ。今日は、厳密には昨日だが、一学期の終業式だった。

上の通信簿を手に取る。菜穂のものだ。彼女が生まれてはじめてもらった通信簿である。開くと、笑いたくなるような数字が並んでいる。私も学校の勉強は苦手だったが、ここまでひどい通信簿はもらったことがない。だが、「みんながやりたがらない教室の掃除や用具の後片づけを率先して行なうがんばり屋さんです。はきはきとした態度もみんなのお手本になっています」という担任の評価が親としてはたまらなく嬉しい。

次に雄介の通信簿を開く。音楽と体育以外は5だった。塾に行かず、かつ、あれだけの犯罪に手を染めておきながら、この成績である。ある意味、尊敬に値する。

それとも——、実は、誘拐殺人を犯したというのは私の妄想にすぎないのかもしれない。通信簿を見ていると、そんな気がひしひしとしてくる。オープン参加で受けているらしい模試の結果も、県で二十何番という順位をキープしているのだ。

いや、今さら蜃気楼《しんきろう》のような希望は持つまい。たとえ全国で一番の成績であろうと、拳銃を隠し持っているという事実の前では何の弁護にもならない。塾の受講料を横領し、自転車のタイヤの件で嘘もついた。やはり雄介は殺人犯なのだ。

通信簿をテーブルに戻し、次のタバコに火を点《つ》ける。

さあ、どうする。舞台は整った。雄介を追いつめた。雄介と向き合った。雄介に開き直られた。そして私は何を言う？

たて続けにタバコを喫《す》う。心が沈静していく。研ぎすまされた頭の中に一つの悟りが訪れる。私はおそらく格好良くしゃべろうとしている。道徳の教科書にでも載るような、世間一般の手本になるような言葉を探し求めてはいないか。雄介に尊敬されたいと、心を震わせ涙を流させたいと願ってはいないか。その、立派な父親であろうという意識が私から言葉を奪っている。

不器用でも不細工でもいいのだ。私の正直な気持ちをぶつければそれでいいのではないか。親としてではなく一人の人間として、子に対してではなく一人の人間に対して、思っていることをそのまま言ってみるのだ。

私はまた新しいタバコをくわえる。

7

「どうしたの？　何も言わないの？」

雄介は両腰に手を当て、挑発的に首を突き出している。

「雄介が真吾君を殺したのだな」

私は低くつぶやいた。一秒も間を置かずに答が返ってきた。

「そうだよ」

「どうして殺したりしたんだ」

「パソコンを覗《のぞ》いたんでしょ？　あそこに書いてあるとおり。それ以上でも以下でもない」

なんというふてぶてしさだ。

「あんなに仲良くしていた真吾君を、どうして」

「演技、演技。ほら、僕はこのへんでは面倒見のよい子ということになってるじゃない。だから面倒見のよい子を演じ続ける必要があったわけ。評判落とすと将来的にマイナスだからね。あんなガキと遊んで何が楽しいもんか。嫌々遊んでやってるんだから、せめて援助してもらわないと割が合わない」

「雄介は弱い者をいじめるような子だったのか」

「ヒクソン・グレイシーを誘拐すればよかった？」

「おまえは人の命を何だと思ってるんだ」

「命の値段が百万二百万じゃ安すぎ？　せめて一億は要求しろ？」

「おまえは……」

なさけないのか、腹立たしいのか、涙がこぼれてきた。

「あー、ヤだヤだ。泣くのは勝手だけど、人前で泣くのは反則だと思う。情に訴えるなんてサイテー」

雄介は心底嫌そうに顔をしかめた。

「四年の、時に、作文を、書いた、だろう……」

私は洟《はな》をすすりながら言った。

「一年の時にも二年の時にも三年の時にも五年の時にも六年の時にも作文は書いてるけど」

「田口さんの家が、火事になって、そのことを、作文に、書いた」

「そんなこと書いたっけ」

「その作文の中で、おまえは、将来は、人の命を、助けるような、仕事が、したいと、いっている」

「記憶にございませんねえ。仮に、もしそういうことを作文に書いていたとしても、それって作りなわけでしょう。作りだから、作文。読んで字のごとし」

「作り……」

「作文なんて創作に決まってるじゃん。会社の営業成績報告じゃないんだよ。ベースは事実かもしんないけど、それに教師受けしそうなことをプラスして書く。じゃないと点数もらえない。ありのままの事実なんてたいていしょーもないものだから。塾でも嘘書いていいと教えられたよ。中学の入試では作文を書かせられるんだけど、採点者に好印象を与えるには工夫しなければならないってね。印象を良くするために、選挙前の政治家のようにオイシイ話を並べたてるわけ。テレビのドキュメンタリーだって仕込みをしてるから盛りあがるわけでしょ。それと同じこと。僕だけじゃなくて、みんなやってる。お父さんだってそうだったでしょう？　自分が子供だった時のことを思い出してみなよ。まさか、ありのままを書いてた？　そりゃ点数損してる。ゴシューショーさま」

もう言葉が出ない。私はその場にしゃがみ込み、頭を抱えて嗚咽《おえつ》した。

「質問していい？」

雄介が言った。私は首を縦にも横にも動かさなかった。しかし雄介は続きを話しはじめた。

「どうして人を殺したらいけないの？　どうしてゴキブリは殺していいの？　人の命とニワトリの命の違いは何？　生命ということでは、どちらも同じ重さだと思うよ。人は高等生物だから殺してはいけないの？　自分で自分のことを高等というなんてオゴリと違う？」

体が反射的に動いた。私は顔をあげ、そして手をあげた。雄介がその場に崩れるのが網膜の奥にスローモーションで映じた。雄介はしばらく頰を押さえてうずくまっていたが、やがて忍び笑いながらゆっくりと立ちあがった。

「殴ることの延長線上に殺すことがあるんじゃないの？　暴力をふるう人間に、人を殺したことを責める資格があるとは思えないけど。いま殴ったのは愛情から？　だったら、愛情があれば殺してもかまわないことになってしまうよ」

私はまた顔を覆った。

「ではもう一つ質問します。もし菜穂が殺されたら、お父さんは犯人に対してどう思う？　殺したいほど憎むんじゃないの？」

私は答えない。考えられないし考えたくもない。

「もしその犯人が死刑にならなかったら、どうして死刑にならないのだと憤るんじゃないの？　そしてもし敵討ちが許される世の中であれば、自分の手で犯人を殺すでしょ？　そういう思想を持った人間に、人を殺してはいけないなんて説教する資格はやはりないと思う」

雄介はそこで言葉を止めた。私は何も言わない。するとしばらくして、「違うかな？」と一言言ってきた。答を求めているらしい。

「尊い命を奪っておいて、これっぽっちの反省もしていないのか？」

私は雄介の問いかけを無視して尋ねた。

「反省？　してるよ」

雄介はそう答えた。しかしこう続けた。

「お父さんに見つからないよう、うまくやればよかった。もっとたくさんの身代金を要求しておけばよかった」

これが強がりでないとしたら、雄介はもはや救いようがない。

「人を殺したら、自分が殺されても文句を言えないんだぞ」

「殺されてもいいよ」

「そんなことを言ってくれるな」

私は震えるような溜《た》め息をついて、

「もしおまえが誰かに殺されたら、お父さんは悲しい。お母さんも菜穂も、おじいちゃんもおばあちゃんも、とても悲しい思いをする。それはおまえのことを大切に思っているからだ。大切なものを失うのは自分の身が削られるようなつらさがある。人というのはね、誰もが誰かを大切に思い、誰もが誰かに大切に思われているものなんだ」

「だから？」

「だからって……、それを考えれば、自分が殺されるようなことがあってはいけないし、だから人を殺してはいけないとわかるだろう」

「どんなに大切にしたところで、人間、いつかは死ぬんだ。殺されるということは、それが少し早まるだけじゃない。そう、ほんの少し早まるだけ。地球規模で考えたら、百歳で死のうが十二歳で死のうが同じこと」

「ふざけるんじゃない」

「ふざけてないよ。だいたい、生きてたってしょうがない。したいことなんてべつにないし。ゲームしたりM3カードを集めたりしてるのもカリソメの楽しみだよね。一生それだけやって暮らしていけるわけじゃなし。プロとしてサッカーや野球や音楽をしていける才能があったり、代議士一族の跡取り息子として生まれてきたりしたのなら話は別だけどさ、そうでない人間の人生なんて、したくもない勉強をして中学に入って、実社会で役に立ちもしない公式を憶《おぼ》えて大学に入って、まだ一年生のころから就職の心配ばかりして、いい会社に入れたとしてもしょせん使われるだけで、恋をしてもそれは幻想で時間が経てば飽きるだけで、結婚したら家買わされて下手したら定年後もローンを背負って生きなければならなくて、生きてても疲れるだけじゃん。大人の前ではいい子であるようふるまって、クラスの人間の前ではさも仲間であるかのように話を合わせる。大人になったらなったで、上司や取引先の前ではいい顔をして、職場で浮いた存在にならないようみんなと話を合わせるわけでしょ。そうまでして生きる意味ある？　若い今のうちにムチャやって破滅してしまったほうがずーっとマシ。だらだら生きていてもしょうがないし、ただ醜いだけ」

雄介はなおもしゃべり続けたが、私の耳には届かなかった。

私は泣いていた。不覚にも赤ん坊のように声をあげて泣いてしまった。怒りとか、悲しみとか、そういう感情を感じるよりも先に涙と声があふれ出てきた。まったく赤ん坊と同じ状態である。

止めようにも止められず、本能にまかせて泣いていると、そのうち急に心が軽くなった。体からすーっと魂が抜けていったような感覚だった。涙もぴたりとやんだ。

「さてと。お母さんや菜穂が帰ってくる前にカタをつけたほうがいいっしょ。警察を呼ぶ？　それとも連れていく？　僕はどっちでもいいよ。あ、でも、一度パトに乗ってみたいから、警察を呼んでもらったほうがいいかな」

雄介は笑って頭を掻いた。

「心の準備はできているのだな？」

私は濡《ぬ》れた頰をぬぐった。

「お父さんが部屋を調べたと感づいた時点で、いつかはこの日が来ると覚悟していたよ。遅かったくらいだ」

「じゃあピストルを出しなさい」

「うん」

雄介は素直にうなずき、勉強机の一番下の引き出しを開けた。教科書や参考書を取り出し、床に積みあげていく。

不憫《ふびん》だ。

この子はもうだめだと思った。言葉が通じない。百戦錬磨のカウンセラーをもってしても、このねじ曲がった心は矯正できないと思う。別次元の住人なのだ。

雄介はカッターの刃先を使って引き出しのダミーの底をはずす。丸まったぼろ布を取り出し、床に置く。ゴトリと重い音がした。

「貸しなさい」

手を差し出すと、雄介は布の包みをこちらに滑らせた。私はしゃがみ込んで包みを開いた。黒光りする拳銃が現われた。

不憫でならない。

愛情をもって殴ることが許されるのなら、愛情をもって殺すことも許されてしまうと雄介は非難した。しかし私は思う。愛情をもって殺すことは許されるのだ。

私は拳銃を手に取った。木製のグリップを左手で握った。

なんて不憫な子なのだ。

雄介はこの社会に不適応な種類の人間なのだ。だから彼は生きることに息苦しさを覚えている。といって資質が不適応にできているため更生はかなわず、生きている間はずっとあえぎ続けなければならない。するとまた他人を不幸に巻き込むことになるだろうし、それは雄介本人にとっても不幸なことである。

かわいそうな雄介。

だから私はこの子を殺す。

雄介はまだ子供だ。社会は彼を死刑に処してくれない。ならば私の手で死なせてやろう。息苦しいこの社会と断絶させてやる。それがこの子のためだ。

私は拳銃を手に立ちあがった。雄介は殺気を感じたらしく、一歩退いた。私は一歩前進した。雄介が机に詰まった。私はもう一歩前進した。雄介が横に逃げる。私は右手を伸ばし、雄介の腕を摑《つか》んだ。

雄介は激しく身をよじった。だが私はまだまだ十二歳の息子に力負けはしない。雄介の体をぐいと引き寄せる。

これは救いだ。この手でわが子を救済するのだ。

私は銃口を雄介のこめかみに押しつけた。雄介は何ごとかわめきながら手足をばたつかせる。

雄介、これでお別れだ。

人さし指を引き金にかけ、力を込めて引きつける。

＊

私は小さく唸《うな》り、首を左右に振った。フィルターまで焦げてしまったタバコを灰皿に捨て、ソファーを離れた。台所に行って冷蔵庫を開け、ペットボトルのミネラルウォーターを取り出し、そのまま口をつけた。

おまえが殺したのだなと雄介に詰め寄ったとする。はいそうですと泣いて詫《わ》びてくれれば、絶望の中にも希望を抱くことができる。その潔さは罪の意識を持っていることの現われであり、今後の更生も十二分に期待できる。

しかしそのように素直な子であるなら、そもそも誘拐殺人など行なわなかったのではないか。したがって実際には、反抗的挑戦的な態度を取られるような気がする。いま想像したとおりである。

私はペットボトルを冷蔵庫にしまって居間に戻った。ソファーに腰を降ろし、またタバコをくわえる。

雄介と対峙《たいじ》し、反省のかけらもない態度を取られたら——殺すしかないと思うかもしれない。しかしその場で撃ち殺すというのはどうだろう。

住宅街で発砲したら人の耳にとまる。警察に通報される。私は逮捕される。

雄介は死なせてやったほうがしあわせだ。しかし私自身はまだ人生を終わりにしたくない。この世に未練がある。会社を興したいという気持ちが強くある。子供のころからの夢——ウラジオストックからロンドンまで列車で旅をする――もまだ実現していない。私にとって雄介はかけがえのない存在だが、私の人生のすべてではない。ほかの親はどう思うのか知らないが、少なくとも私は、子供を失ったら自分も生きる意味はない、とは考えない。

それに、秀美と菜穂はどうなる。息子（兄）が誘拐殺人犯で、夫（父親）が子殺し。二人の将来は暗黒より暗い。

雄介は救済してやりたい。私は人生を棒に振りたくない。秀美と菜穂も不幸にしたくない。すべてを成立させる、そんな虫のいい方法があるのだろうか。

8

八月一日水曜日。

トイレから戻ってきてメールをチェックすると、新しいメールが三通届いていた。

一通目は朝霞工場からの業務連絡で、二通目はアダルトサイトからのダイレクトメール。

三通目には題名がなかった。差出人の名前もなく、アドレスもなじみのあるものではない。

メールを開くと、次のような文章が現われた。

富樫修殿
ご子息を預かった。

現金で10000000円を用意しろ。

金は紙の手提げ袋に詰め、袋の口をテープで塞《ふさ》げ。

それを持って池袋駅本日十七時四十四分発の所沢行き通勤準急に乗れ。先頭から三番目の車輛《しゃりょう》だ。

紙袋は前寄り左側の網棚に載せ、大泉学園《おおいずみがくえん》に着いたら、袋はそのままにしてホームに出ろ。

以上は細君一人にやらせろ。

警察を呼んだらご子息の命はない。

私は何度も唾《つば》を飲み込んだ。左右を窺《うかが》う。みな机に向かっていて、こちらを注目している者はいないように思える。

腕時計に目をやる。三時二十七分。文面をもう一度確認し、メールを閉じる。痰《たん》を切るように軽く咳《せき》払いをする。椅子のキャスターを滑らせ、ゆっくりと立ちあがる。背中を丸めた姿勢でドアに向かう。

「係長」

コピー機の横で高沢紀子に声をかけられ、ギョッと立ち止まった。

「これ、ゼロが一つ足りなくありません?」

彼女はコピー用紙の上を指でなぞった。

「ええと、ああそうだね、一桁《けた》間違っている。コピーはもう取っちゃったの?」

声が裏返りそうになった。

「ええ、全部取ってから気づきました。原本を打ち直してコピーを取り直します?」

「コピーは何部?」

「二十部です」

「じゃあその部分だけ手書きで修正して。悪いね」

私は腹を押さえながら廊下に出た。気持ち悪い汗が背中を伝い落ちる。

前後左右を窺ってからトイレに入る。人の姿はない。二つあるボックスも空である。私はボックスの一つに入った。ドアを閉め、鍵《かぎ》をかける。上着のポケットに手を突っ込み、携帯電話を取り出す。うまくボタンを押せない。指が震えている。

「おかけになった電話は、電波の届かない場所にあるか、電源が入っていないため、かかりません――」

雄介のPHSとはつながらない。

終了ボタンを押し、別の番号にかける。

「富樫でございます」

かわいらしい声が出た。

「菜穂？　パパだ」

「パパ！」

「ママは？」

「ジョイフルマートだよ」

そうか。まだパートの時間だったか。

「じゃあいい。気をつけてお留守番してるんだよ」

「うん」

「玄関には鍵をかけて、知らない人が来ても開けてはだめだよ」

私はそれで電話を切ろうとしたが、ふと思い立って、

「おにいちゃんは？」

「いないよ」

「雄介はいないのか？」

「うん」

「そうか、いないか……」

「ねえ、パパ」

「うん？」

「菜穂、アイスクリーム食べたい」

「いい子にしてたらな」

電話を切ると、汗がどっと噴き出した。べたつく掌《てのひら》をズボンの腿《もも》でぬぐい、メモリーから秀美の携帯電話の番号を呼び出す。

「おかけになった電話は、電波の届かない場所にあるか、電源が入っていないため、かかりません――」

舌打ちをくれて電話を切る。秀美のパート先の電話番号を探し出し、ダイヤルする。電話番の女性に富樫秀美の呼び出しを頼む。ディズニー映画の曲の保留音が流れる。どこか微妙に音程がずれている。

腕時計に目をやる。三時三十三分。

「お待たせしました」

秀美が出た。はあはあと荒い息をしている。

「もしもし。俺だ」

「なんだ、あなた。何よ？」

いまいましそうに言う。

「周りに人はいるか？」

「いるわよ。何？」

「じゃあ、人のいないところに行って電話をかけ直してくれ。会社でなくてケータイにだ」

「なに言ってんのよ」

「いいから言われたとおりにしろ」

「わたしは仕事中なのよ」

「言うことを聞け。緊急の用事だ。ああそれから、紙とペンも持っていけ」

私は一方的に通話を終了させた。

また汗が噴き出した。心臓が激しく脈打ち、胸が痛い。大きく息を吸い込む。ゆっくりと吐き出す。それを繰り返す。

雄介のPHSに電話してみる。やはりつながらない。

携帯電話が鳴った。腕時計を見る。三時三十七分。

「それで？　何？」

秀美はいきなり食ってかかってきた。

「人はいないな？」

「いないわよ。それで何よ」

「いいかよく聞け」

「だから何よ」

私は大きく息を吸い込み、吐くのにまかせて言った。

「雄介が誘拐された」

「え？」

「要求は百万円だ」

「誘拐？」

「そうだ」

「雄介が？」

「さっきから雄介のケータイにかけているが、つながらない」

「だからって、どうして誘拐……？」

「会社に脅迫メールが届いた。百万円持ってこいということだ。秀美、おまえが運ぶよう指示されている」

「ちょ、ちょ、ど、ど……」

妻はパニックに陥ってしまったようだ。

「もしもし？　秀美？　返事をしろ。秀美？」

「は、はい」

「書くものを用意してきたか？」

「ある」

「今から言うことをメモしろ」

私はメールの内容を伝えた。身代金の運搬方法については三度繰り返し、復唱させた。しどろもどろではあったが、秀美は私の言葉を正しく返してきた。

「百万ならすぐに用意できるよな？」

　私は確認した。

「ええと、だいじょうぶ。定期から借りる」

「じゃあ、すぐに動いてくれ。頼んだぞ」

「ま、待って。わたしが？」

「だから言っただろう。おまえ一人で来いと犯人が指示しているんだ」

「でも、わたし一人じゃ……」

「俺だって一緒に行きたいよ。でも、命令には従うしかないだろう。犯人がどこで見張っているかわからない」

「わかった……」

「それから、わかっているとは思うが、念のため。警察には届けるなよ」

「はい」

「絶対に届けてはだめだぞ」

「はい」

「一緒に行ってやれないが、俺もすぐに帰る」

「お願い」

「じゃあ、頼んだぞ」

「ねえ」

「何だ」

「雄介は無事なの？」

「それは――」

わからないと言いかけ、

「だいじょうぶだ」

と訂正する。

「本当に――」

電話の向こうの声が震えだした。

「泣くな」

「う……」

「他人に気づかれるだろう」

「うん……」

「時間がない。早く銀行に行け。だいじょうぶだ。がんばれ」

きりがないので電話を切った。

今までになく汗が噴き出した。心臓が痛い。このまま昏倒《こんとう》してしまいそうだ。

9

帰宅は七時半を過ぎた。

玄関を開けると菜穂が駆け寄ってきて、アイスクリームアイスクリームと私の腕を引っ張った。

「ごめん。忘れちゃったよ」

私は笑顔を作り、娘の頭をなでた。

「いい子でお留守番してたんだよ」

菜穂は眉《まゆ》をひそめた。

「明日買ってあげる」

「ママ、帰ってくるのが遅くて、おにいちゃんもいなかったけど、菜穂、いい子でお留守番してたんだよ」

「そうだな。いい子だったな」

「パパのウソつき」

菜穂はぷうと頬を膨らませて奥に消えていった。「ウソつき」という言葉が胸に突き刺さる。

いつもはまず寝室でパジャマに着替えるのだが、スーツのまま鞄《かばん》を提げて居間に入った。菜穂はテレビの前に膝《ひざ》を抱えて座っている。頬は膨らんだままだ。

「菜穂、ご飯よ。遅くなってごめんね」

秀美がお盆を持って台所から出てきた。

「おなかすいてないもん」

菜穂はますます頬を膨らませた。

「雄介は？」

室内を見回しながら私は尋ねた。秀美はそれには答えず、

「菜穂、ここに置いておくから、おなかが減ったら食べなさいね」

とテーブルに料理を並べる。一見してインスタントとわかる粗末なものだった。しかし、この緊急事態の中、これだけ用意できただけでも誉めてやらなければなるまい。

配膳を終えると、秀美は居間を出ていった。私もあとを追って寝室に入った。

「あなた……」

秀美が涙声で抱きついてきた。私は彼女を抱きしめてやり、背中や頭をやさしくなでた。

「雄介はまだ帰ってきていないのか？」

耳元で尋ねると、秀美は私の腕の中で力なくうなずいた。

「犯人からの連絡は？」

「ない」

「金は持っていったんだな？」

「持っていった」

「百万？」

「そう、百万円」

「順を追って話してみろ」

私は妻の体を離した。

「犯人の要求どおりよ。銀行でお金をおろして、うちのスーパーの手提げ袋に詰めて――」

特急レッドアロー号で池袋まで出て、3番ホームで十七時四十四分発の所沢行き通勤準急を待ち、三輛目《りょうめ》に乗り込み、前寄り左側の網棚に紙袋を載せ、その前に吊革《つりかわ》を摑んで立ち、大泉学園に着いたら袋を残して電車を降り、次の列車で帰宅した。

「大泉学園で降りたあと、電車の中を見たか？」

「うん」

「網棚の袋に手をかけたやつはいなかったか？」

「見てない」

「電車に乗っている時、近くに怪しい人物はいなかったか？」

「わからない」

「しきりに網棚を気にしているような人間はいなかったか？」

「そんなのわからないわよ。満員なんだし」

帰宅ラッシュがはじまったころである。

「雄介は……」

秀美は声を詰まらせ、ふたたび私にすがりついてきた。

「だいじょうぶだ。要求に従ったんだ」

「でも、この間の……」

尾嵜豪太は身代金を払ったにもかかわらず殺された。

「不吉なことを言うな。信じるんだ。信じよう」

「警察を呼んだほうが……」

「そうだな。いや、一晩待ってみよう。今は犯人を信じよう。だいじょうぶだ。きっとだいじょうぶ。雄介は無事だ。元気に帰ってくる」

私は妻を強く抱きしめた。しばらくしてから腕の力を抜き、彼女の体を向こう側に押しやった。

「そのへんを回ってくる」

「じゃあわたしも。手分けして捜しましょう」

「いや。夜だし、菜穂を一人にしておくわけにはいかないだろう。おまえは菜穂と一緒に待っていてくれ。それに、犯人からの電話が入るかもしれない」

「雄介のお友達のところに電話して、何か知らないか尋ねてみる」

「そうだな」

私は楽な服に着替え、駐車場に走った。

10

翌日、私は会社を休んだ。

夜通し雄介の帰りを待ったが、むなしく夜が明けた。そして警察に連絡した。

「どうして脅迫状を受け取った時点で通報しなかったのですか」

狭山署の刑事はあからさまな非難を口にした。

「警察を呼んだら命はないと書いてあったんですよ」

私は眉をひそめた。

「警察が犯人を野放しにしておくから、雄介がこんなことに……」

秀美も食ってかかった。

「ええと、それで、脅迫状を拝見できますか」

歳若い刑事が困ったように割って入った。名前は神崎といったか。先の年輩の刑事は篠原という。わが家にやってきたのはこの二人である。

「コピーですが」

私はMOディスクを差し出した。警察を呼んだ時のことを想定し、昨日退社する前にコピーを取って持ち帰っておいた。

「昨日、雄介君がいなくなった時の状況を聞かせてください」

篠原が言った。神崎はソファーテーブルで持参のノートパソコンを操っている。

「朝、塾に出かけて、それっきり」

秀美が答えた。

「塾に出かけたのは何時のことです」

「八時四十五分ごろです」

「塾は何時までなのですか？」

「十一時半です」

「すると、昼になっても雄介君は帰宅してこなかったと」

「はい。ですが昨日は出がけに、図書館に寄ってくるから帰りが少し遅くなると言っていたので、お昼の時点では、あの子の身に何かが起きたとは思いませんでした」

「どこの図書館ですか？」

「塾の帰りに寄るとしたら、市の図書館ではないかと」

「市の図書館というと、彩の森入間公園のところにある？」

「そうです。あそこです」

「それで、雄介君は午後になっても帰ってこなかったと」

「わたし、近所のスーパーでパートをしてまして、きのうは午後からのローテーションに入っていて、お昼ご飯を食べたあとすぐに家を出ました。なので、あの子が帰ってきていないとは知りませんでした。三時半ごろでしたか、職場に主人から電話があって、それで雄介が誘拐されたと知りました」

「昨日、お嬢さんはずっと家に？」

篠原は肩越しに背後を指さした。食卓の椅子に菜穂が座っている。膝《ひざ》を抱え、膝と膝の間に顎《あご》をうずめ、不安げな様子だ。

「ええ。一人で留守番をさせていました」

「きのう、お兄ちゃんは帰ってこなかったの？」

篠原はやさしい声で振り返った。菜穂は硬い表情で、うんうんと何度もうなずいた。

「お留守番している時に電話がかかってこなかった？」

「きた」

「どんな電話？　男の人？　女の人？」

「パパ」

菜穂はさっと椅子を降り、私の元に走り寄ってきた。私は菜穂の体を抱き寄せて、

「脅迫メールが届いたことを家内に知らせようと電話したのです」

と説明した。

「パパのほかに電話はなかったかな？」

「ママ」

「一人にしておくのが心配で、何度か電話を」

秀美が説明する。

「パパとママのほかには？」

篠原は菜穂の前にしゃがみ込んで尋ねた。菜穂は激しくかぶりを振った。

「お兄ちゃんからも電話はなかった？」

「ない」

菜穂は私の背中に隠れた。

「シノさん」

神崎が呼んだ。ノートパソコンの画面を指さしている。篠原は私たちに背を向け、神崎の元に寄っていった。

「奥さんはこのとおりに行動したのですね？」

篠原が言った。パソコンの画面には脅迫メールの文面が映し出されている。

「はい」

「奥さん一人で」

「はい」

秀美は篠原の質問にしたがって、銀行で現金を引き出した時の様子から、大泉学園で電車を降りるまでのことをつぶさに語って聞かせた。

「要求どおり、電車の中に身代金を置いた。ところが雄介君は帰ってこなかった」

「はい」

「犯人からの連絡もなかった」

「はい。それで、主人が車で雄介を捜しにいきました」

「どこかに放置されているかもしれないと思ったのです」

私は補足した。

「しかし雄介君は見つからなかった」

「はい」

「友達に電話してみましたか？　同じ塾に行っている子なら、昨日の雄介君の行動を詳しく知っているかもしれない。図書館で、あるいは図書館を出たあと、犯人と接触したのを目撃したかもしれない」

「それが……」

秀美は言いよどみ、

「事件と関係あるとは思えないのですが」

と首をかしげた。

「どんな些細《ささい》なことでも結構です。話してみてください」

秀美は私の顔を窺《うかが》う。私がうなずいてみせると、彼女は足下に向かって話しはじめた。

「先ほど、雄介は塾に行ったと言いましたが、実はどうも行っていないようなのです」

「家は出ていったのですよね？　八時四十五分に」

「はい」

「しかし塾には行っていないということは、つまり、さぼったということですか」

「さぼったというか……、大谷進学会に行っているお友達、樋口君という男の子なのですけど、昨晩その子に電話して、雄介のことを知らないかと尋ねたのです。すると、富樫君は夏期講習を受けていませんよと答えられて……」

「意味がよくわからないのですが。お母さんは、受講していると思っていたわけですよね。それは、講習を申し込んだという事実があるからでしょう？」

「はい。私が申込用紙を書きました」

「すると、雄介君は、申込用紙を塾に提出しなかったと？」

「塾にはまだ確認していませんが……」

「講習の費用は納めていないのですか？」

「雄介には渡しましたが……」

「じゃあ、雄介君が使い込んだと？」

「そうかもしれません……」

秀美は恥じ入るように背中を丸めた。

「ほかの友達のところには電話しましたか？　塾に行くふりをして、友達と遊んでいたとも考えられるわけですよね」

「小学校のクラスの子全員に電話しましたが、誰も雄介とは会っていませんでした」

「うーむ。事件とどうからむのだろうか」

篠原は複雑な表情で手帳にペンを走らせた。

「塾の件は別問題だと思いますが」

私は小声で口を挟んだ。

「いいでしょう。塾の件はひとまず置いておきます。では次にここを見てください。差出人のアドレスに心あたりはありますか？」

篠原はパソコンの画面の一部分を指でなぞった。「yousky_tog@jjt-pocket.com」となっている。

「雄介のです」

「やはりそうですか」

「やはり？　もしや刑事さんは、あの子が自分で脅迫メールを送ったと？　いたずらだと？」

「いいえ、そういうことではありません。実は、これは公表していないのですが、春から連続して発生している誘拐事件には一つの共通点がありまして、脅迫メールは毎回被害者のケータイから送られているのです」

「すると、今回も同じ犯人が？」

篠原はうなずいて、

「それでお尋ねしたいのですが、犯人に心あたりはありませんか？」

「いいえ、まったく」

「奥様は？」

「ありません」

「江幡真吾君の家はこの近所でしたよね？」

「ええ」

「雄介君と真吾君は親しかったですか？」

「会えば挨拶《あいさつ》して、たまに遊ぶ程度でしたが。歳が離れているので」

「これまで発生した誘拐事件の被害者の間には接点がなかった。住んでいる場所も学校も違う。親同士が面識があるわけでもない。ところが今回はじめて、被害者同士に接点ができました。雄介君と真吾君ですね。ここが事件解決の突破口になるのではという期待があり、それでお尋ねしているのです。どうです、犯人の心あたりは？」

　私も秀美もただ首を振るだけだった。

「僕は違う気がしますが」

　神崎がぽつりと言った。

「過去四件の被害者は小学校の低学年でした。けれど今回は高学年の児童です」

「別人による犯行だとおっしゃるのですか？」

　私は思わず口を挟んだ。

「そういう感じがします」

「電子メールによる脅迫といい、身代金の要求額が少ない点といい、連絡が一度きりである点といい、手口は同じじゃないですか。それから、メールがさらわれた子のケータイから送られていることも。何から何まで同じじゃないですか」

「いわゆる模倣犯です」

「神崎、そういうことはな、会議で発言するんだよ。ごちゃごちゃ言ってないで、脅迫状を捜査本部に送っとけ」

篠原が不機嫌そうに言った。

「すでに送信しました」

「じゃあ次にやることがあるだろう」

篠原は憮然《ぶぜん》とした表情で部屋の隅に移動し、携帯電話で捜査本部に報告を行なう。

「ええとですね、雄介君の部屋を見せていただけますか」

神崎が言った。

「何か必要なものがあれば私が持ってきますが」

私は言った。

「いや、具体的な何ということではなくてですね、捜査の手がかりとなる何かがあればと思いまして。たとえば、昨日の待ち合わせを記したメモがあるかもしれません」

「あの子の持ち物をいろいろ調べるということですか？」

「そうです。もちろん作業は丁寧に行ないますが、間違いがあっては困るので、お父さんかお母さんに立ち会っていただければと」

「わかりました」

私は神崎を二階に案内した。

11

雄介が発見されたのは五日の午前中である。

発見された時、すでに息はなかった。

死体は東京都青梅《おうめ》市倉橋の山林にあった。不法投棄されていた乗用車のトランクに押し込められていた。

死因は頭部を短銃で撃たれたことによる中枢神経機能障害。脳内には弾がとどまっており、それは二二口径のコルト・ウッズマンのものであると断定された。

12

話は七月二十八日にさかのぼる。

私は自宅の二階で雄介と対峙《たいじ》していた。パスワードを破って彼のパソコンに侵入し、犯行日記を読み終えたところに雄介本人がやってきたのだ。

私は雄介の罪を糺《ただ》そうとした。しかし雄介に反省の色はなく、私は絶望した。殺すしかないと思った。雄介に更生の余地はない。こんな非道な人間を生かしておくことは親として世間様に申し訳ないと思った。

雄介のためにも殺してやろうと思った。彼は今後一生この社会に背いて生きていくことになる。私はそんな息子を不憫《ふびん》に思った。この世から存在を抹消してやることが彼のためなのだ。

激情にかられ、その場で雄介に手をかけそうになった。

だが、はたと思った。ここで雄介を殺せば私は殺人罪に問われ、それは私の後半生が失われることを意味する。残りの、まだ長い人生を棒に振ってもいいというのか。それに、秀美と菜穂の心配もあった。家族から二人の殺人犯を出したのでは、残された妻と娘は想像もつかない生き地獄をさまようことになる。

雄介は殺したい、しかし刺し違えるのはごめんだ、しかし殺さなければならない、しかし私や家族は不幸になりたくない――。

その堂々めぐりの中、私の中を電流が貫いた。家族四人がともに救われる道が、ほんの一瞬見えた気がした。

「さてと。お母さんや菜穂が帰ってくる前にカタをつけたほうがいいっしょ。警察を呼ぶ？それとも連れていく？僕はどっちでもいいよ。あ、でも、一度パトに乗ってみたいから、警察を呼んでもらったほうがいいかな」

雄介は笑って頭を搔《か》いた。

「パトカーに乗りたいのか？」

私は濡《ぬ》れた頰をぬぐいながら顔をあげた。

「うん。一生に一度あるかないかじゃん」

「パトカーに乗らずにすむのなら、そっちのほうがよくないか？」

「へ？」

「警察に捕まって施設に送られたいのか？」

「んなわけないじゃん」

「一つ約束してくれないか」

「何を？」

「来週水曜の予定をキャンセルしてくれ」

「水曜の予定？」

「鷹羽翔太君を殺すつもりなんだろう？」

「ああ。まあ、そのつもりではいたけど」

「殺人ゲームはもう終わりにしようじゃないか。二度とこんなまねをしないと約束してくれ。約束してくれたら悪いようにはしない」

「悪いようにしないって、警察に連れていかないということ？」

「そうだ」

「ウソでしょ」

「本当だ。おまえはまだ子供だから、今回の件で警察に捕まっても刑事罰を受けることはない。裁判所の審判を受け、児童自立支援施設に送られることになるだろうが、それは社会のルールについての教えを受けるためであり、どんなに遅くとも二十歳までには社会に出てこられる。だが世間は冷たいぞ。おまえの行ないを決して許してはくれない。学校に入ろうとしたり仕事をしようとしたりすると妨害が入る。後ろ指を指され、外を歩くこともままならない。おまえは将来ある身だ。この先ずっと日陰の道を歩かせるのは忍びない」

雄介は目をぱちくりさせた。

「親馬鹿か？　そうだな、ひどい親馬鹿だ。だが、お父さんはそれでいいと思っている。おまえが施設に入ったところで誰が救われる？　おまえは将来をなくす。犯人が小学生だったとなれば、遺族は怒りの持って行き場がない。法的な処罰がくだされないのだからね。世間の人々も暗い気分に包まれてしまうことだろう。だから、おまえが今ここで、二度と悪いことはしないと誓ってくれれば、お父さんはすべてに目をつむることにしようと思う。わざわざ施設に入らなくても更生は可能だと思う」

言葉を止め、雄介の肩に手を載せた。少し間を置いて、雄介は私の手を肩からはずし、ニヤリと笑った。

「お父さんにしても、息子が犯罪者だと世間に知れたら肩身が狭いと」

「そういう気持ちがないわけでもない」

「お父さんもケッコー利己的なんだね」

「人間、最後は自分がかわいいものだ」

「すごいね。子供相手になかなか言える台詞《せりふ》じゃない。ちょっとゾクッときた」

「もっとも、おまえが自首したいというのなら止めはしない。パトカーを呼んでやる」

「オッケー。ヒトゴロシは二度としません」

雄介は右手を差し出してきた。私は軽く握り返し、その一方で左手を差し出して、

「処分するからピストルを出しなさい」

「捨てちゃうの？」

雄介は不満顔だ。

「人殺しはやめると誓ったのだから、もう必要ないだろう」

「そうだけど……、でも、めったに手に入るシロモノじゃないし……。人はもう殺さない。ネコも撃たない。それは誓う。だから持っててていいでしょ？」

私は右手を引っ込めた。

「だめだ。万が一捜査の手が自分のところまで伸びたらどうなる。この部屋から証拠品が出てきたら一巻の終わりだぞ。夜光塗料や名刺、物置のタイヤとチューブも処分する必要がある。パソコンの中の日記もな。しかしなんといっても一番重要なのがピストルだ。凶器が発見されなければ、おまえが殺したと断定することはできない」

「証拠はインメツしなければならないということだね」

「完璧《かんぺき》に消し去れば、おまえは絶対に警察に捕まらない」

「リョーカイ。今回のことは全部捨てて心を入れ替えます」

雄介はあらためて右手を差し出してき、私はそれを強く握り返した。

早速その午後から計画を練りはじめた。日曜日には大筋が、月曜日の晩には細目までが決定した。

日曜日、雄介は二泊三日で林間学校に出かけた。せいぜい楽しい思い出を作ってくるがいい。

そして八月一日の水曜日。

私はいつものように六時半に家を出た。しかし向かった先は駅ではなく、月極めで借りている駐車場だった。自転車を乗り捨て、車のハンドルを握った。駐車場は自宅から充分離れているので、妻に見られる心配はない。

近くの入間インターチェンジから首都圏中央連絡自動車道に乗った。首都圏中央連絡自動車道、通称圏央道は制限速度八十キロの自動車専用道路である。狭山日高、圏央鶴《つる》ヶ島《しま》のインターを越えて北上し、十分ちょっとで鶴ヶ島ジャンクションにいたる。ここで関越自動車道の上り線に乗り換え、四十分ほど走ると、終点の練馬《ねりま》インターに到着。高速を降りたあとは最寄りの石神井《しゃくじい》公園《こうえん》駅に向かった。車は駅近くのコインパーキングに置き、ここからはいつものように西武池袋線を使った。実は前日もこのルートで出勤し、道の混み具合と所要時間を確認していた。

この日は午後一番に一人で朝霞工場に行くことになっていた。そういう予定になっていたからこそ、この恐ろしい計画が成立したのだ。

朝霞工場には会社の車で行った。半時間ばかり打ち合わせをし、二時前に工場を出ると、板橋の本社ではなく石神井公園駅に車を向け、コインパーキングで自分の車に乗り換えた。

雄介は石神井公園で拾った。証拠品の湮滅《いんめつ》に協力しろと呼び出しておいたのだ。

車は新座《にいざ》市の方に向け、県境を少し越えたところにあるスクラップ工場の裏手で停めた。夏草が生い茂る荒れはてた土地で、人の姿はない。

私たちは車を降りた。こんなところで何をするのかと雄介が尋ねてきたが、私は彼を無視してトランクを開けた。水色の防水シートを取り出し、二人がかりで地面に広げた。

シートを敷き終えると、その上に座るよう雄介に命じた。雄介はまた何をするのかと尋ねてきたが、私は強引に座らせた。

そして拳銃《けんじゅう》の引き金を引いた。

死体はシートにくるんで車のトランクに押し込んだ。人がやってくる気配はない。スクラップ工場の騒音が射撃音を消してくれたはずだ。私は現場を離れ、石神井公園駅のコインパーキングに戻って会社のライトバンに乗り換えた。

帰社すると、トイレで手をよく洗ってから自分の机に戻った。時刻は三時半に近かった。朝霞工場へ往復しただけにしては少々時間がかかりすぎているが、渋滞で遅くなることは珍しくないので、別段誰からもとがめられなかった。

自分の机に戻るとパソコンでメールをチェックした。先ほど自分で打ったメールが届いていた。雄介のPHSで送信した自作自演の脅迫メールだ。送信したあとは雄介にならい、位置情報を基地局に送らないよう、電源を切っておいた。

脅迫メールの件を秀美に伝えると、家族が急病になったといって早退した。だが、まっすぐ帰宅したわけではない。西武線の池袋駅で秀美がやってくるのを待った。この間、自分の携帯電話から雄介のPHSに何度かかけておいた。本当に自分の子供が誘拐されたら、そうするのが自然だからだ。のちに警察に調べられてもいいよう、発信履歴を残しておいたのだ。

秀美は五時二十五分に3番ホームに現われた。膝丈《ひざ》のタイトスカートに麻のサマージャケットという出《い》で立ちだ。パートにはたいてい、Tシャツにジーンズにスニーカーという格好で行っているので、いったん帰宅して着替えたと思われた。彼女は左手にジョイフルマートの紙袋を抱え持ち、右手にはエルメスのトートバッグを提げていた。化粧も普段より濃いように感じられた。女とは、こういう非常時でも見栄《みば》えを気にする生き物なのか。それとも秀美にかぎったことなのか。

十七時四十四分発の所沢行き通勤準急は定刻どおり池袋駅を出発した。秀美は先頭から三番目の車輛《しゃりょう》に乗っている。私は二輛目の後方に乗り込み、窓越しに彼女の様子を窺っていた。秀美と私の距離はわずか数メートルだったが、彼女に気づかれる心配はなかった。車内は帰宅時間帯で混雑していたし、彼女の目は網棚に釘《くぎ》づけだった。

六時一分、列車は大泉学園駅に到着した。秀美は紙袋を網棚に残してホームに降りた。列車が動き出すと私は三輛目に移動し、次の保谷《ほうや》駅で網棚の紙袋を奪って列車を降りた。誰も私の行動に注目していなかったと思う。

すぐに上り電車で石神井公園駅に戻った。コインパーキングから車を出し、関越道と圏央道を使って帰宅した。正確には、車は駐車場に置き、さも駅から漕《こ》いできたような顔をして自転車で帰宅した。

トランクの中の死体を遺棄したのは、雄介を捜しにいくといって家を出た際だ。車を西に三十分ほど走らせ、青梅の山林に投棄されていた車のトランクの中に、防水シートごと押し込んだ。PHSの入ったデイパックも副葬した。そして何食わぬ顔で帰宅したのである。

13

私はついに雄介を殺した。彼のために、妻と娘のために、そして私自身のために。

家族全員がなにがしかの犠牲を払った。

雄介は命を失った。

秀美と菜穂は愛する肉親を失った。

私は自分の手を血で汚した。

しかしそれと引き替えに家族全員がしあわせを得ることができたのだ。

雄介はそりの合わないこの社会と縁を切ることができた。

秀美と菜穂は生き地獄を回避できた。

私は残りの人生を棒に振らずにすんだ。

秀美と菜穂の憔悴《しょうすい》ぶりを見ていると胸が痛い。朝に、昼に、晩に、懺悔《ざんげ》の言葉が喉《のど》まで出かかる。

本当にこれでよかったのか。

いや、よかったのだ。私はそう信じる。

14

手の込んだ方法をとったのは自己の安全を確保するためである。富樫修が犯人だと突き止められたのでは、私が破滅してしまうばかりか、秀美と菜穂も不幸になる。それは絶対に避けなければならない。

雄介の死を一連の誘拐殺人事件の中に取り込んでしまおうというのが私のプランだった。過去四件の誘拐殺人を彷彿《ほうふつ》させる事件を創作し、雄介をその犠牲者とする。

一連の誘拐殺人事件には共通の特徴がいくつかある。被害者本人の移動電話から脅迫メールが送られている、メールの宛先は被害者の親の職場である、犯人からの連絡は一度きり、身代金の要求額は極端に低く抑えられている、身代金の運搬役は被害者の母親である、身代金を支払っても人質は殺される、人質は短銃で射殺される――。中でも最も重要なのは凶器だろう。

過去四件の誘拐殺人事件を受け、模倣、便乗を考えた人間は、日本全国を探せばかならずいると思われる。しかし仮に彼らが実行したとしても、まねであるとたちどころにわかってしまう。なぜなら凶器を用意できないから。

過去の殺害方法が、紐《ひも》で首を絞めたとか、石で頭を殴ったとかいうのであれば、同じように殺すことができる。しかし一連の事件では拳銃が使われている。毎回同じコルト・ウッズマンだ。そして銃というものは、たとえ同じモデルであっても、銃身内部の螺旋《らせん》状の溝の切り方が一丁一丁異なっている。したがって、同一犯による犯行に見せかけようと、どこかで仕入れてきたコルト・ウッズマンで殺害を実行したとしても、ライフルマークの違いから、別人による犯行が疑われる。

しかし私は、真犯人だけが持ちうる、世界に一丁しかないコルト・ウッズマンを用意できる立場にあった。

自宅にやってきた若い刑事が、雄介の誘拐は模倣犯によるものではないかと口にし、私をあわてさせた。しかし鑑定の結果、今回も前四回と同じ拳銃が使われたと判明し、同一犯による犯行として捜査は進められている。

仕事中に殺人を犯すという綱渡りを演じたのも、過去の事件を踏襲するためである。過去の誘拐はいずれも平日に発生しているので、今回だけ休日とすると、別の犯人によるものだと疑われかねない。といって会社を休んで決行したのでは、これも疑いを招く結果になりそうなので、平常どおり出勤し、仕事を抜けて拳銃を握った。ただし仕事を抜けるにも限界がある。自宅近くまで戻って殺害していたのでは勤務時間が終わってしまう。だから雄介を出先である朝霞工場の近くまで呼び出した。

死体を殺害現場に放置しなかったのは、一種のアリバイ工作である。新座市の現場と出先の朝霞工場は距離的に近い。被害者が殺されたと推定される時刻、その父親が現場近くにいた——警察に余計な想像をされたくなかった。そこで死体を移動させ、殺害現場を誤認させることにした。現場が青梅の山林であれば、私の居場所と切り離される。時間的に考えて、仕事を抜けて青梅まで往復するのは絶対に不可能なのである。この死体移動を実現するため、どうしても車で出勤する必要があった。

死体を詳しく調べれば、発見された場所で殺されたのか、死後運ばれてきたのかわかると聞いたことがある。しかし、雄介が殺されたと推定される時刻、私は朝霞工場から板橋の本社への移動中だった（ことになっている）。その短い移動時間を利用して青梅まで死体を運ぶのは無理と判断され、私に疑いがかかることはない。いったんマイカーに保管し、時間を置いて持ち帰り、さらに時間を置いて遺棄しにいったとは、まさか思うまい。

雄介の部屋も、いつ警察に調べられてもいいようにしておいた。拳銃と夜光塗料と名刺は、殺害以前に雄介から預っていたが、それだけでは手落ちである。M3のシステム手帳はリフィルを入れ替えた。誘拐事件が発生した日の欄に記されていた謎《なぞ》の文字列は、間違いなく不審をおぼえられる。パソコンにも手を加えた。犯行日記を消去したのはもちろん、起動時のパスワードも解除しておいた。個人ユースのパソコンでは普通パスワードなど設定しないものである。また、物置に放っておかれていたタイヤとチューブも不燃ごみとして出した。以上は、雄介が誘拐された（とされる）日の晩に行なった。

私が一番心配に思っていたのは塾の件だ。雄介が塾を無断でやめていたことと一連の事件をリンクして考えられはしないか。だがこれは杞憂《きゆう》だったようだ。ただたんに小遣い欲しさに行なったものと解釈され、その裏側で何をしていたのか追及されることはなかった。

雄介の死体発見から三日が経ち、一週間が過ぎた。

富樫修に疑いの目が向けられている様子は微塵《みじん》も感じられない。

だが、肩の荷を降ろすことはできない。計画はまだ折り返し点にさしかかったところなのである。

15

当然のことだが、富樫雄介誘拐殺害事件は大きく報道された。

ひいらぎ台はふたたび騒然となった。江幡真吾の死体が発見された直後の混乱が戻ってきた。いや、あのとき以上のマスコミと野次馬《やじうま》がわが家の前に詰めかけた。

わが家の電話とインターホンは鳴りっぱなしで、いちいち応じる元気はなく、放っておいても頭がおかしくなりそうなので、とうとう電話もインターホンもケーブルを抜いてしまった。

外出ももちろんできない。葬儀のため斎場に出ていった以外は、日中も雨戸をたて、家の中に引きこもっていた。生活に必要な買物は北海道からやってきた秀美の母親がしてくれた。騒動がおさまるまで一緒にいてくれるという。

菜穂は小田原の実家に避難させた。パパとママと一緒がいいと泣かれたが、窒息するような生活が長く続くことは育ちざかりの子供にとって好ましくない。それに、私と秀美は事情聴取に多くの時間を取られるので、一つ屋根の下にいたとしてもろくにかまってやれない。

私は妻を励ましながら日々を過ごした。

旧盆が過ぎたころから、家の周囲が徐々に静かになってきた。かつての平穏さにはまだまだほど遠いが、野次馬によって通行が妨げられるということはなくなり、取材スタッフの姿も昼日中以外は見かけなくなった。秀美の母は北海道に帰り、菜穂が小田原から戻ってきた。

八月二十日月曜日、私は仕事に復帰した。家を出入りするたびにマイクを突きつけられないか、駅までの道のりをカメラで追われないか、会社や取引先で会う人ごとにあれこれ尋ねられはしないかと、想像するだけでひどく憂鬱《ゆううつ》になったが、生活を考えるといつまでも休んではいられない。それに、家に引きこもっていたのでは計画の続きを行なえない。

この日は車で出勤した。電車よりも人の視線を感じずにすむと思ったからだ。騒ぎがもう少しおさまるまでは車通勤を続けるかもしれない。

ほぼ二十日ぶりの出社だ。まるで二十年前の初出社の時のような緊張感があった。しかし緊張していたのはむしろほかの人間だった。私が通りかかると笑顔とおしゃべりを引っ込め、目のやり場に困ったように顔をあちこちに動かす。あまりに悲惨な事件だけにストレートなお悔やみも口にしづらいらしく、「無理されないでくださいね」とか「何かありましたら遠慮なく声をかけてください」とかいった曖昧《あいまい》な気遣いばかりを投げかけられた。奇妙な居心地の悪さだ。

何より驚いたのが、私の肩書きが変わっていたことだ。長い休みから復帰してみると課長待遇になっていた。そろそろ課長にという噂はあったが、今は異動の時期ではない。家族を失ったことを哀れに思い、香典代わりに昇進させてくれたとしか思えない。人情に篤い会社ということもできるが、死んだ軍人や警察官の階級が特進したようで、あまりいい気はしなかった。

復帰第一日は、異動の辞令を社長から直々に受け取ったのと、机に積みあげられた書類と郵便物に目を通したくらいで、仕事らしい仕事をしないまま、定時で退社した。その際、欠勤中に私宛に届けられていた段ボール箱を持ち出すのを忘れなかった。

定時で退社したが、まっすぐは帰宅しなかった。車を池袋に向け、会社から持ち出した段ボール箱を駅のコインロッカーに預けた。

荷物の送り主は世田谷区の中野信一となっている。ひどい悪筆だ。取引先にも、友人にも、世田谷の中野信一なる人物はいない。私が勝手に作った名前と住所である。悪筆なのは利き手とは逆の手で書いたからだ。

送り状の品名の欄には「雑貨」と記されている。実際の中身は、雑貨といえば雑貨であるが、かなり特殊な雑貨である。拳銃、箱詰めの弾丸、硝煙の付いた革手袋、夜光塗料、名刺、ジョイフルマートの手提げ袋に詰められた百枚の一万円札。

八月一日の晩、ハマナカ食品の富樫宛に自分で発送した。雄介の死体を青梅の山林に遺棄した帰りだ。そして翌朝、欠勤すると会社に電話した際、世田谷の中野信一から荷物が届いたら、開封せずに富樫のロッカーの中に保管しておいてくれと頼んでおいた。これからは、雄介の誘拐事件を調べるため、自宅に警察が出入りすることになる。家の中に保管しておくのは危険だ。いずれも犯罪に使用された物品である。それも、きわめて重要な証拠品であるから、普通なら一刻も早く湮滅《いんめつ》するところだ。家の外に出すだけでなく、土中に埋めるなり海中に投棄するなりしないと危険である。しかし私はあえて処分しなかった。残り半分の計画を成立させるために必要欠くべからざるアイテムなのだ。

荷物をコインロッカーに預けた私は駅前の電話ボックスに入り、あらかじめ調べておいた番号にダイヤルした。

「お電話ありがとうございます。安心と信頼のムサシ調査センターです」

若い女性が出た。

「調査をお願いしたいのですが」

「ありがとうございます」

「それで、わけあって、そちらの事務所に伺うことができないのですが、電話での依頼というのは可能ですか？」

「はい、電話でも承っております。電話でのご依頼の場合、前金を銀行に振り込んでいただき、当社で入金を確認してからの調査開始となりますが、よろしいですか？」

「結構です」

「今このお電話で詳しくお話しされますか？」

「お願いします」

「担当者と代わりますので、少々お待ちください」

しばらくして中年の男が出てきた。

「ムサシ調査センター、キドカズユキと申します。このたびは当社にご依頼いただき、まことにありがとうございます。早速ですが、どのような調査をご希望でしょうか？」

「人を捜してほしいのですが」

「はい。どのような方をお捜しでしょうか」

「その人の名前はわかりません」

「名前は不明、と」

「性別は男です」

「男性、と」

「歳は……、三十代だと思うのですが、これは確かではありません」

「わかりました」

「その人は、今年の三月の下旬まで入間にいました」

「埼玉県の入間市ですか？」

「そうです。ただし、正式な住民として住んでいたのではありません」

「前住所地から住民票を移さずに住んでいたのでしょうか」

「いいえ。その人はホームレスでした」

「ああ、なるほど」

「そのホームレスを見かけるようになったのは昨年の夏ごろからで、入間市駅近くのふれあい公園で寝起きして、自転車で市内のあちこちを徘徊《はいかい》していました。廃品回収をしながら生計を立てていたようです」

「なるほど」

「それで、先に言ったように、そのホームレスは三月の下旬に入間を出ていったのですけど、現在どこで生活をしているのか、それを調べてもらいたいのです」

「わかりました」

「あと、その人は、入間を離れる直前に警察に連れていかれています。逮捕されたわけではないのですが、狭山警察署で半日間拘束されました。わかっていることは以上です。たったこれだけで捜せますか？」

「もちろんですとも」

「なるべく早く見つけてほしいのですけど」

「おまかせください」

　営業上かもしれないが、キドカズユキの声は自信に満ちていた。

　キドはそれから、料金システムについての説明をはじめた。基本料金（経費別）は一日一万円、前金（十万円）の振込を確認しだい調査を開始し、前金を使いきったら連絡するので、再度振込を行なってもらい、入金確認後調査を続行し、また足りなくなったら連絡し、それを繰り返す。キドはそして、振込先の口座番号を伝えてきたのち、こう尋ねてきた。

「失礼ですが、お宅さまのお名前を頂戴《ちょうだい》できますか？」

「田中といいます。田中茂」

私は用意しておいた偽名を告げた。

「連絡先の電話番号を頂戴できますか？」

「ええと、連絡はこちらからするということにできますか？」

「結構ですよ。ただし、調査費用が足りなくなった際、その旨こちらからお伝えできませんので、お宅さまからの連絡が入るまでずっと調査を止めさせていただくことになりますが、それでもよろしいですか？」

「毎日一度は連絡を入れるようにします。前金も多めに入れておきます」

連絡先を教えず、はたして調査を請け負ってくれるのだろうかと心配していたが、すんなりと受け入れられた。わけありの客は珍しくないのだろう。

契約は成立した。電話を切ると、私は早速銀行に行き、二十万円を振り込んだ。

さすがプロフェッショナルである。一週間で調査結果が出た。

入間にいたホームレスは蓮見守《はすみまもる》といい、現在、東京の府中にいるとのことだった。蓮見は江幡真吾事件で疑いをかけられたあと、人権擁護団体の斡旋《あっせん》で都内のホームレス収容施設に入ったが、半月後に無断退所、ふたたびホームレス生活をはじめた。多摩川の河川敷で寝起きしているという。

16

八月三十日木曜日。

定時に退社した私は、池袋駅のコインロッカーから荷物を出し、車で府中を目指した。山手通で初台《はつだい》まで行き、中央自動車道を国立府中《くにたちふちゅう》インターで降り、高速道路の側道を東京方面に戻り、府中街道にぶつかったら右折し、巨大な竪琴《たてごと》を思わせる白い橋の手前で車を停めた。前日場所を確認済みなので迷うことはなかった。もう少し先まで車を乗り入れられるのだが、目立ってはいけないので大通りから歩くことにした。

多摩川沿いの細い道に入り、しばらく上流方向に進んでから土手に登る。二百メートルほど先にくすんだ緑色の鉄橋がかかっているのが見える。

土手の川側はサイクリングコースになっているが、行きかう自転車も人もない。時刻は七時に近く、夕立を連れてきそうな黒雲が出ていることもあいまって、あたりはかなり薄暗かった。

サイクリングコースに降り、鉄橋に向かって歩く。左手の河川敷には、ススキやカヤの類の、背が高く細長い葉の雑草が生い茂っている。どこに水流があるのかわからないほど、一面が草の海だ。

轟々《ごうごう》と音がして、眼前の鉄橋の上をJR南武線の黄色い電車が通過した。

河川敷に降りた。鉄橋の橋桁《はしげた》の一つによりかかるように段ボールの小屋が建っている。雨よけのため、大きなレジャーシートを屋根の上方に張り渡してある。小屋の横には自転車が横倒しになっている。

鉄橋を挟んで向こう側の河川敷は草野球のグラウンドになっていた。照明設備がないため、この時間は使用されていない。つまりあたりに人はいない。

小屋の中からはナイター中継の音が漏れている。入口らしき穴の部分からは人の脚が二本にょっきり伸び出している。暑さから逃れようと、そうしているのだろう。

私は小屋の入口近くまで歩み寄り、奥に向かって声をかけた。

「こんばんは」

横たわっていた二本の脚がびくりと反応した。

「こんばんは」

もう一度声をかけると、小屋の中からゆっくりと上半身が現われ出《い》でた。

意外にも、男はこざっぱりとした顔をしていた。髪ぼうぼう髭《ひげ》もじゃもじゃと思いきや、髪は耳が出るほど短く刈り込まれ、髭もきれいに剃《そ》りあげられている。とはいえ、日焼けと汚れが混じり合った肌は泥をかぶったように真っ黒で、Tシャツは茶色に染みており、首周りのゴムは伸びきっていて、一般人とは明らかに違う。

「あなた、蓮見さんだよね?」

尋ねるが、相手はイエスともノーとも答えない。怯《おび》えたような目で私を見あげている。

「蓮見さんでしょう? 蓮見守」

敵意がないことを表わそうと、その場にしゃがみ込み、相手と目の高さを合わせた。表情もつとめて柔らかくする。男は黙ってうなずいた。

「ちょっと話がしたいんだけど、いいかな」

「話?」

若さを感じさせる声だ。顔も、汚れの影響で老けて見えるが、よく見ると、皺《しわ》も少なく、三十前後といった感じだ。

「悪い話じゃない。おみやげも持ってきた」

私はジョイフルマートの紙袋を差し出した。蓮見は手を出そうとしなかったので、

「取っておきなさい」

と押しつける。

「中を見てごらん」

そううながすと、蓮見は袋の口を開けて中に目を落とし、そしてハッと顔をあげた。それもそのはず、袋の中には一万円札が百枚入っている。雄介の身代金として秀美が西武線の車内に置いてきたものだ。

「全部君のものだ」

私は笑顔を投げかけた。蓮見はもう一度袋の中を覗《のぞ》き込み、驚いたままの顔をこちらに向けた。

「本物だよ」

蓮見はまた袋の中に目をやった。喉仏《のどぼとけ》が大きく上下した。

「金、欲しいだろう？　遠慮なく取っておきなさい」

「誰です？」

蓮見は食い入るように私を見つめた。

「誰だっていいじゃないか」

「何かの団体の人ですか？」

「まあそんなところだ。そんなことより、君に重要な話がある」

蓮見は反応を示さず、私のことを舐《な》めるように眺め続ける。

と、彼はギョッとしたように目を剝《む》いた。しかし私はその表情に特段の意味があるとは思わず、

「中で話せないかな」

と小屋の壁を軽く叩《たた》いた。

蓮見は顔を伏せ、つぶやくように言った。

「狭いですよ」

「いいよ」

「暑いですよ」

「かまわない。犬の散歩にやってくる者がいないともかぎらない。おいしい話は他人に聞かせたくないだろう?」

「じゃあ、どうぞ。靴は脱いでください」

蓮見は小屋の中に入っていく。私は靴を脱ぎ、四つん這《ば》いであとに続いた。

小屋の中は意外と広く、床面積は畳二枚分といったところだった。一方の壁に沿って本や雑誌が積みあげられ、その向かいの壁際には缶ビールやジュース、鍋《なべ》やコップや洗面器が並べられている。天井の真ん中には大型の懐中電灯がぶらさがり、部屋の四隅には、本気なのかジョークなのか、消臭剤が置いてある。

広いといっても、それは段ボールハウスにしてはということであり、大人二人が入ると嫌で

も膝詰《ひざ》めになった。おまけにこの暑さだ。冷房がなく、窓もなく、じっとしているだけで汗が玉となって噴き出してくる。消臭剤のおかげか、さほど臭いがしなかったことが唯一の救いだった。

「金と引き替えに何かをしろということですか？」

蓮見はラジオのスイッチを切った。

「察しがいいね」

私はタバコをくわえた。

「相当やばいことなんでしょうね。これだけもらえるということは」

「ちなみに百万円入っている」

「クスリの運搬ですか？」

「いいや。そんなたいそうなことじゃない。ごくごく簡単な作業だ。この場でできる」

「ここで？」

「文章を書いてもらうだけだ」

「文章？」

「そう、文章」

鞄《かばん》から便箋《びんせん》とペンを取り出し、蓮見の前に置く。

「何を書くのです？」

「安心しろ。論文を書かせようというのではない。頭はまったく使わない。お手本を書き写すだけだからな。要するにお習字だ」

別の便箋を取り出し、蓮見に差し出す。蓮見はそれを受け取り、目を落とし、えっと声をあげた。懐中電灯の明かりを便箋に近づけ、狐につままれたような表情で、あらためて文字列を追う。

「読めない漢字があったら教えてやるぞ」

私は笑い、小屋の外にタバコを投げ捨てた。

「ど、どういうことです?」

蓮見が目をしばたたかせる。

「書いてあるとおりさ」

江幡真吾君のお母様、申し訳ございません。

馬場雅也君のお父様、お母様、申し訳ございません。

赤羽聡君のお母様、申し訳ございません。

尾嵜豪太君のお父様、お母様、申し訳ございません。

富樫雄介君のお父様、お母様、申し訳ございません。

皆様の大切な息子さんの命を奪ったのは、この私です。

一度は捕まりかけましたが、それをうまく逃れられたことで、二度と捕まることはないだろうと自信を持ち、罪を重ねてしまいました。

目的は金でした。少額しか要求しなければ即座に応じてくれるだろうと考えました。十万、百万という金額は、世間一般にとっては少額でも、私にとっては大金です。

三度失敗しましたが、四度目で目的を達することができました。おいしいものを腹いっぱい食べました。五度目も成功しました。今度の金は何に使いましょう。あと何回かやれば、ホームレス生活から抜け出すことができるでしょう。マイホームを持つのも夢ではありません。

けれど、最近、江幡真吾君が夢枕に立つようになりました。馬場雅也君と赤羽聡君と尾嵜豪太君と富樫雄介君がかわるがわる現われ、苦悶《くもん》の表情を私に投げかけていきます。今さらながら、私の中の良心が目覚めました。私はもう罪の重さに耐えられません。私はなんということをしでかしてしまったのでしょう。

私は今、心から後悔しています。けれどこうして謝ったところで許されるとは思いません。許されてもいけないと思います。

だから死にます。

裁判所は私に死刑を宣告するでしょう。だったら、警察に出頭して、長い取り調べと裁判に時間を費やすことなく、自分で同等の裁きを与えようと思います。そのほうが皆様もイライラせずにすむでしょうし。

さようなら。本当に申し訳ありませんでした。

八月三十日　　　　　　　　　　　　　　　　蓮見守

「さっぱりわかりません」

蓮見は書き付けを放り投げた。

「君、日本語が読めないの？」

私は笑いながら両手を鞄の中に突っ込んだ。

「読めるから、わけがわからない」

「書いてあるとおりだよ。春から世間を騒がせている連続男児誘拐殺害事件の犯人は蓮見守なる人物だった」

革の手袋を探り当て、鞄の中で両手にはめる。

「何を言っているんです」

「さあ、この文章を書き写して」

手袋をはめた手で便箋を取りあげ、蓮見に突きつける。

「どうしてそんなことをしなければならないのです」

「ごちゃごちゃ言うな。書き写せと言ったら書き写すんだ」

私は凄味《すごみ》を利かせて書き付けを蓮見の胸に押しつけると、素早い動作で鞄に手を突っ込み、コルト・ウッズマンを取り出した。銃口が向く先は蓮見の額だ。

「な、な、なんです」

蓮見はうろたえ、顔の前に両手を掲げた。

「動くな。おもちゃじゃないぞ」

「なんなんですか。どういうことなんですか」

「いいから書き写せ。五秒以内に作業をはじめろ。でないと脳天に穴が空くぞ。一、二、三

――」

私は銃口で蓮見のこめかみを小突いた。

蓮見は泡を食って書き付けに手を伸ばし、白紙のほうの便箋も手元に引き寄せ、ペンのキャップを口ではずした。書き写しても脳天に穴が空くとは知らずに。

ホームレス蓮見守にすべてを背負わせ、私の計画は完成する。

蓮見守を射殺する。死体の両手に手袋をはめ、拳銃を握らせる。小屋の中に、弾丸の残りと、夜光塗料と、五被害者の親の名刺（富樫修のものも含む）を置いておく。百万円の入ったジョイフルマートの手提げ袋も置いておく。死体のそばには自筆の遺書もある。

この状況を見て、蓮見守が犯人でないと、誰が思うだろうか。拳銃を鑑定すれば、五人の男児の殺害に使われたものであると断定される。

このホームレスにはすまないと思う。しかし富樫家の名誉を守るためにはどうしても生け贄《にえ》が一人必要なのだ。

連続男児誘拐殺害事件は終結した。真犯人である雄介はこの世の人でなくなり、便乗犯である私も二度と便乗する気はない。しかし世間的には事件はまだ終わっていない。犯人が不明のままだからだ。したがって、警察は依然として捜査を行なう。捜査が続けられるということは、富樫雄介や富樫修に容疑がかけられる可能性が残るということである。そうならないために、第三者に罪をかぶせ、警察を誤った道に誘導することにした。

もちろん自分自身が警察に捕まりたくないからそうするのであるが、雄介の魂を汚さないためにも必要な工作なのである。

富樫雄介は今、無限に広がる前途を絶たれてしまったかわいそうな小学生として世間の涙を大いに誘っている。それが、実は希代の殺人鬼であったと明らかになれば、世間の反応は百八十度変わってしまう。雄介はすでにこの世にいないのだ。死をもって罪を贖《あがな》ったのだ。それで充分ではないか。もう誰も、何に対しても、彼を責めてほしくない。

蓮見は這いつくばるような格好で、懐中電灯の明かりを頼りに、手本と首っ引きでペンを動かす。額に浮かんだ汗が頰を伝い、顎《あご》からぽたりと垂れ落ち、紙に染みを作る。ペンは右手に握っている。人さし指を立て、親指と中指だけを軸にかけるという変則的な握りだ。このあと拳銃《けんじゅう》を握らせる時に、右利きであることを忘れないようにしなければならない。

やがて蓮見はペンを置いた。

「できました」

「顔はそのまま床にくっつけていろ。両手は頭の後ろだ」

私は蓮見の頭に狙いを定めたまま、左右の便箋を見較べた。

「上出来だ」

一語一句間違いなかった。違うのは筆跡だけである。

「僕は……、殺されるのですか？」

蓮見がかすれた声で言った。

「察しがいいね」

手本のほうの便箋を鞄に収める。

「あなたが子供たちを殺したのですか？」

「余計なことを訊《き》くな」

「しかし僕が犯人ということになるのですよね」

「犯人になるのではない。そもそも君が犯人なのだ」

「どうして僕がこんな目に……。あなたは僕に何か恨みでもあるのですか？」

「運が悪かったのだと神様を恨むことだな」

私は左手で拳銃のグリップを握り直し、その上から右手をしっかり添えた。

「お願いがあります」

「命乞《いのちご》いをしても無駄だ」

「タバコを喫《す》わせてもらえますか？」

「別れの一本か。いいだろう。待て、動くな。私が取る。どこにある？」

「僕は持っていません。一本もらえますか？」

「いいだろう。じっとしてろよ。顔もあげるな」

左手で拳銃を構えたまま右手で上着のポケットをまさぐり、タバコのパッケージを取り出す。パッケージを振って一本抜き取り、使い捨てライターと一緒に蓮見の前に置く。拳銃を両手で構え直す。

「よし、顔をあげていいぞ。妙な気を起こしたら撃つからそう思え」

蓮見はゆっくりと顔をあげ、後頭部から手を放し、右手の親指と中指でタバコをつまみ、左手でライターを着火した。炎の中にタバコの先端を突っ込み、離し、火が点《つ》いていないとわかるともう一度突っ込み、しばらくして離し、点いていないのでまた突っ込み——を繰り返す。

「おい、ふざけてるのか？　吸ってやらないと火は点かないだろうが」

見かねて私は口を挟んだ。

「あ、そういうものなんですか」

蓮見は頭を掻《か》いてタバコをくわえ、先端をライターの炎に近づけた。タバコから煙が立ちのぼり、彼はそして激しくむせた。

「おいおい。金がなくて、何年もタバコとごぶさたしてたのか？」

「今、生まれてはじめて喫いました。ああ、くらくらする」

「は？」

「体に悪いと思って喫っていませんでしたが、どうせ死ぬのなら喫ってやれってね。タバコの味くらい知っておきたいじゃないですか。味そのものはおいしくないけど、頭から血がすーっと退《ひ》いていく感じがなんともたまりませんね」

ホームレスが「健康のため」とは笑わせてくれる。

「哀れを誘って助けてもらおうという魂胆か」

「べつにそういうつもりではありません」

蓮見は目を閉じてタバコをくゆらせた。細いが筋肉質な腕をしている。格闘になったらこちらの分が悪そうだ。私は気を抜かずに銃を構えたまま、彼が喫い終わるのを待った。

やがて蓮見は目を開け、空き缶の中にタバコの火を落とした。

「ああ、気持ちが落ち着きました。さっきまでは死ぬのが怖くてたまらなかったんですけど、タバコを喫ったらそうでもなくなった」

「じゃあ、そろそろ死んでもらおうか」

私は引き金に指をかけた。

「最後に一つだけいいですか？」

「今度は酒を飲ませろとでもいうのか？」

「一つ伺いたいことがあります」

「余計なことは訊くなと言っただろう」

「あなたは、入間の富樫さんではありませんか？」

まったく予期していなかった言葉に、息が止まりそうになった。

「やはりそうなのですね。ひいらぎ台の富樫さん」

「ど、どうしてその名前を知っている」

「先日誘拐殺人の被害に遭った富樫雄介君のお父さんですよね？」

「だからどうして――」

頭上で轟音《ごうおん》が鳴り響いた。列車が鉄橋を通過している。私は呼吸をするのも忘れて蓮見を凝視した。蓮見は無表情で、小刻みに振動する天井を見つめている。

列車の音が遠ざかっていくと、蓮見が口を開いた。

「被害者のお父さんがどうして、偽の犯人をでっちあげようとしているのですか？」

「黙れ！　こっちの質問に答えろ。どうして私のことを知っている」

右手をさっと伸ばし、蓮見の胸倉を摑《つか》んだ。

「さっき外であなたの顔を見て、富樫さんだと気づいた時、娘さんの件で来られたのだと思いました」

「娘？　菜穂？」

またも予期せぬ言葉に、今度はきょとんとした。

「僕と話があるのなら、ほかに理由は考えられません。なのにどうして誘拐事件が出てくるのです。さっぱりわかりません」

「わからないのはこっちだ。菜穂がどうして出てくる？　答えろ！」

私は蓮見のシャツの首周りを絞りあげた。

「く、く、苦し……」

手を放すと、蓮見は額を床につけて激しく咳《せ》き込んだ。私は彼のこめかみに銃口を押し当てて、

「ほら、さっさと答えろ」

「一言では説明できません」

蓮見は土下座状態で答える。

「いいから答えろ。菜穂の件とは何だ？」

「娘さんの血液型をご存じですか？」

「はあ？」

「娘さんの血液型です」

「知らん」

「僕は小学校一年生の時に学校で検査がありましたが」

「知るか」

「では、あなたの血液型は何型ですか？」

「何だと？」

「あなたの血液型です」

「O」

「奥様は？」

「Oだ。おまえ、適当なことを言って時間を稼いでいるのか？　誰かがやってくるのを待っているんだな。よし、今すぐぶっ放してやる」

しかし蓮見は脅しにひるむことなく、

「両親がO型だと、子供の血液型もOになります。A、B、ABの子は絶対に生まれません」

「じゃあ菜穂もOだ」

「AかBだったらどうします？」

「はあ？」

「検査したことはないとのことなので、Oであると確定したわけではありません。AかBである可能性も残されています」

「おまえ、何わけのわからないことを言ってるんだよ。俺がOで女房がOで、子供がAかBである可能性はゼロだろうが」

「もしも父親の血液型がOでなかったら、O以外の血液型の子供が生まれる可能性があります」

「だから俺はOだと言ってるだろう」

「あなたが父親であるとはかぎりません」

私は絶句した。驚いたのではなく、あきれた。

「ほかの男と奥さんとの間にできた子でないと言い切れますか？」

「女房が浮気したと？」

「そうです」

「おまえ、なに言ってんの？」

「出まかせではありません」

「うちのが浮気するわけないだろうが」

「相手をした男を知っている、と言ったらどうします？」

「何だと？」

「その男と避妊せずにセックスしたことも」

「ふざけるな」

「ふざけてません」

「じゃあ言ってみろ。どこの誰だ」

「僕です」

私は目を剝《む》き、そして声をたてて笑った。

「あやうく時間稼ぎに乗ってしまうところだった。法螺《ほら》話はおしまいだ。さあ、念仏でも唱えてろ」

「本当の話です」

「鏡を見て物を言え。おまえのようなやつをうちのが相手にするわけないだろう」

「生まれてからずっとこんな姿だったわけではありません」

「ははっ、言われてみればそうだな」

「嘘だと思うのなら奥さんに訊いてごらんなさい」

「はいはい」

「いま電話して訊いたらどうです」

「夕飯のしたくで手が離せないよ」

「真実を知るのは怖いですか」

「ああ、怖い怖い」

私はふたたび声をたてて笑った。だが、頰が引きつっているのが自分でもわかった。笑いをおさめて言う。

「顔をあげてみろ。ゆっくりだぞ」

蓮見は四つん這《ば》い状態で顔だけあげた。目は澄んでいて、眼球がおどおど動くこともなく、出まかせを言っているようには見えなかった。銃を突きつけたまま命令する。

「じゃあ、うちのとどこで知り合ったのか言ってみろ」

「池袋のテレクラです」

「テレクラだと？」

「お宅は昔、練馬に住んでいましたよね？　エクセルハイムというアパートです」

血の気が退いた。

「当時は、援助を目的とせず、暇潰《つぶ》しや、たんにセックスをしたいからという理由でテレクラにかけてくる女性が結構いたものです。秀美さんもそうでした。彼女は専業主婦で、息子さんは保育所か幼稚園に預けていて、日中の数時間をもてあましていたようです。で、秀美さんからのコールを取った僕は、話がはずんだので、彼女を池袋に呼び出しました」

「それから？」

私は生唾《なまつば》を飲み込んだ。

「ランチを食べて、息子さんが帰ってくるまでにはまだ時間があるということだったので、ホテルに誘いました」

「それで……、行ったのか？」

「はい」

「はじめて会ったその日のうちに」

「そうです。当時の僕はもちろんホームレスなどではなく、いわゆる青年実業家というやつで、外車を乗り回し、身の回りもブランドもので固めていて、会えばたいていの女がコロッときたものです」

「それから？」

「彼女が先にシャワーを浴びて――」

「そういうことを訊いてるんじゃない！　会ったのはその時だけではないのか？」

「はい。最初に会った時、ビビッときたんですよ。この人とはセックスの相性がいいと。それは秀美さんも同じだったらしく――」

「黙れ！」

間男のこめかみを銃口で突く。しかし相手が本当に黙ってしまうと、またこめかみを突いて、

「続けろ」

と命じた。

「お互い生活があるので、会うのは、多くても週に一度でした。それも三時間程度。秀美さんはお子さんが帰ってくるまでに家に戻らないとなりませんからね」

「関係はどのくらい続いたのだ？」

「半年ちょっとでしょうか。秀美さんはヴィトンの化粧ポーチを持っていましたよね？　今も使っていますか？」

また寒気がした。

「ああ」

「香港旅行に行ったOL時代の友達に土産としてもらったと言っていませんでした？」

「あなたは、こんな高価なものをもらっていいのかと驚いた」

「…………」

「それに対して奥さんは、実は偽物で千円もしないのと答えた。違いますか？」

「…………」

「でもあれはまぎれもなく本物です。僕がパリの本店で買ってきたものです」

「余計な話はいい。半年ほどつきあったと言ったな？」

私は声を荒らげ、蓮見のこめかみをつついた。

「そう、半年です」

「その間、それで、そのう、なんだ、避妊せずに？」

「秀美さんが、だいじょうぶだと言った時には」

「さっきから、なんだ、黙って聞いていれば。気安く名前で呼ぶな」

髪を鷲摑《わしづか》みにする。

「すみません」

「それで、避妊しなかったことがあるので、菜穂はおまえの子だとぬかすのか？」

「ある日、秀美さんに――」

「名前で呼ぶな！」

髪を鷲摑みにしたまま左右に揺り動かす。

「奥さんに、妊娠したと告げられたのです」

「うちのが、おまえの子だと言ったのか？」

「かもしれないと。ご主人とも性交渉はあったということで、どちらが父親であるとは断言できないとのことでした。ただ、本当の父親が誰であれ、ご主人の子として育てると。そしてもう会うのはよそうと切り出され、それで僕たちは関係を解消しました」

私は唸《うな》った。唸り声しか出せなかった。

暴力的な音が小屋全体に満ちた。列車の通過だ。いま引き金を引けば、射撃の音は列車の通過音に完全にまぎれる。しかし私は蓮見を撃てなかった。延命のための作り話さと笑う自分がいる一方で、話の全貌《ぜんぼう》を知りたいと渇望している自分もいる。彼の話と私の計画とはまったく別の次元に存在している。彼が何をしゃべろうが、しゃべるまいが、私は彼を殺す。だったらさっさと殺して退散すべきなのに、話の到達点を知りたいと欲している。

電車の音が消え去るのを待ち、私は口を開いた。

「関係は半年で完全に切れたのだな？」

「はい。その後は、会っていないのはもちろん、電話もしていません」

「なのにおまえはどうして入間に現われた」

「それは――」

「おまえはもともと入間の人間なのか？」

「いいえ」

「するとやはり、うちのを追いかけてきたということじゃないか」

「というか――」

蓮見は言葉を探すように目を泳がせて、

「秀美さん、いや、奥さんと別れて数年ののち、僕はホームレスになりました。そのあたりの事情は一晩かかっても語りつくせないので省きますが、ひと月足らずの間に、会社も持ち家も三台の車も家族も、何もかも失ってしまった。そのとき僕は三十だったので、やり直しはまだまだききました。けれど、坂を転がり落ちていく過程で、裏切りその他人間の汚い面をこれでもかと見せつけられ、働くのも人づきあいも嫌になり、気づいたら浮浪者になっていました。不況だ不況だと騒いでいますが、それは上を見るからであって、日本は相当豊かな国です。独り身ならホームレスで充分食っていけます。拾った新聞雑誌やラジオで時代を追い、教養を身につけ、笑いも涙も興奮も得られます。高望みさえしなければ、そう悪くない生活です。病気や怪我をしても医者にかかれないのが困りものですがね。

しかし、人づきあいを完全に絶ってしまうと、わずらわしさがない反面、時として叫びたくなるような孤独に襲われる。家族すらいないのですからね。そしてその孤独が、僕にあることを思わせたのです。

富樫秀美さんが身ごもったのは自分の子だ。その子こそ、この世で蓮見守とつながりを持つ唯一の人間だ」

「おまえ、狂ってる……」

「そうでしょうか。奥さんは、僕の子でないとは言い切れないとおっしゃっていたのですよ」

「それはな、おまえと別れるための方便だ。人妻相手に避妊もしないようなやつとはつきあえないと言いたかったのだよ」

こんな抵抗をして何になるというのだ。

「おっしゃるとおりかもしれませんが、その時の僕は、自分の子に違いないと思った。そして一度思ったら頭から離れません。なにしろ毎日退屈をもてあましていたので、ほかのことをしたり考えたりして気をまぎらすことができない。無事に生まれただろうか、男だろうか女だろうか、もう幼稚園だろうか、自分の顔のどこを受け継いでくれているだろうか、などと想像するうちに、実物に会いたくなってきます。

ところが練馬のエクセルハイムを訪ねてみると、富樫さんはとうに引越していませんでした。

しかし僕はあきらめきれず、人に尋ねて引越し先を突き止め、入間のひいらぎ台まで遠征しました。昨年の夏のはじめのことです。そして見ました。菜穂と名づけられたその女の子を。はじめて見た時、僕は思わず涙ぐんでしまいました。はっきりとした二重瞼《ふたえまぶた》とめくれかげんの上唇が僕とそっくりではありませんか」

「ふざけるな！」

声こそ力強かったが、私は蓮見の顔を正視できない。

「彼女を見て、僕の心は決まりました。入間に住み着こう。声をかけたり、ましてや抱きしめたりすることはできないけれど、会いたくなったらいつでも会うことができる。入間に移ってからは孤独を感じることもなくなりました。週に何度かひいらぎ台に足を運んでは、菜穂ちゃんのことを自分の娘を見るような気持ちで眺めていました。いや、僕は彼女を自分の娘だと信じています。あのとき警察に連れていかれなかったら、今も娘の成長を遠くから見守っていたはずです」

「ふざけるな！」

私は拳銃《けんじゅう》を握った左手を振りあげた。

が、すんでのところで打ちおろすのをとどまった。

殴ったら外傷ができる。蓮見守はこれから自殺するのだ。自殺した人間が、死の直前に殴られていたとなると、自殺そのものが疑われてしまう。

「ま、想像するのは自由だからな。おっと、妄想だな、こりゃ」

私は笑ってみせた。

「血液型を検査していない以上、妄想と切って捨てることはできません」

「うるさい。妄想は妄想だ」

「じゃあ白黒つけましょう。あなたの血液型はO、奥さんもO、僕はABです。娘さんの血液型がOであれば、父親はあなた。AかBであれば父親は僕。娘さんの血液型を検査してください」

蓮見は上半身を起こし、手振りをまじえて訴えた。

「動くな。無意味な検査をしてどうする。検査したところで、その結果をおまえは知ることはできない。おまえは、今、この場で死ぬのだから」

私は銃を突きつけた。

「どうして僕は殺されるのです？」

蓮見は顔をゆがめ、両手をクロスさせて胸に当てた。

「おまえが知る必要はない。さあ、両手を頭の後ろで組め」

「僕が奥さんと肉体関係を持ったから、ではないのですよね？」

「そんな妄想は今日はじめて聞いた。両手は頭の後ろだと言ってるだろう。ぐずぐずするな」

「娘と血がつながっていないと気づき、実の父親に殺意を抱いた、のでもないのですよね？」

「菜穂は俺の子だと言ってるだろう」

「じゃあどうして——」

「黙れ黙れ黙れ！」

私は腕を振り回してわめき散らした。

秀美はこの男と関係を持っていたのか？

菜穂の父親は私ではないのか？

だとしたら、雄介を殺してまで私が守ろうとしたものは何だったのだろう。雄介こそが私に一番近い家族だったのに——。

いや、今さら悩んでもはじまらない。計画は九割方進行してしまったのだ。

迷いを振り払い、自分の心を確かめるように、一語一語はっきりと言う。

「今日ここに来るまで、俺はおまえに何の恨みもなかった。むしろ申し訳ないという気分でいっぱいだった。自分のエゴのために、無関係な人間を殺すのは忍びなかった。だが今は違う。俺は恨みを込めておまえに弾を撃ち込む。スケープゴートに蓮見守という人間を選んでよかったと、心からそう思っている」

私は両手で拳銃を構えた。蓮見の頭部に狙いを定める。引き金に指をかける。

列車の音が近づいてきた。小屋の振動が徐々に大きくなっていく。

この音が最高潮に達した時、私は引き金を引く。

17

凄絶《せいぜつ》な死体だった。

右手に拳銃を握りしめ、その銃身を口の中に突っ込んでいた。死因は脳の機能障害。

拳銃は米国コルト社製のウッズマンというモデルだった。ライフルマークを調べた結果、今年の三月より続いている男児の誘拐殺人で使用された拳銃だと判明した。死者は両手に黒い革の手袋をはめており、手袋からは硝煙反応が出た。

死体のズボンのポケットには破れた便箋《びんせん》が二枚入っていた。


江幡真吾君のお母様、申し訳ございません。

馬場雅也君のお父様、お母様、申し訳ございません。

赤羽聡君のお母様、申し訳ございません。

尾嵜豪太君のお父様、お母様、申し訳ございません。


今さらながら、私の中の良心が目覚めました。私はもう罪の重さに耐えられません。私はなんということをしでかしてしまったのでしょう。

私は今、心から後悔しています。けれどこうして謝ったところで許されるとは思いません。許されてもいけないと思います。

だから死にます。

裁判所は私に死刑を宣告するでしょう。だったら、警察に出頭して、長い取り調べと裁判に時間を費やすことなく、自分で同等の裁きを与えようと思います。そのほうが皆様もイライラせずにすむでしょうし。


ここまでが一枚目。

さようなら。本当に申し訳ありませんでした。

これが二枚目。

文字は黒の水性ボールペンで記されており、筆跡は死んだ男のものであると確認された。メモに出てくる、江幡真吾、馬場雅也、赤羽聡、尾嵜豪太の四人は、誘拐殺人に遭った男子児童である。

死体のそばには、ウッズマンの弾丸が詰まった箱と、夜光塗料ルミルックの缶、名刺が四枚、そしてジョイフルマートの手提げ袋が置かれていた。名刺は、前記の子の保護者のものである。手提げ袋の中には一万円札が百枚入っており、袋のビニールコーティング部分から富樫秀美の指紋が検出されたことで、彼女が息子の身代金として西武池袋線の電車内に置いてきたものだと判明した。

以上の状況から、死んだ男は連続誘拐殺害事件の犯人であり、罪の重さに耐えかねて、あるいは捜査の手が伸びるのを予感して自殺したとの見方が当初なされた。

しかし、自殺と断定するには腑《ふ》に落ちない点があった。

一つは、死体が拳銃を右手に握っていたこと。死んだ男は左利きだった。

もう一つは、自分の息子を誘拐を装って殺した理由が不明なこと。

富樫修の死は自他殺両面から捜査が行なわれた。

警察はやがて、一人の人物に目をつけた。富樫修は、多摩川の是政《これまさ》橋近くに停めてあった自家用車の中で死んでいたのだが、その近くの鉄橋の下に居着いていたホームレスが、富樫の死体発見と前後して姿を消していたのである。

徹底した捜索の結果、上野公園で当該人物が発見された。

蓮見守はあっさりと罪を認めた。富樫に殺されそうになったので、隙を見て拳銃を奪い、逆に撃ち殺したと自供した。もみ合いの中で拳銃の先が富樫の口の中に入り、ちょうどそのタイミングで引き金が引かれることになったという。殺害現場は鉄橋の下の段ボールハウスの中だったが、警察の目を欺くために、死体を車まで運び、自殺に見せかけた。富樫が用意してきた遺書の手本を破り、意味が通じる部分だけをポケットに入れておいた。

せっかくの偽装工作も、先入観から利き手の確認をおこたり、拳銃を右手に握らせてしまったことがあだとなった。

＊

「違う……」

私は頭髪を掻《か》きむしった。

冷たい水を飲み、新しいタバコに火を点《つ》け、想像を巻き戻す。

18

蓮見守の死体は、死後三日経ってから発見された。多摩川の河川敷で犬の散歩をしていた老人が、段ボールハウスの前で犬があまりにうるさく騒ぐもので中を覗《のぞ》いたところ、干からびた血の海の中に拳銃を持った男が倒れていた。季節がらすでに腐乱がはじまっており、小屋の中には形容不可能な臭いが立ちこめていた。

連続男児誘拐殺害事件の犯人が自殺した——警察の発表はまだだったが、どの新聞もテレビも連日その方向で報道している。私もマスコミの取材に対して、「自殺は卑怯《ひきょう》だ。直接謝罪の言葉がほしかった」と涙ながらに繰り返した。

そんな九月十五日のことである。雄介の事件について話を聞きたいと、入間の自宅に警察がやってきた。雄介君の交友関係は、塾をさぼって行きそうなところは、誘拐される前に身辺に変わったことはなかったか、雄介君と江幡真吾君がともに狙われたことについて心あたりはないか——毎度毎度の質問である。

「いつまでも何をだらだら調べているのです。犯人が死んだら、捜査は終了ではないのですか？」

質問に区切りがついたところで、私は非難するような口調で言った。すると埼玉県警の吉永という刑事がこう答えた。

「われわれはまだ、先日多摩川で死んだホームレスが犯人であると断定していません」

「自筆の遺書があったのですよ。犯行で使われた拳銃も。彼が犯人でなくてどうするのです」

「彼の死を自殺であるとするにはいくつか不審な点があるのです」

「不審な点?」

私はぎくりとした。吉永は隣の男に目配せした。警視庁の菊川という刑事である。菊川は痰《たん》を切るように咳《せき》払いをくれて、

「そう、不審な点。実は、今日はその件でもお尋ねしたいことがありましてね」

「いったい何が不審なのです?」

血圧が急上昇していたが、つとめて感情を抑えつける。

「銃創は死体の右側頭部にあり、死体は右手で短銃を握っていました」

蓮見は右手でペンを握っていた。右利きの人間が銃で自分の頭を撃ち抜こうとしたら、銃は右手に持ち、銃口は右側頭部に当てる。私はそのとおりに、彼の右側頭部を撃ったあと、彼の右手に銃を持たせた。何か間違いがあるだろうか? 私が撃つ際にはめていた手袋も、銃を持たせる前に彼の手にはめた。したがって硝煙反応も出ている。落ち度はないはずだ。

「短銃の引き金には右手の人さし指がかかっていました。したがって被害者は右手の人さし指で引き金を引いたと判断できます」

そう、拳銃を握らせるだけでなく、ちゃんと引き金に指をかけておいた。そして銃の引き金を引く指は通常人さし指だろう。不自然さは何もない。

「ところが死体を調べたところ、被害者は右手の人さし指を骨折していたのです」

「え?」

「第一関節と第二関節の間の部分が完全に折れており、銃の引き金を引くのはかなり困難だと医者は言っています」

脳裏にある場面がよみがえった。蓮見は人さし指を立て、親指と中指でペンを握っていた。癖ではなく、人さし指が痛かったからそうしていたのだ。タバコの持ち方がおかしかったのも、喫煙未経験者だったからではなく、骨折のせいだったのだ。ホームレスをしていると病院に行けないのが困ると口にしたのも、まさに怪我をしていたからこその嘆きだったのだ。

「ええと、骨折した部位をはずして、そうそう、指の根元のほうに引き金をかければ引ける気がしますが」

私はしどろもどろ抗弁した。

「それにしてもかなりの痛みをともないます。だったら人さし指に固執せず、中指で引けばいいでしょう」

たしかに不自然である。

だが、それが何だというのだ。自殺という行為に疑いがかかっているだけで、私に疑いの目が向けられているわけではない。そう、菊川の調子も、容疑者に対しているような感じではないではないか。吉永にいたっては、話に加わろうともせず、耳の穴をほじりながら手帳をめくっている。

ところが、事態はますますおかしな方に転がっていく。菊川は言う。

「不審な点の第二は――」

「え？」

骨折に気づかなかったのは仕方ないとして、ほかに何があるというのだ。余計な指紋はふき取ってきた。小屋の外に投げ捨てたタバコの吸い殻も回収した。

「不審な点の第一が右手なら、第二は左手です。被害者の左の掌《てのひら》をよく観察すると、何やら文字のようなものが認められました」

まさか!?　私が立ち去ったあと息を吹き返し、最後の力を振り絞って犯人の名前を書き残したのか？

「『申し訳ございません』、『尾嵜豪太君の』、『罪を重ねて』、『マイホームを持つ』、『心から後悔』などと断片的に読めます。遺書の中にある語句です。それらがすべて鏡に映ったような裏返しの文字として左の掌にあったのです。ということは、こう考えられます。遺書を書いたあと被害者は、便箋の上に強く掌を載せたため、遺書の文字が掌に転写されてしまった。ところが実際にはそうではなかった。遺書と掌の文字を照合してみると、両者は似ても似つかぬ筆跡だったのです」

偽の遺書を書かせた際、手本として与えた便箋の文字がスタンプされてしまったのか。蓮見の手は日焼けと汚れで黒ずんでいたので、手袋をはめる時に見過ごしてしまったのだ。

ああ、そんな自己弁護をしている場合ではない。手本は誰が書いた？　私だ。私の自筆だ。蓮見の死体から私の筆跡が発見されたのだ。

「掌にスタンプされた文字を鑑定して、どれだけの信憑性《しんぴょうせい》があるのです。ゆがんでいるだろうし、写りだって悪いだろうに」

私は怒ったように言った。

「もちろん正確な鑑定は無理です。ただ、両者の文字の特徴はあまりに違っており、転写の際のぶれやゆがみを考慮しても、別人の手によるものとしか考えられません」

正確な鑑定が不可能なら、あれが富樫修の筆跡だとは立証できないはずだ。恐れることは何もない。

「さて、不審な点はもう一つあって、富樫さんに意見を伺いたいのはそれについてです」

嘘だろう。まだ何かあるのか。

「名刺の件です」

「名刺？」

「そう、名刺。小屋の中から発見された名刺」

名刺は都合五枚置いてきた。雄介が持っていた名刺が四枚。江幡孝明、馬場明史、赤羽万里子、尾嵜毅彦。鷹羽翔太の誘拐は計画止まりだったので、鷹羽茂の名刺は置いてきていない。焼却処分した。あとの一枚は自分の名刺入れから出した。富樫修の名刺だ。これがないと手落ちになる。被害者は五人で、その親の名刺が五枚。数は合っている。いったい何が問題なのだ。

「名刺は各所のごみの中から拾ったのでしょう。あの男はそういうのはお手のものだ」

私は先回りして言った。

「そういうことを訊《き》きたいのではありません」

菊川は背広のポケットからビニール袋を取り出し、こちらに差し出してきた。名刺が一枚入っている。

「私の名刺？」

そう、富樫修の名刺だ。

「小屋の中から発見された一枚です」

「それが何か？　あの男はその名刺に印刷されているEメールアドレスを頼りに私に脅迫メールを送ったのですから、所持品の中にあって当然でしょう」

「しかしこの名刺、変でしょう」

「何が？」

「よくごらんください」

ハマナカ食品の富樫修の名刺だ。間違って、同僚や取引先の人間の名刺を置いてきたわけではない。

「おや、おわかりになりませんか？」

「だから何なのです」

不安といらだちが入り交じり、つい声高になる。

「肩書きをごらんください」

「そうですよ、私は課長待遇です」

「おや、まだ気づかれない。ハマナカ食品の人事担当者によると、あなたが課長待遇に昇進されたのは雄介君の事件のあとだということですが。違いますか？」

「そうですけど」

「蓮見守というホームレスが誘拐犯であるのなら、雄介君の事件が起きる前の名刺を持っていないとおかしいじゃないですか」

「あ」

そこまで指摘されてやっと気づいた。

雄介が誘拐された（とされている）のは私が係長当時のことだ。そのとき犯人が私の名刺を持っているとしたら、その肩書きは当然係長である。いや、わずかな可能性として、係長以前の班長当時の名刺、さらにそれより古い平社員当時の名刺、ということはある。けれど課長待遇の肩書きは絶対にありえない。未来を先取りすることは決してできないのだ。

ところが私は蓮見の殺害時には課長待遇に昇進しており、係長の名刺は名刺入れの中になく、小屋には新しい名刺を置いてきてしまった。その結果、蓮見が私の名刺を入手した時にはすでに雄介の事件は発生済みで、したがって彼は事件とは無関係であるという論理展開をされるはめに陥ってしまった。

頭の中が真っ白になった。蓮見の自殺には疑問が投げかけられている。雄介の誘拐は蓮見によるものではないと思われている。ひいてはほかの誘拐殺人についても、犯人は蓮見ではないと考えられているのではないか。何かうまい説明をつけてやらなければ。だが頭に血が昇って何も考えられない。警察は漠然とした疑いを持っているだけだ、富樫修に嫌疑がかかっているわけではないのだ、と繰り返すのがやっとだった。

不安はさらに広がる。

八月三十日、私は妻と娘を殺した。蓮見を殺して帰宅したあとだ。蓮見にあのような話を聞かされたのでは、二人を生かしておくわけにはいかなかった。秀美は裏切り者であり、菜穂は忌まわしい血の混じった赤の他人だ。そんな二人のためにこれまでどれだけのエネルギーを費やしてきたのかと思うと、腹立たしく、なさけなく、自然と刃を握っていた。

ただし、ただ怒りにまかせて斬りつけるほど私は愚かではない。二人を刺し殺したあと、雄介の死をはかなんで無理心中を図ったように偽装工作を施した。捜査に訪れた警察はそれに疑問を呈していない。

今のところは。

完璧《かんぺき》だったはずの蓮見の偽装自殺が破綻《はたん》をきたしはじめたように、秀美と菜穂の偽装心中もほころんでしまうのか。

そもそも私は暗黒の未来を回避しようと雄介を殺したというのに、しかし今、私の未来は風前のともしびである。

フィルターをぎりりと嚙《か》みしめてから、短くなったタバコを灰皿に持っていった。

＊

ガラスの灰皿には四方から吸い殻が突き刺さっている。あるものは途中からポキリと折れ、あるものはフィルターが焼け焦げ、その無秩序でいて一つにまとまっているさまは、どこか前衛芸術を思わせた。微妙なバランスを崩さぬよう、吸い殻と吸い殻を注意深く搔《か》き分け、新しい吸い殻を針山の中に植えつける。

壁の時計は時を刻む。四時五十三分十一秒、十二秒、十三秒――。

私は目を閉じ、想像の巻き戻しをはかった。計画的な犯行は成功しないのが常である。策を弄《ろう》すれば弄するほど、かえって証拠を残すはめになる。警察を欺いてやろうなど、ゆめゆめ考えないことだ。ではほかにどういう道がある。

腕組みをし、腕をほどき、こめかみを指で押し、頭皮に爪を立て、深呼吸を繰り返す。

頭の中には何も浮かんでこなかった。どこまでさかのぼって想像をやり直せばいい。頭が飽和状態でこれ以上の思考を受けつけてくれない。

目を開け、タバコの箱に手を伸ばした。重さがまるでなかった。念のためパッケージを破ってみたが、一本も残っていなかった。

灰皿の中から長そうな吸い殻を拾いあげ、ライターで火を点《つ》けた。シケモク独特のいがらっぽさだけが口の中に広がり、すぐにもみ消した。

そろそろ心を決めなければならない。

しかし私は決断の方向さえ見出せないでいる。

選択肢はたくさんある。ありすぎるほどだ。まだ思いついていない選択肢も多くあるに違いない。けれどどの選択肢にも手を出せない。出す気になれない。ジョーカーだけでババ抜きをしているようなものだ。どのカードを引いても絶望しかもたらされない。躊躇《ちゅうちょ》して当然だ。正直、引くのをパスしたい。ただし、このババ抜きに関しては、パスをしてもカードを一枚押しつけられるルールになっている。どれも選ばないというのも選択肢の一つにすぎないのだ。

どれも選ばないというのは、積極的な行動を取らないということである。雄介の秘密を覗《のぞ》かなかったことにし、何事もなかったような顔で毎日を送る。けれど、そうやって逃避したところで、雄介が行なったことはいずれ当局が嗅《か》ぎつける。結局、絶望から逃れることなどできやしないのだ。

警察も神ではないので、もしかしたら雄介までたどりつけないかもしれない。それを考えると、こちらから先回りして行動を起こさず、とりあえず放置しておくのがよいようにも思える。しかしよく考えると、たとえ警察が無能であったとしても救われないとわかる。

これは、雄介が捕まる捕まらないの問題ではない。警察に捕まりさえしなければ、わが子が誘拐殺人を行なっていてもかまわないというのか？　さらに都合よく、わが子による誘拐殺人というのが取り越し苦労だとしても、本物の拳銃を隠し持っていることを見逃してよいのか？

受講料の横領にも目をつぶるのか？

そういうまっすぐな気持ちがあるのなら、雄介と面と向かって話せばいい。ところがこれは恐ろしくてできそうにない。想像の中でさえまともにしゃべれないのだ。

私は矛盾している。考えれば考えるほど頭の中が暗くなり、道が見えなくなる。

私は何を望んでいるのだろう。自分が苦しい思いをしたくないだけなのか、家族に傷を負わせたくないのか、世間体を守りたいのか、美しい思い出を壊したくないのか、雄介が更生してほしいのか彼はもういらないのか。その答を考えれば進むべき道は自ずと決まってくると思うのだが、自分の望みさえよくわからない。

いや、望みは決まっているではないか。

雄介が潔白であることだ。

雄介による誘拐殺人は私一人の妄想にすぎなかったと判明し、心配性の自分を笑い飛ばしながらハッピーエンドを迎える――。それが実現するのなら、残りの人生、もう何も望むまい。

その可能性は、まだゼロではない。拳銃《けんじゅう》、名刺、夜光塗料、タイヤに付着した土等、雄介が犯人でなければ説明のつかない物品がいくつも存在する。だがそれは、私が説明をつけられないだけであって、実はきちんと説明がつくのかもしれないではないか。一連の事件とは無関係であると。なにしろ私は捜査のプロでなければ推理のプロでもない。

拳銃についても、モデルガンではないとどうして断じられよう。現行のモデルガンは規制により銃口が塞《ふさ》がれている。雄介の部屋にあったものは銃口が塞がれておらず、穴は銃身の奥にまで達しているように見えた。だから私はあれを本物だと思ったのだが、しかし思っただけだ。弾丸を詰め、発射実験を行なったか？　雄介の部屋にあったあれは規制が行なわれる以前に製造されたモデルガンであるのかもしれない。あるいは、現行のモデルガンの塞がれていた銃口を旋盤加工したもので、実弾を発射できるだけの強度はない。ただし違法改造には違いないので、雄介はそれを隠すように所持している。

拳銃の真贋《しんがん》が確かめられていない以上、そういう考えが成り立つ余地は残されている。そう、雄介が潔白である可能性はゼロではないのだ。

しかし——。

燃え残りの蠟燭《ろうそく》程度の光に期待を寄せてどうなるのだと、正直思う。

その一方で、可能性が完全に絶たれていないのにこちらから炎を吹き消してよいものだろうかとも思う。これも正直な気持ちだ。

どうしたらよいのか、さらにわからなくなった。考えの断片が増えるばかりで、混迷は底なしに深まっていく。

私は緩慢に腰をあげ、窓際に歩んでいった。カーテンを開ける。すでに夜は明けていた。東の空が透明な紅色に染まっている。朝焼けが出ると雨が降ると子供の時に聞いた憶《おぼ》えがあるけれど、空には一つの雲も見あたらない。

静かに窓を開ける。冷房の効いた部屋に暖かい空気が流れ込んでくる。まだ、熱気というほどではない。ぼんやり外を眺めていると、オレンジ色の空は赤に変わり、紫がかり、みるみる青い部分に飲み込まれていく。

とりあえず雄介のパソコンの中を覗いてみて、それから対策を講じるか。想像の中で閃《ひらめ》いたパスワードを試してみる価値はあるかもしれない。

いやしかし、パソコンの中に何があろうと、何もなかろうと、事態の方向は変わらない。名刺が実在し、夜行塗料が実在し、拳銃が実在している。パソコンを覗くことはすなわち、災いの種類が増えるだけだ。

ああと嘆息し、窓ガラスに額を押しつける。

雄介の罪が発覚するとする。彼の将来はなくなり、家族も生き地獄に落ちる。

雄介を殺すことで罪を隠蔽《いんぺい》するとする。警察の目はそう簡単に欺けないだろうし、たとえうまくいったとしても、私の心が晴れることは決してないだろう。自分を守るためとはいえ、わが子を殺して平気でいられるはずがない。

すると残された道は自殺か。

生きるも地獄、死ぬも地獄。どのみち私の人生は終わりということなのだ。

風俗に行かず、会社の若い女の子にもちょっかいを出さず、帰り道に赤提灯に立ち寄らず晩酌は缶ビール一本、小遣いは結婚以来三万円で据え置きで、競馬もその中でささやかに楽しみ、サラ金には決して手を出さず、そうやってつつましく生きてきた結果がこれか。

もう溜め息も出てこない。どうして救いようのないことばかりが頭を駆けめぐるのだろう。

私は倒れ込むようにソファーに体をあずけた。

腰の裏側に硬いものが触れた。手を回してみると、それは菜穂の絵本だった。寝転がったまま、ぼんやりとページをめくる。

そのころの世界は、一年じゅうが春でした。一年じゅう、花がさきみだれ、小鳥がさえずり、きもちのよい風がふきそよいでいました。おまけに、そのころの世界には、びょうきというものもなく、しぬことすらありませんでした。

けっこんしたエピメテウスとパンドラは、毎日わらいあい、うたい、おどり、しあわせにくらしました。

けれど、時間がたつにつれ、エピメテウスはパンドラをおいてでかけるようになりました。ひとりで、さかなつりや、のいちごをつみにいくのです。パンドラはしだいに、毎日がたいくつで、つまらなくなってきました。

ところで、エピメテウスの家には、大きな箱がおいてありました。中になにがはいっているのか、パンドラは知りません。エピメテウスも知りません。ゼウスさまに、けっしてあけてはならないといいつけられていたからです。

パンドラは毎日がたいくつでした。そしてエピメテウスがシカがりにでかけていったある日のこと、パンドラはあまりにたいくつで、とうとうがまんできず、箱の中をのぞいてみることにしました。

「ゼウスさま、ほんのちょっとだけですから」

パンドラは、おもたい箱のふたをずらしました。すると、中からおそろしい音がして、なにかがとびだしてきました。はねをもった虫のようなものが、つぎからつぎへと、まるでけむりがたちのぼるようにとびだしてきます。なん百、なん千、なん万、とてもかぞえきれません。

これらは、「わざわい」とよばれるものでした。「びょうき」、「じゅみょう」、「にくしみ」、「ねたみ」、「おそれ」、「うたがい」、「まずしさ」、「ふしんせつ」、「けんか」、「あざむき」、「うそ」など、人間をくるしめる、わるいこと、いやなことです。

パンドラはおおあわてでふたをしめました。でも、まにあいませんでした。箱からでてきた「わざわい」たちは、まどから外にとびだし、おもいおもいに、世界のあちこちにとびさっていきました。

パンドラは、じぶんのあやまちにきづき、なきだしてしまいました。いままで、この世界に「わざわい」はありませんでした。だから人間はみな、たのしく、しあわせに、くらしていたのです。ところが、じぶんが箱のふたをあけてしまったせいで、人間はこれから「わざわい」にくるしめられることになるのです。


そうか。パンドラの箱だ。災いに満ちた箱。雄介の部屋はパンドラの箱そのものなのだ。

私はハッと身を起こし、熱を帯びた指先で絵本の次のページを開いた。雄介の部屋がパンドラの箱であるとは、以前から思っていた。ところが不覚にも、今の今まで、最も肝要な点を失念していた――。

ガタリと音がした。

廊下に続くドアがゆっくりと向こう側に開いていく。その隙間からぼさぼさの黒髪が覗いた。

「もー、ビビらせるなよぉ」

大きな溜《た》め息とともにドアが全開になった。雄介だった。パジャマ代わりのだぶだぶのTシャツを着ている。

「なーんかガタガタ音がするから、泥棒かと思ったじゃない」

雄介は両手を背中に回し、胸をそらし、顔をしかめて私を睨《にら》みつけてきた。

「それは悪かった」

私は絵本を閉じて立ちあがった。

「うー、タバコ臭い。喫《す》いすぎ。死ぬよ」

雄介はいっそう顔をしかめ、針山のような灰皿を顎《あご》で示した。

「お父さんが死んだら困るか？」

「困るよー、そりゃ。ご飯食べられなくなる」

「正直でいい答だ」

「どーいたしまして」

「おまえは喫わないのか？」

私は小さく笑いながら雄介の方に近づいていく。気分が高揚している。

「タバコはまだ喫ってないのか？」

「喫うわけないじゃん。未成年だよ」

「お父さんは十七の時から喫ってたぞ」

雄介はきょとんとして、それから声をひそめて、

「あのさ、そーゆーことを子供にバラしたらまずいんじゃないの？　親として」

「酒は十六の時から飲んでいる」

「はあ」

「マスターベーションをおぼえたのは十三の時だ」

「え？」

雄介はあぜんとした表情で立ちつくす。その、背後に隠された手にバットが握られているのに気づいた。

「早朝野球か？」

「違うよぉ。武器武器。泥棒かと思ったから」

「そうか。危うく殴られるところだったな」

私は笑い、雄介の肩越しに手を伸ばしてバットを取りあげた。そして軽く構えてみる。

「ずいぶんやってないよな、野球」

この家の前の通りでノックをしていて、隣家の窓ガラスを割ってしまったことがあった。日曜日の朝は決まって、寝坊を決め込んでいた私の耳元で、キャッチボールキャッチボールと騒がれたものだ。ついこの間のことのようであり、遠い遠い昔のことのようでもある。ただ、夢ではなく、そういう時代がたしかにあった。

「よし。キャッチボールしよう。グローブを持ってこい。お父さんのグローブは物置だっけ？」

私は雄介の頭に手を伸ばし、柔らかな癖っ毛をくしゃくしゃ掻《か》きむしると、あっけにとられている彼を二階に追い立て、サンダルをつっかけて表に出た。物置から干からびたグローブを引っ張り出し、埃《ほこり》を払って息子を待つ。

空はすっかり青くなっていた。いまいましいほどの青空だ。たとえこちらが嫌だと拒絶しても、今日もまた灼熱《しゃくねつ》地獄にさらされる。たとえば今日これから雄介が警察に連れていかれるとする。あるいは絶望のあまり私が首をくくるとする。それでも夜は明ける。雄介が補導されなくても、私が死ななくても、やはり夜は明ける。真夏の太陽は人々の肌を焦がす。私たちは身をゆだねることしかできない。

やがて家の中から雄介が出てきた。しきりに首をかしげている。私は彼の腕を引っ張って家の前の通りに出た。早朝なので、ずっと向こうまで無人である。マスコミや野次馬《やじうま》もまだうろついていない。
二、三球放り合ったのち、私は唐突に尋ねた。
「パンドラの箱を知っているか？」

「ギリシア神話の？」

雄介は振りかぶったまま動きを止めた。

「そうだ。ところが多くの人は誤解していてね、一つは、パンドラの箱とはいうけれど、実は箱ではなく甕《かめ》だったのだよ」

「パンドラのカメ！　なーんか間抜け」

雄介は笑いながらモーションを再開した。右腕が鞭《むち》のようにしなり、白球が糸を曳《ひ》いて私の胸元に届いた。パンと乾いた音が、朝の静けさの中に鳴り響く。ナイス・ボールと投げ返し、私はまた尋ねた。

「エピソードに関しても誤解がある。どんな話か知っているか？」

「パンドラという女の人が、開けてはならないと言われていた箱を開けてしまったところ、中からいろんな災いが飛び出してきて世の中が大変なことになってしまった」

雄介はノーワインドアップで球を放る。今度も胸元にストライクが届いた。私はすぐには投げ返さず、グラブの中でボールをもてあそびながら、

「そう。それまで人間界には存在しなかった病気や、嫉妬《しっと》、怨恨《えんこん》、復讐《ふくしゅう》といった汚れた精神が世界の隅々にまで広がって、以降人間はそれらの災いに昼も夜も脅かされ、苦しみながら生きてゆかねばならない運命となった。だから、パンドラの箱という言葉は、決して開けたり見たりしてはならないものの代名詞として使われる。禁断のものという意味だな。ところが、これではエピソードを中途半端に引用したにすぎない。話には重要な続きがある。実は、箱の中には、一つだけ逃げ出さずに残ったものがあったのだ」

「へー、そうなの」

「ないちゃだめ」

パンドラがとほうにくれていると、小さな声がしました。

「だいじょうぶよ、わたしがついているから」

声は箱の中からきこえます。

「あなたはだあれ?」

パンドラはおそるおそるたずねました。

「わたしは『きぼう』です。人間が『わざわい』にまけないよう、おてつだいをします。くるしいとき、かなしいとき、こまったときは、どうかわたしをよんでください。わたしはいつも、あなたたちの心の中にいます」

パンドラは「きぼう」のおかげでげんきをとりもどし、またエピメテウスとなかよくくらしはじめました。

「きぼう」はパンドラだけのものではありません。わたしたちが、くるしいとき、かなしいとき、こまったときに、くじけず、あきらめずにいきていけるのは、心の中の「きぼう」が、なぐさめ、はげましてくれるからなのです。

ほら、ごらんなさい。

雪がふり、風がふきつける、さむい冬。でも、春はもうそこまできているのです。


「希望だ」

私は強くボールを投げ返した。そして言う。

「そのおかげで人間は、どんな災難に遭って途方に暮れようと、心の中の希望になぐさめられ、励まされて、人生を絶望せずに最後まで生きとおすことができる。われわれが希望を失わない間は、希望もわれわれを裏切ることはなく、災いがもたらす不幸もわれわれを打ち枯らしてしまうことはできない」

雄介の部屋はパンドラの箱であり、そして私はその蓋《ふた》を開けた。

「いい話だねぇ」

雄介は腕組みをして、うんうんとうなずいた。

「そう思うか？」

「思うねぇ」

「じゃあ雄介も、どんな時にも希望を持って生きることだ」

わが家の方でガラガラと音がした。寝室の雨戸が開き、パジャマ姿の秀美が顔を覗かせている。

「何の音かと思ったら、朝っぱらからキャッチボール？　仲のよろしいことで」

「仲間に入りたいか？」

「はいはい。あなた、頼むからパジャマで外に出ないでちょうだい。テレビに撮られたらどうするの。それから雄介、塾があるんだから、ほどほどにね」

「ありがとう」

私は妻に向かって手を挙げた。

「気持ち悪いわねぇ。パジャマを注意したくらいで。それとも皮肉？」

秀美は雨戸を戸袋に送る。

「いやいや、絵本のことだよ」

「絵本？」

「菜穂がお気に入りの、ギリシア神話の。おまえが買ってきたあの絵本のおかげだ」

「ギリシア神話？　ああ、あれ。買ってきたのは母よ。それが何？」

「お義母さんが買ってきたのか。今度、よく礼を言っておいてくれ」

妻は怪訝《けげん》そうに首を突き出した。

「おまえも読んでおくといいぞ」

「はあ？」

「ま、よろしく頼むよ。いろいろあると思うけどさ、これから」

「いろいろ？」

「その先には何かが待っている」

私がほほえむと秀美は、気味の悪いものを避けるように窓を閉めた。

「ねえ、どしたの？」

雄介が顔をしかめかげんにゆっくり近づいてきた。

「何が？」

「さっきから、なーんかヘンな感じ」

「そうか？」

私はグローブを突き出し、ボールを要求する。

「ヘン。なんか普通じゃない」

雄介は下手から山なりのボールを放った。

「そうかね」

私は体を開きながら逆シングルでキャッチし、クイックスローで返す。雄介は取りそこない、ボールが足下に跳ねた。

「何かあったの？」

「何も」

「いや、何かあったとみた」

私はあらぬ方に目をやった。すると雄介はボールを拾いあげて、

「リストラされたとか？」

半分笑いながら強い球を放ってきた。短く乾いた捕球音がグローブの中で弾《はじ》けた。

「ご心配なく」

「じゃあどうしたの？」

「気になるか？」

私は足下に向かってつぶやいた。

「なる。何があったの？」

私は答えず、グローブの中でボールをこねまわした。

「チョー気になるんですけど」

「心あたりがあるのか？」

「え？　どーゆー意味？」

雄介が近寄ってくる。

私は顔をあげ、ふっとほほえんだ。

「まあそう焦るな。何かがあるのはこれからだ」

「え？」

「ラスト、一球！」

後方に二、三歩下がりながら利き腕を地面近くまで引き絞り、高角度で白球を投げあげる。

世界の始まりはカオスだったという。カオスは混沌《こんとん》とは違う。そもそもは巨大な空間を意味するのであり、「空」は空虚ということではなく、あらゆる可能性を秘めた無の状態をいう。

そう、今日のこの、まっさらな青空のようなものだ。
白球が空から落ちてくる。それは私の未来でもある。

解説

笠井潔

●以下の解説では作品の趣向や結末に触れています。ご注意ください。

一九九〇年代の後半には、少年犯罪を描いたミステリが数多く書かれた。代表例は、貴志祐介『青の炎』、東野圭吾『白夜行』、天童荒太『永遠の仔』など。これらの諸作には、直木賞の選考委員好みというか、一九世紀的な内面や文学や人間性を疑わない読者に向けられた、「人間を描いたミステリ」という共通点が見られた。

しかし二〇〇〇年代に入ると、「人間を描いたミステリ」は急激に失速していく。「人間」の域から逸脱したグロテスクな存在の底に、「こんなにもせつない殺人者」(『青の炎』の腰帯に付けられた宣伝句)の一九世紀的な内面性を仮構し、世の善男善女の疑念や不安を優しくなだめるタイプの小説の失墜は、世紀の転換点を挟んで急激に進行した社会的、精神的な荒廃やニヒリズムの深まりを背景としている。

「こんなにもせつない殺人者」を描いて読者の涙腺《るいせん》をゆるめさせるタイプの小説に、もはや読者はリアリティを感じることができない。リアリズム形式を基調とする犯罪小説の場面でも、主流は『彼岸の奴隷』の小川勝己や『最悪』の奥田英朗などによる、いわば「壊れた人間を描いたミステリ」に変貌《へんぼう》した。

学級崩壊や引きこもりや思春期摂食障害が激増し、「せつない」内面など想像できそうにない、ストーカー殺人者や通り魔殺人者が跳梁跋扈《ちょうりょうばっこ》している。「人間」を主人公とする文芸ジャンルとして生じ、一九世紀に完成をみた小説形式に、人間とはいえないグロテスクな存在という硬いヤスリをかけなければならない。二〇〇二年に刊行された『世界の終わり、あるいは始まり』もまた、このようなモチーフで書かれた作品といえる。

小説の舞台は、東京近郊の新興住宅地である。「ここ埼玉県入間市ひいらぎ台は、一九八〇年代の半ばに第三セクターによって開発された住宅地である。分譲された総区画が数百という巨大な新興住宅地だ。町の名前は、全世帯が柊の生け垣であることに由来している。共同体をシンボライズするため、そう義務づけられているのだ」。

宅地が分譲された上で、もともと根をもたない空虚な「共同体をシンボライズするため」生け垣として植えられた柊《ひいらぎ》が、ひいらぎ台という名称の由来なのだ。この人工的で表層的な空間を背景として、物語は進行していく。

「顔見知りのあの子が誘拐されたと知った時、／驚いたり悲しんだり哀れんだりする一方で、／わが子が狙われなくてよかったと胸をなでおろしたのは私だけではあるまい」というエピグラムからはじまる前半部では、小学生を被害者とする連続誘拐殺人事件が描かれる。連続誘拐殺人にたいし平凡なサラリーマンの富樫修は、第二のエピグラム「悲惨な事件の連鎖はどこまで続くのだろう。／しかしわが家は相変わらず平和だし、この先もずっと平和であり続けるはずだ」に象徴される反応しか示さない。

しかし、しだいに事態は深刻なものに変わる。きっかけは、尾嵜毅彦という人物の名刺を子供部屋で発見したこと。九日後には、尾嵜の息子が誘拐殺人の被害者になる。「偽りが不幸をもたらすのではない。／偽りを偽りと認識してしまうことが不幸なのだ。／一度夢から醒めてしまったら、二度と偽りの世界に遊ぶことはできない」というわけで、不安にさいなまれた富樫は密《ひそ》かに息子の周辺を調査し、「拳銃、名刺、夜光塗料、タイヤに付着した土等、雄介が犯人でなければ説明のつかない物品」を次々と発見することになる。

こうして物語は「未来は運命ではなく、／神が賽を振った結果でもなく、／ましてや人から与えられるものでもなく、己の意志で切り拓くものである」というエピグラムからはじまる後半部に移る。

後半部の第一章では、雄介が連続誘拐殺人の犯人として摘発される。マスコミの取材攻勢や世間の非難から逃れるため、富樫は妻と娘を連れ悲惨な逃亡生活を送る羽目になる。世論の正義を振りかざす男に娘が誘拐され、「天誅」として殺害されてしまう。しかし、これは雄介の悪夢的な想像だった。第二、第三、第四章と、先行する章の記述を覆す形で雄介の想像が重ねられ、それぞれに事件は結末を迎える。しかし、いずれの結末も暗澹《あんたん》たるものでしかない。

作品内では「現実」とされている地の部分に、作品内でも「虚構」である主人公の想像や作中作を引用符なしで持ちこむこと。両者の境界を意図的に不明瞭《ふめいりょう》にして、読者に幻惑感をもたらすこと。リアリズム小説の規則を確信犯的に逸脱する、こうした技法は探偵小説の世界でも探求されてきたものだ。また、複数の結末というアイディアにしても。

注目に価するのは、現実と虚構の混濁や複数の結末の併存による近代小説的規範の解体が、二〇世紀的なアヴァンギャルド小説と質的に異なる水準に達している点だろう。後半部の物語が進行するにつれ、「未来は運命ではなく（略）己の意志で切り拓くものである」というエピグラムの反語性が、しだいに露《あら》わになる。おのれの運命を切り拓《ひら》くだろう自己完結的な近代的主体が、回復不能の失調状態に見舞われる必然性を、作者は否定しがたいリアリティで執拗《しつよう》に描きだしていくのだ。

しかし、いうまでもなく近代小説には、運命を切り拓く主人公だけでなく、運命に翻弄《ほんろう》される主人公も少なからず登場する。作者は富樫という主人公を、いささか揶揄《やゆ》的な筆致で描いているのだが、それは性懲《しょうこ》りもなく無力な夢想に逃避し続けるキャラクターの描出のためと同時に、運命に翻弄される主人公の近代小説的な「悲劇性」を相対化するものでもあるだろう。『世界の終わり、あるいは始まり』の小説的実験性は、作家のアヴァンギャルドまがいの恣意《しい》的趣味によるものではない。息子に疑惑を感じはじめた時点で、富樫は事実を「確認してみたいという気持ちが強くあった。しかし、雄介と声をかけようとすると、なぜだか心臓がドキドキしてきて喉の筋肉が収縮してしまう」。

ありふれた親子断絶の家庭風景である。息子が二階で幼女や少女を監禁していても、あるいは死にいたる残忍な暴行を加え続けていてさえ、事実を確認し適切な処置をとることのできなかった親が、女子高生コンクリート詰め殺人や、新潟の長期監禁事件を参照するまでもなく現実に存在している。富樫の躊躇《ちゅうちょ》を非現実的として退けうる読者は、おそらく存在しえない。

富樫が息子と率直に会話しえない結果、雄介という存在は一箇のブラックボックスと化す。現実逃避する富樫のために、次々と枝分かれしていく複数の物語は、前半部で提出されたデータにたいする並行的な複数の解釈でもある。中心が理解不能の暗黒に塗り潰《つぶ》されている結果、無力な解釈が際限なく紡ぎだされてしまう。

この作品で提出されている最後の物語は、それ以前の物語が富樫家にとって「世界の終わり」を示すとしたら、「世界の始まり」を予示しているようだ。富樫は息子になにひとつ問い質《ただ》さないまま、パンドラの箱の神話に触発され、雄介とキャッチボールをはじめる。それまでの物語が、蓋《ふた》を開かれて箱から飛びだした無数の禍《わざわい》であるとしたら、最後の物語こそ箱のなかに残された希望である、とでもいうかのように。

しかし、誤解してはならない。「白球が空から落ちてくる。それは私の未来でもある」という結末の一行は、空から落ちてきたボールに頭を打たれるという可能性を、当然のことながら含意している。雄介は犯人かもしれないし、犯人でないかもしれない。しかし、主人公には真相を突きとめる術《すべ》がないのだ。

息子が犯人であるという怖ろしい可能性を抱えこみながら、決定不能性の明るい地獄を生き続けること。この不気味な宙づり状態こそ、どのように足掻《あが》いても逃れることのできない生の条件ではないのかと、作者は語ろうとしている。近代的な主体性、人間性、内面性という領域に、もはや逃げこむことはできないのだと。

『世界の終わり、あるいは始まり』は、意外性を演出する探偵小説的な技法を用いているが、探偵小説の枠からは溢《あふ》れ出してしまう過剰な作品である。探偵小説形式を二一世紀的な水準に飛躍させるために、本作のような先鋭な実験が不可欠であると、おそらく作者は考えたのだろう。『世界の終わり、あるいは始まり』のあと、歌野晶午は『葉桜の季節に君を想うということ』（二〇〇三年）や『ジェシカが駆け抜けた七年間について』（二〇〇四年）という本格探偵小説の傑作を矢継ぎ早に刊行し、高い評価を得ることになる。

（本稿は『徴候としての妄想的暴力』所収「内面と空白」を文庫解説用に改稿したものです）

本作品はフィクションであり、実在のいかなる組織・個人とも一切関わりのないことを付記いたします。（編集部）

本書は二〇〇二年二月、小社より刊行された単行本を文庫化したものです。

世界《せかい》の終《お》わり、あるいは始《はじ》まり

歌《うた》野《の》晶午《しょうご》

平成18年 10月25日　初版発行
令和7年 1月20日　29版発行

発行者●山下直久

発行●株式会社KADOKAWA
〒102-8177　東京都千代田区富士見2-13-3
電話　0570-002-301（ナビダイヤル）

角川文庫 14425

印刷所●株式会社KADOKAWA
製本所●株式会社KADOKAWA

表紙画●和田三造

●お問い合わせ
https://www.kadokawa.co.jp/（「お問い合わせ」へお進みください）
※内容によっては、お答えできない場合があります。
※サポートは日本国内のみとさせていただきます。
※Japanese text only

ISBN978-4-04-359504-4　C0193

角川文庫発刊に際して

角川源義

第二次世界大戦の敗北は、軍事力の敗北であった以上に、私たちの若い文化力の敗退であった。私たちの文化が戦争に対して如何に無力であり、単なるあだ花に過ぎなかったかを、私たちは身を以て体験し痛感した。西洋近代文化の摂取にとって、明治以後八十年の歳月は決して短かすぎたとは言えない。にもかかわらず、近代文化の伝統を確立し、自由な批判と柔軟な良識に富む文化層として自らを形成することに私たちは失敗して来た。そしてこれは、各層への文化の普及滲透を任務とする出版人の責任でもあった。

一九四五年以来、私たちは再び振出しに戻り、第一歩から踏み出すことを余儀なくされた。これは大きな不幸ではあるが、反面、これまでの混沌・未熟・歪曲の中にあった我が国の文化に秩序と確たる基礎を齎らすためには絶好の機会でもある。角川書店は、このような祖国の文化的危機にあたり、微力をも顧みず再建の礎石たるべき抱負と決意とをもって出発したが、ここに創立以来の念願を果すべく角川文庫を発刊する。これまで刊行されたあらゆる全集叢書文庫類の長所と短所とを検討し、古今東西の不朽の典籍を、良心的編集のもとに、廉価に、そして書架にふさわしい美本として、多くのひとびとに提供しようとする。しかし私たちは徒らに百科全書的な知識のジレッタントを作ることを目的とせず、あくまで祖国の文化に秩序と再建への道を示し、この文庫を角川書店の栄ある事業として、今後永久に継続発展せしめ、学芸と教養との殿堂として大成せんことを期したい。多くの読書子の愛情ある忠言と支持とによって、この希望と抱負とを完遂せしめられんことを願う。

一九四九年五月三日

角川文庫ベストセラー

ハッピーエンドにさよならを　歌野晶午

望みどおりの結末なんて、現実ではめったにないと思いませんか？　もちろん物語だって……偉才のミステリ作家が仕掛けるブラックユーモアと企みに満ちた奇想天外のアンチ・ハッピーエンドストーリー！

朱色の研究　有栖川有栖

臨床犯罪学者・火村英生はゼミの教え子から2年前の未解決事件の調査を依頼されるが、動き出した途端、新たな殺人が発生。火村と推理作家・有栖川有栖が奇抜なトリックに挑む本格ミステリ。

ジュリエットの悲鳴　有栖川有栖

人気絶頂のロックシンガーの一曲に、女性の悲鳴が混じっているという不気味な噂。その悲鳴には切ない恋の物語が隠されていた。表題作のほか、日常の周辺に潜む暗闇、人間の危うさを描く名作を所収。

暗い宿　有栖川有栖

廃業が決まった取り壊し直前の民宿、南の島の極楽めいたリゾートホテル、冬の温泉旅館、都心のシティホテル……様々な宿で起こる難事件に、おなじみ火村・有栖川コンビが挑む！

壁抜け男の謎　有栖川有栖

犯人当て小説から近未来小説、敬愛する作家へのオマージュから本格パズラー、そして官能的な物語まで。有栖川有栖の魅力を余すところなく満載した傑作短編集。

角川文庫ベストセラー

赤い月、廃駅の上に　有栖川有栖

廃線跡、捨てられた駅舎。赤い月の夜、異形のモノたちが動き出す――。鉄道は、私たちを目的地に運ぶだけでなく、異界を垣間見せ、連れ去っていく。震えるほど恐ろしく、時にじんわり心に沁みる著者初の怪談集！

Ａｎｏｔｈｅｒ（上）（下）　綾辻行人

1998年春、夜見山北中学に転校してきた榊原恒一は、何かに怯えているようなクラスの空気に違和感を覚える。そして起こり始める、恐るべき死の連鎖！名手・綾辻行人の新たな代表作となった本格ホラー。

霧越邸殺人事件（上）〈完全改訂版〉　綾辻行人

信州の山中に建つ謎の洋館「霧越邸」。訪れた劇団「暗色天幕」の一行を迎える怪しい住人たち。邸内で発生する不可思議な現象の数々…。閉ざされた〝吹雪の山荘〟でやがて、美しき連続殺人劇の幕が上がる！

霧越邸殺人事件（下）〈完全改訂版〉　綾辻行人

外界から孤立した「霧越邸」で続発する第二、第三の殺人…。執拗な〝見立て〟の意味は？　真犯人は？　動機は？　すべてを包み込む〝館の意志〟とは？　緻密な推理と思索の果てに、驚愕の真相が待ち受ける！

冬のオペラ　北村　薫

名探偵はなるのではない、存在であり意志である――名探偵巫弓彦に出会った姫宮あゆみは、彼の記録者になった。そして猛暑の下町、雨の上野、雪の京都で二人は、哀しくも残酷な三つの事件に遭遇する……。